ELFABE

EL VE YÜZ ÇİZGİLERİNİN ANLAMI

© 2014, Hayat Yayıncılık, İletişim, Yapım, Eğitim Hizmetleri ve Tic. Ltd. Şti.

Tüm yayın hakları anlaşmalı olarak Hayat Yayınları'na aittir.

Kaynak gösterilerek alıntı yapılabilir; izinsiz çoğaltılamaz, basılamaz.

ISBN:978-605-151-096-5

Sertifika No: 12451

Hayat Yayınları	: 523
İnsanın Potansiyeli	: 5
Kitabın Adı	: Elfabe / El ve Yüz Çizgilerinin Anlamı
Yazarı	: Mehmet Ali Bulut
Yayına Hazırlayan	: Rahime Demir
Yayın Yönetmeni	: Erol Şahnacı
Kapak Tasarım	: Yiğit Yolcu
İç Tasarım	: Gonca Özdemir
Baskı Yeri & Tarihi	: İstanbul, 2014
Baskı & Cilt	: Ertem Basım

Başkent Organize Sanayi Bölgesi 22. Cadde
No: 8 Malıköy - Temelli / ANKARA
Tel: (0312) 284 18 14
Sertifika No: 26886

Hayat Yayın Grubu

Nişancı Mahallesi Davutağa Caddesi No: 26/1
34050 Eyüp - İstanbul
Tel: 0212 613 11 00   GSM: 0530 290 99 78   Faks: 0212 613 11 55

www.hayatyayinlari.com - hayat@hayatyayinlari.com
twitter.com/hayatyayinlari - facebook.com/hayatyayinlari

MEHMET ALİ BULUT

ELFABE

EL VE YÜZ ÇİZGİLERİNİN ANLAMI

Hayat

Mehmet Ali Bulut

1954'te Gaziantep, Islahiye ilçesi, Kerküt köyünde doğdu. 1978 yılında İstanbul Üniversitesi Edebiyat Fakültesi Arap ve Fars Dilleri ve Edebiyatları Bölümü'nden mezun oldu.

Mehmet Ali Bulut; Ruhun Deşifresi, Fardipli Sinha ve Derviş ve Sinha isimli eserleriyle insanın ruh ve maneviyat dünyasına hitap etmiş, Can Boğazdan Çıkar – Kan Gruplarına Göre Beslenme ve Sofra Başı Sağlık Sohbetleri isimli kitaplarıyla da beslenmenin önemi, hikmeti ve sağlıklı yaşamla ilgili çığır açan bir yaklaşım ortaya koymuştur.

Yazarın daha detaylı biyografisi için,
www.hayatyayinlari.com adresini ziyaret edebilirsiniz.

İçindekiler

Teşekkür

Bu kitabın başlangıcı çok eskilere; Tercüman gazetesinde çalıştığım dönemlere dayanır. Gazetenin o dönemdeki Genel Yayın Müdürü **Taha Akyol**'un talebi olmasaydı bu kitap asla yazılmazdı. Madem onun talebiyle hayat bulmuş bir eserdir, öyleyse teşekkür önce onun hakkıdır.

İkinci sırada sevgili **Şehmuz Okur** kardeşim gelir. Kitabın hazırlanışı safhasında yabancı dildeki -özellikle Fransızca- metinlerin çevrilmesinde benden hiçbir yardımını esirgememişti. **Louis Stanke**'nin **Les Lignes De La Main** eserinin ilgili yerlerini bana o tercüme etti. Promosyon olarak gazete ile birlikte verilen o kitabın şimdi yeniden 'Hayat'landığı bu çalışmada, o da yürekten bir teşekkürü hak ediyor.

Üçüncü sırada sevgili hocam **Şükrü Arıkan**'ın bize yadigâr mahdumu, başarılı hayat koçu kardeşim Münir Arıkan gelir. O, bu ilmin, insan kaynakları açısından ne kadar hayati önem kazandığını; birlikte yaptığımız saha çalışmalarıyla bana hissettirmeseydi bir kenara bıraktığım o çalışmayı diriltmeyecektim. Büyük firmaların bu tür bir esere ihtiyacı olduğuna beni ikna etti. Bu çalışmanın ona da bir teşekkür borcu oluştu!

Ve dördüncüsü; aynı zamanda vefalı bir dost olan **sevgili eşim Rahime'**ye teşekkür etmeliyim. Bu alandaki bilgilerimi hiç kıskanmadı, küçüksemedi. Beni itham etmedi. Artık unutulmaya ya da yanlış yorumlanmaya başlamış bu kadim bilgilerin derlenip kitap hâline getirilmesi için beni teşvik etti. Ve ayrıca da bu kitabın editörlüğünü yaptı. Ona teşekkür etmemek hakşinaslık olmazdı.

Ve tabii yayıncım **Hayati Bayrak** Bey'in de ciddi bir teşekkürü hak ettiği kanaatindeyim. Hiç ayırım yapmadan her türlü fikrî mahsulatımın pazarda yer bulmasını sağladığı için… Bana yazardan çok ağabeyi gibi davrandığı için. Ve tabii küçük kardeşlerimiz olan **Necati Bayrak** ve **Ali İhsan Bayrak**'a da teşekkür etmeliyim ki her işime koşturmayı görev bildiler.

Ve en son olarak, kitabı yazmak için kapandığım Altınoluk'ta, bana evinin kapılarını açan, hiçbir yardımını esirgemeyen sevgili kardeşim **Hüseyin Bostan'**a ve onun fedakâr, gayretli ve son derece nazik bir ev sahipliği yapan **Handan Hanım** kardeşime teşekkür etmeliyim…

Ve tabii bana bu ilimleri ilham eden, yönlendiren, öğreten Rabbime sonsuz hamd ve şükranlarımla…

Kitaba emeği geçen herkese sevgiler, teşekkürler.

Mehmet Ali Bulut
Altınoluk, Temmuz 2014

ÖNSÖZ

Chirology, Palmistry, İlm-i Sîma, İlm-i Kıyafe, Firase gibi adlarla anılan bu ilim dalları Doğuda ve Batıda birçok büyük zekânın dikkatini çekmiş, ilgi alanlarını teşkil etmiştir.

İnsanlarda, idrakin keşfi kadar eski bir tecrübî ilim... Seslere, gözle görünebilir bir vücut giydirme ihtiyacının, insanları yazıyı icat etmeye zorladığı dönemlerden kalma bir ilimdir el çizgilerinden hayat hikâyesini okuma sanatı. Sümerler, Akadlar, kadim Mısırlılar bundan yararlanmışlardır. Ta o dönemlerin hatırası olan bu ilim, her asırda yeni yeni tecrübelerle, yeni yeni zekâların katkılarıyla günümüze kadar gelişerek devam etmiştir.

Bu ilmin bilinen ilk temsilcileri arasında Aristo'nun da adı geçer. Romalılarda el çizgilerini okuyup oradan kişinin kabiliyetleri ve yaşayacakları ile ilgili hükümler çıkarmak oldukça önemlidir.

Ortaçağda ise bu ilimlerin en büyük temsilcileri arasında Müslüman âlimleri görüyoruz. **Muhyiddin İbnü'l-Arabi, Fahreddin El-Razi, İbni Sina** gibi büyük deha ve İslâm âlimleri bu ilimlere dair hususi eserler yazmışlardır.

Müslüman ilmi sîmacılar, bu konuda o kadar ileri gitmişlerdir ki bir insanın vasıflarından, karakterinden beden ve yüz şekillerini tasvir etmeyi tahmin edebilmişlerdir. **Sokrat**'ın, **Aristo**'nun, **Batlamyos**'un eserlerinde kendileriyle ilgili yaptıkları aktarımlarından hareketle eşkâllerinin nasıl olabileceğini tahmin etmişlerdir. Nerede ise eserlerinden hareketle resimlerini çizmişlerdir ki gerçeğin çok da uzağına düşmemişlerdir. Arap ilm-i sîmacısı **Ebu'l-Vefa Mübeşşir b. Fatik**'in böyle bir eseri mevcuttur. Aynı şekilde **Ebu's-Sem'a El Emşati**'nin renkler ve bunların işaret ettiği mana ve hastalıkları anlatan **Kitabu'l-Kavli's-Sedîd fi İhtiyari'l-İma' ve'l-Abîd** adlı bir eseri mevcuttur.

Ancak, bu ilmin bugünkü hâlini alması, 19. yüzyılda, Batıda bu işe emek verenler sayesinde olmuştur. Çünkü pozitivist yaklaşımın dünyada hâkim olmasıyla kadim tüm ilimlerin altı boşaltılmış, referansları yok edilmiş ve âdeta havada kalmışlardır.

Her ilmin temelleri ve postülaları vardır. Siz o postülaların referansını yok eder veya anlamsızlaştırırsanız, zamanla o ilim de hurafeye döner; referansları yok olmuş her ilim sonunda anlamsız bir hâl alır. Hurafeler dahi böyle derin bilimsel kırılmalar neticesinde, eski döneme ait ama referanslarını kaybetmiş kimi temel bilimlerin yadigârıdır. Kıyafetnamecilik, Müneccimlik, Simyacılık, İlmü'l-Hey'e'de olduğu gibi…

Mesela bugün kullandığımız matematik (İlm-i Riyaze) on tabanlı (desimal) bir sayılar sistemine dayanıyor. Öyle var sayılıyor. Bu mutlak bir şey değil. 2'li de 8'li de 32'li de 68'li de 128'li de olabilirdi. Birisi öyle yapmış ve sonra herkes öyle kabul etmiş. Sayılar da o çerçevede değerlendirilmiş; 0-9'…

Esasında bugün eğer biz o kadim matematik kurallarını hâlâ kullanmak zorunda olamasaydık, çoklu taban sistemi

(Oktal sistem, Hegzadesimal sistem, 32'li sistem...) üzerinde inşa edilmiş modern hayatı yaşayanlar 'ne saçmalık' derlerdi, on tabanlı sayılar sistemi için. Çünkü bugün çoklu tabanlar da kullanılıyor. Hatta 'binary' dediğimiz -ona da ilk imada bulunan, yine ilk dönem Müslüman bilginlerdir- ikili taban var ki bütün sistem 'var' ve 'yok' üzerine kuruludur.

Sonuç olarak, eğer Batı, Müslüman bilginlerin büyük bir icadı olan (Batı o dönemde, kendisiyle dört işlem bile yapılamayan Romen rakamlarını kullanıyordu) onlu taban sisteminin yerine, Batının Aydınlanma Dönemi'nde kendi icatları olan bir sayılar sistemini kullansaydı o sayılar sistemini de bir tür hurafeye dönüştürürlerdi. Kıyafetname ve müneccimliğin başına gelenler Riyaziye denilen bilimin de başına gelirdi. Çünkü İlm-i Riyaziye aynı zamanda, yeme içmenin aritmetiğini de içeriyor. Yani perhizi; abur cubur yememeyi de kapsamına alıyordu.

Modern dönemdeki bilimde, gözlemcilik ve tamamen tekrar edilebilirlik esas alınınca, tecrübelere dayanan bilimler anlam yitirdiler...

Batılı araştırmacılar, sosyolojinin ve psikolojinin zorlamasıyla (Kretschmer'in Beden Yapısı ve Karakter tahlilleri, şizofrenlerin tespitinden, âri ırkın tasarımlanmasına, tiplerin kriminolojik eğilimlerinin tespitine varıncaya kadar birçok alanın referans noktası olmuştur) Palmistry, Chiroloji adı altında bu alana eğilmemiş ve eserler vermemiş olsalardı, biz bugün bu disiplini de Doğunun hurafeleri arasında saymaya devam ederdik büyük ihtimalle.

Çünkü 18. yüzyıldan itibaren gelişen ve sonunda tanrı tanımaz bir anlayışta karar kılan pozitivizm, aklın imkânlarını, görme ve deneme (gözlem ve deney) ile sınırladığı için, geçmiş dönemlerin bu gibi tecrübî ilimlerinin altını boşaltmış; onları köksüz, manasız birer hurafeye dönüştürmüştür.

Oysa gerçekten bu ve benzeri ilimler, insanlığın çok uzun bir döneminde, insanların yeteneklerini belirlemesi, kabiliyetlerinin tespiti açısından ciddi hizmetler vermiştir. Tam bir insan kaynakları alanı olmuştur. Özellikle saraylarda istihdam edilecek kişilerin seçiminde önemli bir değerlendirme aracı olarak kullanılmıştır.

Ancak kabul etmek gerekir ki esasında insanın karakter ve ahlakını belirleme amacını taşıyan bu ilim dalı zamanla cahillerin eline geçerek esas amacının dışında kullanılmış, hurafe denilebilecek bir mahiyet de kazanmıştır.

Şunu belirtmemiz gerekir ki bu ilim, bugünkü hava tahmin raporları gibi var olanı, insanın mahiyetinde saklı olanı işaretlerinden hareketle doğru değerlendirme aracıdır. Zaten Kur'an-ı Kerim'deki tanımıyla bu ilim, bir **'şâkile'** ilmidir. **"De ki her şeyin ameli kendi şâkilesine göredir!"** *(İsrâ, 84)* ayetinde geçen manasıyla 'şâkile', eşyanın şeklinden ve taşıdığı izlerden onun mahiyetini ve neye yaradığını, nereye varacağını bilme ilmidir... Mesela hayvanlarda ve otlarda parlak sarı rengin, zehir ve tehlike işareti olduğu gibi...

Evet, bu bir ilim ve kodları tecrübeye dayalı bir ilim. Sadece aklın değil, kalbin, hissin ve gözlemlerin de içine dâhil olduğu bir "insan bilimidir." İçinde tecrübe ile birlikte 'hads' de vardır. Uzun yıllar bir şey ile meşguliyetin getirdiği derin karar verişler ve idrak ile varılan sonuçlar bu ilimde önemlidir.

...

Bu ilmin mahiyeti, ondan nasıl faydalanılabileceği hususları bölüm başlarında yer aldığı için önsözde ayrıca bu konulara temas edilmeyecektir. Yapısal genel özellikler anlaşılmadan detaylara dair yorumlar eksik kalacaktır.

Bu cümleden olarak "Eller", "Parmaklar" ve "Avuç Çizgileri" başlıkları altında verilmiş bölümlerin giriş yazılarının okunmasında büyük yarar vardır.

Özellikle "Avuç Çizgileri"ne giriş ile "Bir Uyarı" ve "Ara Not" başlıklı bölümleri okumak, bu ilim yoluyla elde edilecek sonuçların doğru yorumlanması ve değerlendirilmesi bakımından yararlıdır.

Bu kitabın hazırlanmasında, belli başlı birkaç eser esas alınmıştır. El çizgilerinin yorumlanması ile ilgili bölümlerde en çok başvurulan kaynak *Gizli İlimler Hazinesi* serisinin birinci kitabı, Louis Stanke'nin *Les Lignes de La Main* ve Victor Segno'nun *A Correspondence Cours of Instruction in Chirology* adlı ders notlarıdır. Bunların dışında müteferrik birçok eser ve yazıdan faydalanıldı. Tabii kendi tecrübelerimizden de bir hayli kattık.

İlm-i Sima bölümü içinse birinci derecede Erzurumlu İbrahim Hakkı'nın Marifetname'si, Gizli İlimler Hazinesi'nin ilgili bölümleri, Bill Harris'in Yüzün Anlamı, Halit Ziya Uşaklıgil'in İlm-i Sima'sı ve daha birçok eserden yararlandık.

Niyetimiz, insanın insanı tanımasında ve insanların birbirinden ve kendilerinden doğru yararlanmasında yeni bir alan açmak değil, unutulmuş bir disiplini ve referansları yeniden hatırlatmak, bugünün literatürü içinde istifadeye açmaktır.

Eğer bir hata yapmışsam kendi eksikliğimdir ve okuyucularımdan hoşgörü ile karşılanmak dilerim. Allah'tan da bağışlanma...

GİRİŞ

İnsanoğlunun en önemli gerçeği, kim ve ne olduğunu, niçin yaratıldığını ve bu kısacık hayat için bu kadar zahmet çekmenin bir anlamı olup olmadığını bilmektir. Dinler dahi şu merakı tatmin etmek için gönderildiği hâlde insanoğlu yine de hep merak etmiştir; ben kimim, ne olacağım, nereye varacağım ve varsa yaratılmamdaki asıl amaç ne? Beni var eden iradenin bana takdir ettiği görev ne?

Esasında eskiler, kişinin ne için yaratıldığını bilmesini 'ermişlik' diye tarif etmişler. Niçin yaratıldığını bilmek hakikaten mutluluktur. Dinler ve onun etrafında gelişen -felsefe dâhil- türlü türlü disiplinler hep bu amaca ulaşmak için sergilenen çabaların sonucudur. Kendini ve yaradılış gayesini bilmek!

Şu da bir gerçek ki insanların çok azı gerçek bilginin peşinde! Peygamber Efendimiz (sav), "Ben gaybı bilseydim, hayrımı çoğaltırdım!" buyurmuş. Ne muazzam bir farkındalık! Geleceği bilmek tam da buna hizmet etmeli ama insanların büyük bir kısmı bu yüce hakikatin farkında değil!

Elbette geleceği merak etmek, insana üstatlık da yapabilir. Nitekim de asırlar boyunca yapmıştır. Bugün de insanların en çok merak ettiği şey odur. Esasında mesele geleceği bilmek değildir. Gelecekte geçerli olacak şeyi, bugünün tabiriyle trendleri bilmek ve yakalayabilmektir. Asıl aranması gereken odur ama nafile!

İnsan geleceğini tahmin etmek arayışından vazgeçmiyor. Mesela şöyle bir habere kim ilgisiz kalabilir?

"Gelecek artık sır olmaktan çıkıyor. '......'da, iki kardeş icat ettikleri bir aletle, ileride insanın başına nelerin gelebileceğini bir bir ortaya döküyorlar. Uzun çalışmalardan sonra yapılan bu alet son derece basit bir çalışma sistemine sahip. İnsanın alnına takılan alet, beynin dalgalarından yararlanarak kişinin kaderini, ne kadar yaşayacağını, nasıl biriyle evleneceğini, ne zaman zengin olacağını... zaman, yer ve yaş belirterek ekrana yansıtıyor."

Böyle bir icat yapılabilir mi? Bilmiyorum. Olabilir veya olamaz ama sanırım böyle bir haberle ilgilenmeyecek tek insan yoktur. 85 yaşında, ömrünü saban peşinde tüketmiş köylü bir ihtiyarın elini uzatarak, "Şu benim elime de bak, bakalım neler yazıyor." dediğini hiç unutamıyorum.

Evet, geleceği bilme arzusu, bütün insanların müşterek tutkusudur. Sebep ne olursa olsun sonuç aynıdır; insanlar geleceğini bilmek istiyor. Hem de geleceği bilmenin lehine mi yoksa aleyhine mi olacağını düşünmeden... İnanıyorum ki geleceği bilmede bir "yarar" olsaydı Yaratıcı kudret onu bilmemize bir kapı aralardı. Oysa bu hayatın bir fantezi ve heyecan dolu bir macera olmasının en birincil sebebi, hiç kimsenin yarın ne olacağını, ne kazanacağını, nerede öleceğini tam olarak bilmemesidir! Ne muhteşem bir senaryo!

Tam da Yunus'un dediği gibi, "Her dem taze doğarız/ Bizden kim usanası." Her gün taze bir doğumdur cidden de!

Yarının ne getireceğini bilmemek kadar heyecanlı bir şey var mıdır bilmiyorum. Eşyadaki tedriciliği izlemek, hadiselerin ardışık bir şekilde birbirini ikmal ederek veya bir diğerinin yerine geçerek devam etmesi ne muhteşem! Çoğunuz bir tomurcuğun nasıl tedricen açılıp gül olduğuna şahit olmuşsunuzdur.

Ama diyelim ki siz o tomurcuğa yardımcı olmak istediniz ve her şey bir an önce gerçekleşsin diye tuttunuz tomurcuğun kabuklarını soydunuz. Ne olur? Gül erken mi açar yoksa hepten kurur gider mi?

Kozasından çıkmaya çalışan kelebeğin hikâyesini hepimiz biliriz.

O dar sıkıntılı kozadan çıkma operasyonu, ölümcül bir çaba gerektirir ve kelebek için esasında olmazsa olmaz bir süreçtir. Çünkü onun o dar kozadan sıyrılarak çıkması aynı zamanda buruşuk kanatlarının açılması için, ezeli mukadderatın ona yazdığı bir süreçtir (imtihan/sınav)! O acılara, o sıkıntılı sürece katlanamayan kelebek, uçmayı da beceremez ve kısa zamanda ölür gider.

Hayatın, insanın önüne çıkardığı; fakat bizim tarafımızdan "sıkıntı" diye nitelendirilen çoğu şey, esasında bu türden sınavlardır.

Şu da bir gerçektir ki insan illa da bilmek istiyor kendisini bekleyen şeyleri. Böyle bir bilgi eline verilse ondan kendi lehine yararlar çıkarıp çıkaramayacağı da tartışmalıdır. Çünkü insan ya "nasılsa olacak" deyip yan gelip yatar veya müdahale ederek eşyanın gelişmesindeki zorunlu zinciri ve sıralamayı bozar.

Kendince beklediği şey iyi ise çabuk olsun diye müdahale eder. Onu çabuklaştırmak isterken onu tamamen kaybeder.

Diyelim ki bir insan, "45 yaşında ciddi bir kaza geçireceksiniz ve belki de öleceksiniz." diye bir bilgiye ulaştı. Ne yapar sizce?

Ya 45 yaşına kadar hayatını cehenneme çevirir; daha olmamış ve olup olmayacağı da kesinlik kazanmamış o haber yüzünden kendini heder eder yahut da, "Nasıl olsa öleceğim." diyerek yapması gereken ve belki de onu yaptığı takdirde o süreçten kurtulmasına vesile olacak çalışmaları da yapmaz. Yapılması gerekenleri ihmal eder. Demek ki geleceği bilmede pek yarar var sayılmaz. Hatta zarar var denilebilir.

İşte bu yüzden din bu tür gaybî bilgilerin ulu orta kullanılmasına ve yayılmasına iyi gözle bakmamış. Çünkü bu tür bilgiler, işin ehli olmayanları ya tembelliğe sevk eder veya gereksiz bir güven duygusuna iter. İkisi de "havf ve reca" (korku ve ümit) dengesi üzerine kurulu hayatın sihrini ve heyecanını bozar. Hayatı, tekdüzeliğe indirger ki bu tek başına beladır.

Kader ve onun icra edilmesinden ibaret olan mukadderat bunlardandır.

Hem hayatın içinde dua ve sadaka gibi muazzam dönüştürücüler vardır. Peygamberimiz buyurmamış mı, **"Sadaka kazayı defeder, ömrü uzatır."** diye.

Dolayısıyla geleceği merak etmek, tahmin etmek, bilmeye çalışmak, her daim insanın hayrına değildir. Hem zaten geleceği bütünüyle tahmin etmek imkânsız... En çok, kendinize işaretlerin dilinden bir 'flowchart' var edebilirsiniz. Ötesi gayba girer ve "Gaybı ancak Allah bilir."

Bu kitapta anlatılanlar, "insanın kendini bilmesi" ile ilgilidir. İnsanın kendini tanıması ise büyük fırsattır. Çünkü kendini tanımak, kişiyi Rabbine yani olup biten hadiseleri ve gerekçelerini bilmeye götürür.

Zaten kendini ve dolayısıyla Rabbini bilenlere Kur'an'ın tabiriyle ilimde ruhsatlar verilir. "Kendilerine ilimde ruhsat verilenlere" gelince...

Kur'an-ı Kerim'in bu ifadesi, bana göre, bizi, neyin gayb olup olmadığı konusunu irdelemeye de teşvik ediyor. Bugün pekâlâ işaretlerin dilini, yani "şâkile bilgisini" -"De ki her şey ancak şâkilesine göre hareket eder." ayeti- kullanmasını bilenlerin -ekonominin gidişatı, hava tahmin vs. gibi alanlarda maharet kazananların- insanlığa ne büyük hizmetler ettiği de malum.

Peki, bu çalışmadan maksadımız ne? Geleceği mi bilmektir? Gaybı mı keşfetmektir?

Hayır! İnsan mekanizmasının kabiliyet ve imkânlarını tespit etmeye çalışmaktır! Bir tür kullanma kılavuzu ile gönderildiği yapısını ve nasıl bir karaktere sahip olduğunu belirleme çabasıdır. İnsanın yüzündeki, avucundaki, cildindeki birtakım işaretlerden hareket ederek, onun kullanma kılavuzunu oluşturmak ve bu bilgilerle hayatını doğru yönlendirmesi için ona yardımcı olmaktır!

Maksat gaybı bilmek de değildir.

Esasında gayb, iki kısımdır: Birisi mutlak gayb, diğeri bizim cehaletimizden kaynaklanan gaybdır. Onunla ilgili bilgiler tam olarak elde edildiğinde gayb olmaktan çıkacak bir yığın ilim var. Hatta Lokman Suresi'nin son ayetinin ilhamıyla diyebilirim ki bugün gayb diyebildiğimiz şeylerin beşte üçü gayb değildir. Sadece onların özüne vakıf olmayı sağlayacak bilgiden mahrum olmaktır. Siz o konudaki bilginizi geliştirdikçe onların da gayb perdeleri bir bir aralanır. Nitekim öyle de oluyor.

Bugün tıpta, **erken teşhis** dediğimiz şey, tedavinin yarısından fazlasını teşkil ediyor. Çünkü birçok hastalık, patolojik bir vaka olmadan önce, işaretlerini veriyor. Gelmekte olduğu haberini, görmesini bilenlere veriyor.

Birinin alnında belirmiş çizgilere bakarak "Senin karaciğerin yağlanıyor." dediğinizde, bu o insan için de diğerleri için de gaybı bilmek gibi anlaşılıyor. Hâlbuki işaretlerin dilini okumayı öğrendiğinizde bu artık gayb olmaktan çıkar, anlaşılabilir bir lisan olur.

Yerküre, nasıl deprem olmadan önce, izlemesini bilenlere haberlerini veriyorsa öyle… İnsanlar depremin zamanını bilmenin imkânsız olduğunu söylüyorlar ama Kur'an-ı Kerim, bize tersini söylüyor. **"Yer, içinde olan bitenleri insanlara haber verir; içindeki 'eskali' (ağırlıkları) dışarıya atmak üzere emir aldığını bildirir."** diyor. **(Zilzal Suresi)**

Aynı şekilde, nimetler ve sıkıntılar, hastalıklar ve psikolojik travmalar gelmeden önce, gelmekte olduklarını haber verirler insana. Okumasını bilene…

Eski tabiplerin elinde bugünkü teşhis aletleri yoktu. Onlar vücudun dilini kullanırlardı. Avuç içindeki buruşukluğun, birbirini kesen karma karışık çizgilerin, tırnaklarda beliren renk ve kabartıların hangi hastalıklara işaret ettiğini bilirlerdi.

Gözün altındaki morluklar, dudaklardaki kuruluklar, saçın cansızlığı, alnın iki yakasında beliren kırk beş derecelik dikey çizgiler, kalın ve derin alın çizgileri… Bunların tamamı hastalıkların teşhisinde kullanılırdı. Bugün de birçok hâzık doktor, daha patolojik bir vaka olmadan vücuttaki olumsuz bir gelişmeyi yakalayıp tedavi edebiliyor.

Dawn sendromu dediğimiz ve genetik sapmalardan oluşan hastalık nasıl yüzden de okunabiliyorsa, aynı şekilde salgı bozuklukları, sistem travmaları problem olmadan önce teşhis edilebilir ve düzeltilebilir.

İşte bütün bunlar, şâkile bilgisi içine girerler... Ve tabii bilmeyenler için de gayb!

Böyle olunca da İlm-i Sima yoluyla elde edilen bilgilere **"birer tahmindirler"** demeye dilim varmıyor. Çünkü tahmini aşan birtakım bilgiler de olduğunu biliyorum. Ancak yine de "tahmin" ifadesini kullanmak istiyorum; çünkü nihayetinde bu ilim, fizik kuralları gibi tekrarlanabilir bir bilgi olmaktan çok tecrübî pratiklere (gözlemlere) dayanan verilerdir! Çünkü herkesin neticeye varmak için kullandığı veri farklı olabiliyor.

El çizgilerini okumanın insana öğrettiği en büyük gerçeklerden biri de şudur:

Evet, bir program var fakat hiçbir şey değişmez değildir!

Evet, bir kader var. Hayatımızla ilgili birçok hadise bizim irademiz dışında cereyan ediyor. Ama iman-küfür, mutluluk-mutsuzluk, başarı-başarısızlık gibi insanın gayretini gerektiren alanlarda yazılı ve değişmez bir hüküm yoktur!

O zaman insan anlar ki insanın en temel görevi önce aklını ve aklın imkânlarını kullanmaktır! Çabanın çok şeyi değiştirdiğini, ellerinizin içindeki çizgilerin seyrinden anlayabiliyorsunuz. Tıpkı, girilen verilerin grafiğin eğrilerini değiştirmesi gibi...

İnancın, ahlakın, eğitimin nelere kadir olduğunu o zaman daha iyi anlıyorsunuz. El çizgileri size bir kader olduğunu öğretir, ama onu çabanızla değiştirebileceğinizin de işaretlerini verir.

Bu alanda ilerledikçe hayretle göreceksiniz ki insan tabiatı, sayısız seçeneklere açık bir yapıdadır. Dolayısıyla bir insanın herhangi bir mesele karşısında yüzde yüz nasıl davranacağını tahmin edemezsiniz. Ama siz genel bir seyir ve çizelge çıkarabilirsiniz.

Yetenekler önemlidir. Ama onları geliştirmek ve doğru kullanmak çok daha mühimdir! Çok iyi bir bilgisayarınız olabilir. Ama operatör, fonksiyonlarını kullanmayı bilmiyorsa ondan maksimum performans alamazsınız. İyi bir operatör ise çok yüksek kapasiteli olmayan bir bilgisayardan da çok iyi neticeler alabilir! Niyet ve gayret, çok şey değiştirir.

Şu bedenin imkânlarını kullanan irade ve akıl da o operatör gibidir. Mesela, bir insanın yapısında kleptomanlık istidadının (yoğun çalma dürtüsü) var olduğunu düşünelim. Bu insanın hırsızlık yapması gerekir. Ama bakıyorsunuz adam değil çalmak, yere düşmüş bir şeyi bile almaktan sakınıyor. Yahut bakıyorsunuz "sefahate düşkün bir karakter" yansıtıyor ama ömründe bir kere bile olsun gayri meşru yollara sapmamış.

Peki bu nasıl olur?

İşte terbiyenin, ahlakın, imanın, Allah korkusunun ve dinin önemi burada ortaya çıkıyor. Allah korkusu olmayan veya ahlak duvarını aşmış bir insan -toplumun kontrolünden de uzaksa- sadece içgüdüleriyle hareket eder ve tabiatındaki yapıyı (avuçlarında yazılanı) sergiler. Hâlbuki her insan iyilik kadar, belki daha çok kötü huylara sahiptir. İşte din, ahlak ve kanun, fıtratta var olup kişiyi yanlış yöne sevk edebilecek bu dürtüleri bastırması için aklın ve iradenin hizmetine sunulmuş ek güçlerdir. Ahlak ve Allah korkusuyla kişi tabiatındaki sapmaları daha kolay kontrol altına alır.

Unutmayalım ki üst bilinç, bilinçaltında var olanları kontrol etmek üzere yaratılmıştır. Elbette bilinçaltımız tam bir gayya kuyusudur. Elin içinde, bilinçaltımızın dehlizlerini de görebilmek mümkündür. Ama hepimiz de biliyoruz ki oradaki çirkinliklerin dışarıya taşmasına bilinçli irademiz, ahlakımız ve inancımız müsaade etmiyor!

Sonuç olarak bu eserde anlatılanlar, yalın hâlde tabiatımızın mahiyetini gösterir. Hepimiz içimizde vahşi bir hayvanı (azgın bir nefsi) barındırdığımızı biliyoruz. İşte elimizdeki, avucumuzdaki, yüzümüzdeki işaretler o hayvanın kabiliyetlerini verir. Siz onu iradeniz, ahlakınız ve inancınızla eğitir, Âdemiyet mertebesine çıkarırsınız.

Kendisini dinlemesini bilenler, kitapta karşılaştıkları işaretlerin aslında kendilerinde var olduğunu sezerler. Ama onlar kendilerini idare etmeyi, kontrol etmeyi bilmişlerdir ki o canavarın açığa çıkmasını önlemişlerdir. Veya içlerindeki meleğe cesaret vermediklerini anlayacaklardır.

Nefsimizin "emmaretun bissu"; daima olumsuzu (yani uzun vadede aleyhimize olacak şeyleri) telkin eden bir canavar olduğunu hepimiz biliyoruz.

Derinden derine kendimizi dinlesek, sizde var olduğunu tespit ettiğiniz çizgilerin karşısında yazılanların nefsimiz tarafından bize telkin edildiğini hissederiz. Ama biz onu engellemeyi başarmışızdır. Çünkü iman ve ahlak ile birleşen akıl ve iradenin, insan tabiatında alt edemeyeceği şey yoktur.

Netice olarak burnumuz veya kulağımız şu veya bu şekilde, avucumuzdaki çizgiler şunun veya bunun habercisi olduğu hâlde bu şekiller için yazılmış özellikler sizde aktive edilmemiş olabilir. Çünkü iman ve ahlak tam da insandaki bu tür eğilim ve sapmaları bastırmak veya iyiye yönlendirmek için verilmiştir.

Bu eserde yapılan tespitler, fıtratta; daha doğrusu kendi hâline bırakıldığı, eğitilmediği takdirde insanda görülebilecek hâlleri, davranışları gösterir. Mutlak neticeleri değil!

Bu eseri, insanın kendini ve yeteneklerini keşfetmesi açısından kaynak olması amacıyla yazdım. Geçmiş zamanlarda alet-edevatın gelişmediği dönemlerde bu işaretler hayatın içinde yoğun olarak kullanılıyordu. İnsan kaynakları ve özellikle sağlık alanında -erken teşhis- çalışanların yararlanacakları bir eser olmasını istedim.

Mamafih bu eseri o amaçla kullanan çok insana rastladım. Bu da sevindirici... Zaten, ta Tercümanlı yıllarımda yayınladığım **Karakter Tahlilleri** adlı eserimi de o yüzden yeniden diriltmeye değer buldum.

İnşallah hayra hizmet eder.

BİR UYARI

Önce bu kitapta yazılanları bir bir okuyun. Her şeyi bir günde veya bir haftada öğrenmeye kalkışmayın. Böyle bir yaklaşım, sadece hevesinizi kırar. Önce dediğim gibi kitabın ve bu bilgilerin mahiyetini anlamak için yazılanları baştan sona okuyun. Sonra bir kere daha üstünden geçerek unsurları karşılaştırın. Kendi elinizden ve huylarını bildiğiniz arkadaşlarınızdan orada yazılanları test etmeye çalışın. Yargıda ve kesin hükümlerde bulunmayın. Hatta hiç hüküm vermeyin, sadece karşılaştırın ve kendi tecrübeleriniz arasına katın bu karşılaştırmayı... Siz en iyi kendinizi tanırsınız. Kendi üzerinizden her bir çizgiyi, parmağı, tırnağı değerlendirebilirsiniz.

Bu kitabı okurken yeni bir dil öğrendiğinizi farz edin. Yeni bir dil öğrenirken bir yandan cümle kalıplarını ezberlerken bir yandan da karşılaştığınız her bir kelimeyi not edip tekrar edersiniz. Unutmayın ki bu da bir dildir. Yaratılışın dilini öğrenmeye çalışıyorsunuz. Çünkü bu bir "şâkile dili"dir, hâl dilidir.

Her bir uzuv bir sayfadır. Hiçbir kitap tek sayfadan ibaret değildir. Her sayfayı ve her cümleyi dikkatlice okumalı ve anlamalısınız. Atladığınız bir kelime, bütünü yorumlarken, bir şeyi eksik bırakmanıza neden olur.

Bu ilmin bir tecrübe ilmi olduğunu unutmayın. Asırların biriktirdiği tecrübeler... Siz de zamanla o tecrübeleri içselleştirecek ve bir insanın yüzüne baktığınızda tek tek teferruatlara bakmadan, "Bu böyle bir insandır." diyeceksiniz! Ne kadar çok tecrübe ederseniz, yorumunuzun isabetliliği o kadar artacaktır.

Bu tür kitapları okuyanların düştükleri en temel hata, bir bakışta, bir okuyuşta meseleyi anlamak istemeleridir. Şunu unutmayın, herhangi bir yabancı dili bir kere tekrar ile konuşmak mümkün olmadığına göre bu dili de bir anda çözemezsiniz.

Biliyorsunuz bebekler, en az bir yıl boyunca sürekli dinler, gözlemler ve kayıt yapar. Sonra bir gün bakarsınız basit basit kelimelerle kendindekileri aktarmaya yani konuşmaya başlamış. Bu işte de aynı yöntemi benimsemelisiniz...

Her gün 25-30 dakika bu işe ayırın ve dikkatli bir şekilde kıyaslamalar yapın. Bir süre sonra, sizde kavramlar ve yargılar birikmeye başlayacak. İnsanların ne kadar da biçimlerine uygun hareket ettiklerini fark edeceksiniz!

EVVELKİLERDEN BİRKAÇ SÖZ

FAHREDDİN EL-RAZÎ [1]

Fahreddin El-Razî, müstakil olarak ilm-i simayı anlatan Kitabu'l-Firase adlı eserinin mukaddimesinde insanın dış görünüşlerinin, el çizgilerinin ve beden yapısının nelere işaret ettiğinin bilinmesinde büyük yararlar bulunduğunu ifade ederek insanları bunu bilmeye, öğrenmeye teşvik ediyor.

Bu eserin hazırlanmasında yararlandığımız Kitabu'l-Firase'nin mukaddimesinden birkaç satırı aşağıya alıyoruz. İlgilenenler kitabın tamamını görebilirler:

"Firase" dış görünüş ve şekillerden yola çıkarak insanın ahlakını, karakterini, mizaç ve huyunu anlama ilmidir; zâhiri hâllerden bâtıni ahlakı öğrenmemizi sağlar.

---

1 Fahreddin el-Razî (1148, Rey - 1209, Herat), İranlı büyük müfessir, kelamcı ve bilim adamı… Horasan'dan Rey şehrine gelip yerleşmiş büyük bir aileden gelmektedir. Künyesiyle beraber adı 'Muhammed bin Ömer bin Hüseyin bin Hüseyin bin Ali et-Teymî el-Bekrî'dir. Babası da büyük bir Horasan âlimiydi ve ilk eğitimini ondan aldı. Dinî ve fen bilimlerini zamanının ve şehrinin ünlü âlimlerinden aldı. Eğitimden sonra seyahat etmeye başladı. Harezm'de Mutezililerle, Herat'ta ise Kerramiyye mensuplarıyla tartışmalarda bulundu. Horasan'da Kutbeddin Muhammed tarafından ilgi gördü. Derin ve ehl-i sünnete tam bağlı bir âlim olmasından dolayı gittiği şehirlerde hem büyük sevgi hem de büyük nefretlerle karşılandı.

Razi, dini ilimlerde olduğu kadar pozitif bilimlerde de oldukça başarılı bir bilim adamıydı. Özellikle fizik ve tıp konularıyla ilgilenmiş, cisimlerin hareketi ve ses üzerine çalışmıştır.

Yazdığı Mefatihu'l-Gayb adlı tefsiri hâlâ diraye tefsir örneklerinin önde gelenleri arasında sayılır. Büyük bir kelamcı, tabip ve müfessirdir. Lisans bitirme tezi olarak onun hayatı, görüşleri ve eserlerini incelemeyi bana tez olarak veren rahmetli Hocam Nihat Çetin'e, böyle bir ankayı genç yaşımda tanımama vesile olduğu için minnettarım.

Mizaç, ister nefsin kendisi isterse fiilleri itibariyle nefsin bir aleti kabul edilsin, her iki durumda da dış yapı özellikleri doğrudan doğruya nefis kabiliyetimizi ve nelere istidatlı olduğumuzu gösterir. Daha doğrusu mizaç, "nefs" ve "dış yapı"nın müşterek bir fonksiyonudur. Bu tespitten sonra artık rahatlıkla diyebiliriz ki bedenin dış görünüşleri, nefsî kabiliyetlerimizin aynasıdır.

Bu ilim muhakkak ki üstün bir ilimdir. Bunun üstünlüğü ve meşruluğu, Kitap (Kur'an-ı Kerim), Sünnet (Hadisler) ve akıl ile de sabittir.

Kur'an-ı Kerim, "Bunda 'mütevessimin' (bir şeyi işaretlerinden anlayıp kavrayanlar) için ibretler vardır." (Hicr, 15)

"(Sadakaya muhtaç olup da istemekten çekinenleri) siz yüzlerinden tanırsınız." (Bakara, 273)

"Yüzlerinde secde ettiklerine dair belirtiler vardır." (Fetih, 29) ayetleriyle, akıl sahiplerinin dikkatlerini bu konuya çeker.

Firase'nin **Sünnet**'te de yeri vardır.

Peygamberimizin (sav), "Mümin Allah'ın nuruyla bakar, onun ferasetinden (işaretlerden hareketle içinizi anlamasından) korkun." hadisiyle "Eğer bu toplum içerisinde bir 'muhdes' (yenilikçi, reformcu) varsa o da Ömer'dir." hadisi bu konuya parmak basar.

Akıl açısından da meseleye bakacak olursak bu ilmin yararlarını ve doğruluğunu gösteren birçok delil buluruz:

Birincisi; insan sosyal bir varlıktır. Diğer fertlerle bir arada yaşamak zorundadır. Hâlbuki toplum hayatı, her türlü kötülük ve şerlerin ortaya çıkmasına müsait bir zemindir. Bunların, bu zeminde yaşayan herkese sıçraması, bulaşması mümkündür. Ancak bu sanatı ve ilmi bilen bir insan, karşısındakinin nasıl bir tabiata sahip olduğunu anlar ve ona göre davranır. Kendisine gelecek zararlardan emin olur. Karşımızdakinin nasıl bir huy taşıdığını bilmekte ne kadar fayda olduğu malumdur.

İkincisi; canlıların simaları, yapıları onların hususi sıfatlarını ve belirgin özelliklerini de gösterir. Hatta bu; at, katır, köpek vs. için de geçerlidir. Bu, onların tabiatını anlamamızı sağlar. Hayvan terbiyecileri bunu daha iyi anlarlar.

İnsan için de aynı hükümler, hem daha isabetli bir şekilde geçerlidir.

Üçüncüsü; bu ilmin temeli **'ilm-i tabii'**ye, analize ve tecrübeye dayanır. Tıp gibi ve onun kadar kesindir. Birçok bakımdan tıbbın en büyük yardımcısıdır. (Kitabu'l-Firase, s. 4-5).

ERZURUMLU İBRAHİM HAKKI[2]

"…. Sonra Allah lütuf ve inayetiyle, hikmetinin gereğini, sanatının inceliğini bu yaratıkta (insanda) göstermiş. Yüzünü, şekil ve yapısını içine (özüne); organlarının biçimini ahlak ve karakterine bir işaret yapmıştır ki insan şekil ve yapısından kendi vasıflarını bilip ona göre ahlak ve hareketlerindeki, huylarındaki eksik ve aksaklıkları düzeltsin.

Sonra arkadaş ve dostlarının vücut yapısı ve şekillerine bakıp zekâ ve karakterlerini, huy ve tabiatlarını, ince seziş ve zekâsıyla bilsin. Ve buna göre onlara muamele etsin; beğensin, sevsin veya aklını kullanarak, karakterlerine göre hareket ederek onlarla geçinip gitsin. Ya da onlardan uzaklaşıp

---

2   Erzurumlu İbrahim Hakkı (1703-1780) 18 Mayıs 1703 yılında Erzurum'a bağlı Hasankale'de dünyaya gelmiştir. Küçük yaşlarda annesini ve daha sonra babasını yitiren İbrahim Hakkı, bir süre amcasının yanında kalmış, bu süre içinde eğitimine devam etmiştir. 1747 tarihinde İstanbul'a gelerek Sultan I. Mahmud ile görüşmüştür. Yeniden Erzurum'a dönen İbrahim Hakkı, sürekli olarak dinî ve bilimsel konularla ilgilenmiş ve 1780 yılında rahatsızlanarak aynı yılın 22 Haziran günü vefat etmiştir. Kabri Siirt Tillo'dadır.Astronomi, fizik, psikoloji, sosyoloji ve din ile ilgili pek çok çalışma yapmıştır. Tasavvufi konularla birlikte, fen bilimleri hakkında da geniş bilgileri kapsayan Marifetname adlı eseri, ansiklopedik bir özellik taşımaktadır. 1757'de tamamlanan Marifetname, yalın ve halkın anlayabileceği bir dilde yazılmıştır. Yazarın söylediğine göre, Marifetname 400 kitaptan yararlanılarak yazılmıştır. Bu kitapta ilk defa bir İslam âlimi tarafından Batılı anlamdaki Güneş Sistemi 'hey'et-i cedide' adı altında anlatıldı. (Geniş bilgi için bkz: TDV İslam Ansiklopedisi İlgili Madde)

emniyet, rahat ve selameti bulsun. Ne kendisi kimseden incinsin ne de kimseyi incitsin. Gönül hoşluğu ile rahat oturup kalksın.

(Ey kendini akıllı bilen, dünyada insan olsun cin olsun herkes için en geçerli, en makbul şey şudur ki; ne sen kimseden incinesin ne de kimse senden incinsin!)

"Güzel yüzlü insanlardan hayrı isteyin." hadis-i şerifine göre güzel ve sevimli insanlardan daima gülüş, iyi huy ve güzel sözlerin görülüp işitildiği gerçeği duyurulmaktadır.

Kur'an-ı Kerim'de, "Herkesin işi ve ameli şekline uygundur." buyurulması da buna işarettir."**(Marifetname, III. c, s. 153)**

BEDİÜZZAMAN SAİD NURSÎ[3]

"İ'lem eyyühel Aziz! (Ey aziz kardeşim bil ki) Âlemde her şeyin yüzünde hikmet eserleri göründüğü gibi en uzak, en geniş, en ince kesretin tabakaları üstünde de hikmet, ih-

---

3   **Bediüzzaman Said Nursî** Bitlis'in Hizan ilçesine bağlı İsparit nahiyesinin Nurs köyünde dünyaya geldi (1876). Yenilikçi, atak, cesur bir mizaca, son derece parlak bir zekâya ve güçlü bir hafızaya sahipti. On beş yılda tamamlanan medrese tahsilini üç ayda tamamladığından dolayı hocaları ona "Bediüzzaman" lâkabı verdiler. Önce şarktaki medreselerin sıkıntıları giderme derdine düştü. Sonra baktı ki tüm İslam ümmeti hasta ve dert büyük; kendince ona çareler aradı. Kürtleri sefaletten kurtarayım derken, tüm İslam âleminin bir dokunuşa ihtiyacı olduğunu anladı. Osmanlı'nın geleceğini dert edindi. O da elden çıkınca bizatihi İslamın derdine düştü. Osmanlı'yı çöküşe götüren hadiselerin içinde bulundu, Cumhuriyetin kuruluş macerasının içinde yer aldı. Yaşananların bir Batı istilası olduğunu ve onun da İslam dinine yönelik bir saldırı olduğunu, İslamın tehlikede olduğunu anladı ve o yönde çabalar sergilemeye başladı. Çünkü ona göre Batı modernizmi, doğrudan imana ve Kur'an'a saldırıyordu. O da Kur'an'ın söndürülemeyecek bir nur olduğunu ispata koyuldu. Bu sırada yaşanan Şeyh Said ayaklanması bahane edilerek Barla'ya sürüldü. O da orada Risale-i Nurları yazmaya başladı. Bir tür tefsir olan ama imanın tahkim edilmesini esas alan çalışmaları sebebiyle sürekli devletin takibatına uğradı. Defalarca hapse atıldı. Hapisleri Hz. Yusuf'un (a.s.) medreseleri bildi ve orada eserlerini yazmaya sürdürdü. Zaman geçtikçe fikirleri de taraftarları da arttı. 1960 yılının 23 Mart'ında Urfa'da Hakk'ın rahmetine kavuştuğunda arkasında bıraktığı tüm maddi servet bir demlik, birkaç bardak, eski bir gömlek, yamalı bir cübbe, sarık, misvak, biraz çay-şeker ve on liradan ibaretti. Manevi miras olarak ise bütün asrın insanını aydınlatabilecek Kur'an tefsiri olan Risale-i Nur külliyatı ile dünyanın her tarafında milyonlarca "Kur'an talebesi" bırakmıştır. (Abdülkadir Badıllı'dan özet. Kaynak : http://www.nurdergi.com)

timam eserleri görülmektedir. Evet, kesret ve tekessürün (maddi terkip ve oluşumların) müntehası ve neticesi (en son ve en olgun şekli) olan insanın sahife-i vechinde (yüzünde), cephesinde, cildinde, ellerinin içlerinde kader kalemiyle pek çok çizgiler, hatlar, nakışlar, nişanlar yazılmıştır. Malumdur ki insanın şu sahifelerinde yazılan o kelimeler, harfler, noktalar, hareketler insan ruhunda bulunan manalara, maneviyatlara delalet ettikleri gibi, fıtratında kader tarafından yazılan mektuplara da işaretleri vardır. Arkadaş, insanın geçen sahifelerine kaderin yazdığı haşiye, tesadüf ve ittifakın (başka güçlerin) duhulüne (insana müdahale etmesine) menfez (yol) bırakmamıştır." **(Mesnevi-i Nuriyye, s. 94)**

ELLER

Eller, insan yüzü gibi orijinal ve kişiye özgüdür.

Nasıl ki "yumurta ikizi" denilen ve tıpatıp birbirine benzeyen ikizlerin simaları bile dikkatle incelendiğinde farklılıklar arz eder; aynı onun gibi insanların elleri de birbirinden farklıdır.

Bütün insanlar, genel yapıları itibariyle tek elden çıkmıştır. Hepsi aynı "Usta"nın, aynı fabrikanın mahsulüdür. Fıtrî sakatlıklar hariç, her insanın yüz ve beden unsurları aynıdır. Ne var ki kudret eli, kendi "tekilliği"nin mührünü, sanatına da nakşederek her bir ferdi "tek" ve orijinal kılmıştır. Dolayısıyla bir bütün teşkil eden türün, her bir ferdi tek nüshadır, benzeri yoktur.

İnsanlarda bu benzerliğin şekil bakımından gözle görülebilir yoğunluk kazandığı yerler yüz ve ellerdir. Bununla birlikte her insanın siması bir kimliktir ve asla ötekine tam olarak benzemez!

Onun gibi, ellerimiz de bir kimliktir! Hele elimizin başparmağı, değiştirilmesi asla mümkün olmayan bir kimliktir. Söz gelimi, başparmağın derisi yüzülecek olsa kanımızda bulunan kök hücrelerimiz, kendisinde yazılı genetik programa göre, öncekinin aynısı olan deriyi dokuyup parmağımıza giydirir. En fazla iki santimetre karelik bir tuvalde, üç şekil etrafında var edilen kombinasyonlar, altmış dört milyarda bir bile benzerlik ihtimali taşımamaktadır.

Başparmağın bu özelliği, 18. yüzyıldan itibaren adli vakalarda hizmet vermeye başlamıştır. Bugün başta Amerika olmak üzere, ileri ülkelerin çoğunda sayıları milyonları aşan parmak izi arşivleri kurulmuştur.

Aynı şekilde gözümüz ve gerisindeki retina da bir kimliktir. Hepimizin gözü birbirine benziyor olsa da onun içinde öyle izler, nakışlar, nişanlar ve hatlar var ki bizden başka hiç kimse bizi taklit edemez!

Bu iki unsurun varlığından bile anlaşılıyor ki her insan ve ona ait uzuvlar asla diğerine benzemeyecek, sadece sahibini temsil edecek izlerle ve işaretlerle donatılmıştır.

Bununla birlikte, elleri; genel yapıları ve parmak biçimleri bakımından sınıflandırmak da mümkündür. Ancak bu kaba sınıflandırma, kişinin karakterini ve kaderini anlamamıza yetmez. Bu yüzden iyi bir el incelemesi için elin dış görünümü ile birlikte avuç içindeki çizgilerini de dikkate almak gerekir.

İyi bir el çizgileri yorumcusu için, yalnız bir elde görülen ipuçlarına bakmak da yeterli değildir. Her iki elin de bütün ayrıntılarına dikkat etmesi gerekir. Bir tek ele bakmak çoğu kere insanı yanıltır. Çünkü bazen bir elde görülen çizgi veya işaret, diğer elde görülen özellikleri geçersiz kılabilir.

Bununla birlikte sol elin çizgilerinin, sağ elin çizgilerinden daha sağlam bilgi olduğu muhakkaktır. Çünkü genel bir kabule göre, sol el -eğer kişi sağ elini kullanıyorsa- yapısal tüm özellikleri ve kapasiteyi yansıtırken, sağ el, o kapasitenin ne kadarının realize edildiğini veya edileceğini gösterir. İnsan yaşlandıkça bu ayırım çok net fark edilebilecek hâle gelir.

Kısaca şöyle diyebiliriz: Sol el, Yaratıcı'nın insana bahşettiği bütün imkân ve yeteneklerin deposudur. Sağ el ise bu hazineden ne kadarını kullanabildiğimizi ve kullanabileceğimizi gösterir.

Diyelim ki sol elinizde "musikide deha" çizgisi mevcut. Ama siz ömrünüzde hiçbir çalgı aleti çalmamış ve pratik olarak müzikle ilgilenmemişsiniz. Bu durumda o çizgi, kullanılmamış bir yetenek olarak yok olup gidecektir. Bununla birlikte siz yine de iyi bir kulağınız olduğunu ve müzikten çok hoşlandığınızı hissedersiniz.

Genel bir kural olarak normal bir elin uzunluğu vücudun onda biri kadardır. Yani vücut uzunluğu ile el uzunluğu arasında onda birlik bir orantı vardır. Bu orantıyı sergilemeyen eller de normal olmaz; dolayısıyla şu veya bu şekilde bir kusur olarak ortaya çıkar.

ŞEKİL BAKIMINDAN ELLER

Belli başlı yapılarına göre ellerin sınıflandırılmasına gelince…

Yapı ve görüntü itibarıyla elleri, Tam Orantılı El, Orta El, Uzun El, Geniş El, Dar El, Büyük El, Şişman El, Kalın El, Tombul El, Tümsek El, Kısa El, İnce El, Yumuşak El, Sert El, Çukur El, Katı El, İçe Kıvrık El, Açık El, Çengel El, Tüylü El, Çok Tüylü El, Tüysüz El, Nemli El, Kuru El, Kaba Pürüzsüz El, Zayıf Biçimsiz El ve Hissi El olmak üzere 27 kategoride inceleyebiliriz.

Bu yapıların her biri kendilerine has bir karakteri öne çıkarır. Bu şu anlama gelmez; insan sadece o elin yansıttığı huya sahiptir. İnsana ait tüm huylar vardır fakat baskın karakter ve dürtü o elin yansıttığı yöndedir, denilebilir.

Şimdi tek tek o yapıların ne anlamlar içerdiğine bakalım…

Tam Orantılı El

Kişinin, tüm işlerinde akıl ve muhakeme ile hareket ettiğini gösterir. Zeki, anlayışlı, oldukça dengeli, ileriyi ve doğruyu gören kimselerdir. Eğer iyi bir eğitim almışlarsa bu değerler çok daha bariz bir hâl alır!

Fakat bazen aşırı denge gözettikleri için özgün olamamak gibi bir problemle de karşılaşabilirler. Çünkü herkesten ayrıştıran bir yetenek orantılarda farklılık gerektirir. Mesela yüzle tam uyum içinde bir burun hoştur, güzeldir, sahibine yakışır ama karakterinde farklılık yaratmaz. El için de durum böyledir.

Orta El

Her işte dengeli bir tutumu sergiler. Hiçbir zaman ifrat (aşırılık) ve tefrite (gerekenden az) düşmezler. Canlı ve kıvrak bir zekâları vardır.

Uzun El

Kuruntulu, egoist olmaya ve hile yapmaya eğilimli bir yapıyı ve cimri bir kişiliği yansıtır. Parmaklar eğer düzgün ve karma değilse böyle bir el, sahibini sanatsal yaratıcılığa zorlayabilir. Kuruntulu kişiliğini ve egoistliğini sanatının orijinalliğine vesile yapabilir.

Uzun el, fırsatçı bir yapıyı da yansıtır. Fırsatçılık da her daim kınanacak bir şey değil. Mesela fırsatçı golcülerin elleri diğerlerine göre daha uzundur. Zayıflara karşı despot olabildikleri de görülmüştür.

Aynı zamanda titiz insanlardır. Bencilliğe açık, kibirli, sinirli olmaya yatkındırlar. Özellikle parmaklar yapışıkken aralarındaki açıklık fazla ise... Kendisini disipline edememiş uzun elli bir insan, olur olmaz her şeye burnunu sokmaya da kalkışabilir.

Avuç kısmı uzun, parmakları kısa ve kalın bir el tembel, ihmalkâr ve lakayt bir kişiliği sergiler. İşlerini başkalarına havale etmekten hoşlanan bir karakteri yansıtır.

Geniş El

İyimser, dinamik ve enerjik bir yapıdan haber verir. Bütünlük içerisinde sırıtmayan geniş bir el, sahibinin geniş fikirli, açık yürekli, neşeli ve dışa dönük bir karakterde olduğunu açığa vurur. Böyle bir ele sahip olanlar, hem malını hem duygularını rahatlıkla bir başkasıyla paylaşabilirler. Çok çabuk parlarlar, ama öfkeleri çabuk geçer. Uzun süre o öfke altında hareket etmezler.

Eğer genişlik yayvan denilecek kadar göze çarpıyorsa bu, tembel, uyuşuk ve kendi başına bir iş yapma kabiliyetinden yoksunluğa da işaret sayılabilir.

Dar El

Maddi, manevi güçsüzlük, güvensizlik ve bencillik belirtisidir.

Dar ve uzun el, kimseye itimadı olmayan, yalnızlığı seven ve aldanmaya da aldatmaya da meyilli bir kişiliği yansıtır. Bunlar sessiz ve sakin bir şekilde kendi dünyalarında yaşamayı tercih ederler. Zahmete gelemezler. Böyle elli bir kadın cömert bir koca bulmayı ve ona sırtını dayamayı tercih eder!

Risk altında doğru hareket edemezler. Ancak tarif edilen işleri yapabilirler. Tabii usanmazlarsa... Çünkü çabuk usanırlar.

Bencildirler; katılımcı olamadıkları için bencildirler. Kötülük olsun diye değil.

Hep tedirgin yaşarlar ve karamsardırlar. Sevdikleri zaman tutkuludurlar. Tapınırcasına bağlanırlar, ama bu çok kısa sürer. Küçük dünyalarına kast eden en küçük bir tehdit karşısında kendilerine büyük tahribat verebilirler. Melankoliye açıktırlar. Sık sık intihar etmekten söz etseler de bunu göze alamazlar.

Dar elli kadınlar genellikle zor doğum yaparlar.[4]

Büyük El

Orantılı ve iyi yapılı büyük el, cömertlik ve iyilikseverlik nişanıdır. Alicenap ve kerem sahibi olurlar. Büyük el bir de nemli ve pürüzsüzse, sahibinin dünyaya fedakârlık ve bağışlamak için geldiğini gösterir. Ağır hareket ederler, soğukkanlıdırlar. Ömürlerinin bir döneminden sonra genellikle çevreleri tarafından 'baba' diye nitelendirilirler.

Cömerttirler ama başkalarını kendilerine hizmet ettirmeyi de severler.

Şayet el, gereğinden fazla büyükse, sahibinin hile ve kurnazlıkta da usta olabileceğini gösterir.

Büyük hokkabazlar ve kumarbazların da elleri oldukça büyüktür.

Şişman El

Genellikle kaba bir mizaca işaret eder. İşin çarçabuk olup bitmesini isterler. Estetik aramazlar. Nezaket kuralları bunlara çok ağır gelir.

Başta aşk olmak üzere tüm ilişkilerinde bir an önce sonuca varmak isterler. Büyük komisyoncular ve insanlar arası ilişkileri kullanarak rahat para kazananların ekserisinin elleri şişmandır...

---

4   Gİ, 106

Duygusal tatminden ziyade hazzı, sanattan ziyade işi kotarmayı, estetikten ziyade bir an önce işi ortaya koyup tamamlamayı tercih ederler.

Genelde de paralı olurlar ve eşleri çoğu kere sevimli varlıklardır... Çünkü para onları sever!

Kalın El

Tembelliği ve güçlü şehevi arzuları temsil eder. Psikolojik söylemle, libidinal gücü yüksek ama arzuları için fazla emek harcamaya yanaşmayan bir kişiliği yansıtır. Eğer bunlara iyi bir eğitim eşliğinde güçlü çalışma azmi verilebilse dünyanın rengini değiştirirler. Aksi takdirde yan gelip yatmayı, başkalarının kazancından yararlanıp geçinmeyi tercih ederler.

Tenperverliğe, tembelliğe ve hazcılığa eğilimlidirler. Hırslarını iş yapmaya yöneltememişlerse hımbıl ve dikkatsiz olurlar.

Tombul El

Keyfine düşkün, maddeci bir mizaçtan haber verir. Hayat bunlar için bir eğlencedir. Kafalarını yastığa koydukları gibi uyurlar.

Hayatları gırgır ve şamata olduğu ve başkalarının durumunu fazla dikkate almadıkları için kırıcı da olabilirler, ama amaçları kırmak değildir. Aldırışsızdırlar. Eşleri için bir imkân var etmişlerse, "Ee canım daha ne isterler ki!" deyip kendi dünyalarında yaşayabilirler.

Eğlenceyi severler. Kendi ev ortamlarında o eğlenceyi bulamadıkları takdirde dışarı kaçabilirler. Akıllı bir eş, onlara evi eğlence hâline getirirse yanı başlarında bir neşe kaynağı var etmiş olurlar!

Bu ortamı bulamazlarsa kendi dünyalarına çekilirler. Fakat neşeli insanlar oldukları için etraflarında daima arkadaş grupları vardır.

İyi yapılı tombul bir el, iyi bir tabiatı ve sıhhatli bir bünyeyi de gösterir.

Tümsek El

Bombeli el de denilen tümsek elli kimseler oldukça şanslıdırlar. İyi niyetlidirler. Rahmetli Özal'ın eli öyleydi. Az çalışarak çok şey elde ederler. Meraklı ve kabiliyetli kimselerdir. Muhasebe işlerinde mahirdirler. Para kazanmayı iyi bilirler.

Kısa El

Maharet ve incelik alametidir. Zanaatkârların elidir; incelik ve titizlik gerektiren işlere yatkınlığı gösterir. Usta kuyumcuların, hakkâkların, ahşap ustalarının, hardwarecilerin (buna karşılık softwareciler uzun ve ince ellidir) ekseriyetinin kısa elli olduğu bilinir. Kısa elliler, eğer parmakları da ince uçlu ise ince mizaçlı, titiz ve alıngan olurlar.

Kendilerinin oluşturduğu çoğu kere de önyargılarının belirlediği bir dünyaları vardır. Sempati ve antipati şeklinde daima duygularını açığa vurmaya hazır insanlardır.

Ancak iri cüssede kısa el, birtakım talihsizliklerin ve beceriksizliklerin de habercisidir. Kolay başlayışların arkasından gelen inkıtalar, başarısızlıklar gibi...

Kısa ve ince el, bazen eli sıkı, cimri, geveze ve oburlarda da görülebilmektedir.

İnce El

İnce, çöp gibi eller hayalciliğin -yaratıcı olmayan hayalciliğin- göstergesidir. Aynı zamanda narin, nahif bir yapının… Bu insanların ayakları hiçbir zaman yere basmaz. İşin kötüsü çoğu kere hayalin hayal olduğunu unutarak onu gerçek sanırlar. Kurdukları hayal dünyalarının efendisidirler.

Zor ve zahmetli işleri sevmezler. Çalışmaktan da hoşlanmazlar. Bu, erkekler için tabii ki bir dezavantaj ama kadınlarda öyle değil. Bu tür kadınlar hakikaten de çoğu kere onları çalıştırmayacak eşler bulurlar.

Eğer bu ince el, bir de uzun ve kuru yapılı ise hakikaten bu, zor ve meşakkatli bir hayatın habercisi olabilir.

Bilhassa vücutları tüysüz erkeklerde böyle bir el, fevri hareketlere, kontrolsüz davranışlara eğilimlilik işaretidir. Ama bir süre sonra yaptıklarından pişman olurlar.

Fakat aynı el tipinde damar ve sinirler görünmüyorsa ve deri de pürüzsüz ise, bu durum, acımasızlık belirtisi olabilir. Çoğu kere kendinden başkasını beğenmedikleri de görülür.

İnce pürüzsüz nahif el, sanatkârane duyuşların, ilhamın da habercisidir.

Yumuşak El

Tembelliğin, olağanüstü aşkların, hayalciliğin, diplomatlığın ve yalancılığın habercisidir. Müthiş uyumlu görünürler. Fakat her an beklenmedik tavırlar sergileyebilirler...

İyi fedakâr arkadaştırlar aynı zamanda. Mülayim, hoşsohbet ve nazik... Uysal ve uyumlu...

Açık rekabete girmezler. Ama içinden plan yapmaktan da geri durmazlar. Eğitilmemişse bir ayaküstünde on yalan uydurabilirler. Ama bunu insanları kandırmak için yapmazlar. Doğal bir şekilde yaparlar. Eskilerin 'mürai' dediği tipler de bunlardan çıkar. El yumuşak, solgun ve esmerse ihanete meyli yüksektir demektir...

Yumuşak el, saklı bir kibrin de habercisi olabilir. O kadar uzun süre mütevazı görünebilirler ki siz gerçekten onların mütevazı olduğuna hükmedersiniz. Onların üzerine uzun süreli planlar yapmak tehlikelidir... Kolay kolay hayır demezler. Ama evetleri de esasında tam 'evet' olmaz.

Tabiatları yumuşaktır ve rahatlarına da düşkündürler. Eğer yalan söylememe eğitimi almışlarsa ve zihinlerini bu yönde kontrol edebilmişlerse hakikaten uyumlu, şeker gibi insanlar olurlar.

Çok yumuşak el, kişiliğin tam oluşmadığının habercisi de olabilir. Sağlık açısından nevrasteniden de haber verebilir.[5]

Yumuşak el, biraz buruşukmuş gibi görünüyorsa; hilm sahibi, cömert, iyiliksever, kalbi temiz ve son derece saf bir yürek taşıyan bir insanı yansıtır.

Sert El

Beceri, iş yapma gücü, spor ve zekâ belirtisidir.

Sert elli insanlar hareketli, kavgacı, seyahat ve spora düşkün, iş yapmaya yetenekli kimselerdir. Mizaçları da katıdır. Bazen merhametsiz tavırlar sergileyebilirler. Zorluklara karşı dirençlidirler.

Şayet el sert ve buruşuksa, her an kavgaya hazır biriyle karşı karşıyayız demektir. Elin üstü buruşuk değil de çizgili kırışıksa bu, iyilik ve sevimlilik belirtisidir.

Aya içi, uzun süre elleriyle çamaşır yıkamış kadının eli gibi buruşuksa kabızlık ve anemi ihtimali üzerinde durulabilir.

Çukur El

Zorlukların ve başarısızlıkların habercisidir. Sık karşılaşılacak talihsizliklerden, hayatın zorluklarından ve şanssızlıklardan haber verir. Bu insanların kesin emin olmadıkça yatırım yapmamaları, işin içinde bir risk varsa o riskin ekseriyetle onlara isabet edeceğini hesap etmesi gerekir.

5   Les Ligne, S. 10

Ömürlerini sonuç vermeyen çalışmalarla tüketebilirler. Yoksulluk içinde erken yaşta ölürler.[6]

ARA NOT: Burada şu ikazı yapmak zorundayım. Bu anlatılanlar mutlak kader değildir. Kabul etmek gerekir ki akıl büyük nimettir. Biz zorlukların engellerin üstesinden gelelim diye bize verilmiştir. Bizdeki o tür sıkıntılar en fazla hayatı biraz daha zorlaştırır. İmkânsız kılmaz. "Allah hiçbir kula taşıyamayacağı yükü yüklememiştir." (Bakara, 286) ayeti bize bu prensibi hatırlatmalı. Hiçbir sıkıntı, mani, engel, aklımızdan ve Allah'tan büyük değildir. Her gün defalarca, "Allah büyüktür." diyoruz. Bunun anlamı, esasında "İnsanın üstesinden gelemeyeceği bir şey yoktur." demektir.

"Allah büyüktür" demenin pratik hayatımıza yansıyan şekli, kişinin baş edemeyeceği yükün kendisine verilmediğini bilmesidir aynı zamanda.

Elbette insanlar aynı şanslara sahip olmazlar. Kimileri hayata en dipten başlar, kimileri en tepeden. En dipten başlayanlarda da en üstten başlayanlarda da başarı oranı aynıdır. Yüzde on!

Bütün imkânları yerinde olan her 10 kişiden ancak biri istenilen başarıyı gösteriyor. Tamamen kötü şartlarda başlayanların hepsi de helak olmuyor, en az yüzde 30 imkânlı başlayanlardan daha ileri gidebiliyor. Çünkü başarı doğru bir eğitim ve doğru adımdır. Aklı ve imkânı doğru kullanmaktır.

Çukur el ve sonraki bölümlerde diğer işaretler için anlatılan sıkıntılar -çabasız- doğal seyri gösterir. Ama insan kendini eğiterek, imkânlarını doğru kullanarak kaderini değiştirebilir.

Yoksa "Ah benim elim çukur, zaten işlerim de iyi gitmiyor, ne yapayım kaderim buymuş!" deme hakkı yoktur insanın.

---

6 A.g.e, 10

Çünkü insan, öncelikle kendini doğru yetiştirmek, sonra o aldığı eğitimle hayatını doğru yönlendirmekle mükelleftir.

Bizde eskiden sara hastası ve down sendromlu çocuklara ne yapılacağı bilinmediği için onların eğitimine hiçbir çaba harcanmaz, bu çabaların çoğu erken yaşta ölürlerdi. Ama şimdi artık onları eğitebiliyor, bakımlarını yapabiliyoruz. En azından kendilerine bakabilme becerilerini kazandırabiliyoruz.

Esas olan budur. Var olan potansiyeli ve imkânları en iyi şekilde kullanmak çok şeyi değiştirir... El çizgileri, erken teşhis yapabilme açısından büyük hizmet verir bu açıdan. "Ama ne yapayım, kaderim böyleymiş çekeceğiz." dersek işte o zaman insanın potansiyelinden haber veren bu bilgiyi doğru kullanmamış oluruz.

Katı El

Çok katı ve gergin el, sert, duygusuz ve kalpsiz karakterden haber verir. Deri âdeta gerilmiş gibidir ve el etsizdir. Rengi kırmızıya çalar.

Böyle bir el yüksek bir öfke ve asabiyet potansiyelini de sergiler. İyi eğitildikleri takdirde sıradan insanların başaramadığı en tehlikeli işleri başarır ve yaparlar. Büyük kahramanlıklara imza atabilirler.

Özellikle tehlikeli operasyonlarda hemen öne çıktıklarını görürsünüz.

Ama eğitilmemişler ve toplum içinde de tolere edilmemişlerse, en feci cinayetleri soğukkanlılıkla işleyebilirler. Dertleri elbette cinayet işlemek değildir. Çabuk irite oldukları ve kolay yatışmadıkları için yaparlar bunu.

Sert elde olduğu kadar kavgacı değillerdir. Kendi hâllerinde kalmayı tercih ederler. Fakat damarına basıldı mı öfkesini dindirmek, sakinleştirmek çok zor olur.

Bir işe, eyleme veya hâle odaklandıklarında çevrelerini duymazlar. Acıma hisleri iptal olur. Planlı ve uzun vadeli cinayetlerin faillerinde, ekseriyetle katı eller görülmüştür. Şizofren değiller ama aynı tepkileri gösterirler.

Esasında bu tip, hakikaten toplum içinde bulunması gereken bir tiptir. İyi bir komutanın elinde yetişmiş bu tip 20 kişi, bir bölük teröristle baş edebilir! Çünkü bu insanların duyargaları da normal insanlardan çok daha yüksektir...

İçe Kıvrık El

İçten pazarlıklı, kaba, kıskanç, verdiği sözden dönebilecek, içinde hep başka bir hesabı bulunan bencil bir karakteri yansıtır.

ARA NOT: Durun durun, hemen paniğe kapılmayın! Bunlar kötü huylar gibi geldi size değil mi? Ama hepsinin da hayra kullanılabilecek yanları vardır. Hiçbir insan bütünüyle iyi veya bütünüyle kötü değildir. Eli bu işaretleri sergileyebilir ama kendisi iyi bir eğitim almıştır veya yüreğinde ciddi bir Allah korkusu oluşmuştur; bütün bu sıfatları hayır işlerinde kullanabilir o zaman.

Mesela inat, kıskançlık, sevilmeyen sıfatlardır. Kötü kabul edilir! Peki, öyle mi?

Hayır, acaba doğru amaçta kullanılan inat, ısrarın ve direncin ta kendisi değil mi? Eşini kıskanmak, onu hatalardan, sıkıntılardan ve başkalarının tasallutundan kurtarmak amacıyla kullanılan bir kıskançlık kötü mü?

Yaratılmış hiçbir sıfat kötü değildir. Onu nerede ve ne amaçla kullandığınıza göre değer kazanır o sıfat. İnsanı hangi sıfatından yoksun kılabilirsiniz? Yeter ki o sıfatları, toplum huzurunu bozacak istikamette kullanmayalım!

Açık El

Açık yüreklilik, güzel ahlak ve cömertliğin belirtisidir. Normal duruşunda parmakları sıkı sıkı birbirine yapışmayan, parmakları uyumlu ve arkaya esneyebilen bir eldir açık el. Bunlar iyimser ve fedakârdırlar. "Eli açık" deyimi de bu özellikten çıkmıştır.

Çengel El

İhtiraslı, hırçın ve bencil kişiliğin işaretidir. Bunlar hırs uğruna hayatlarını bile tehlikeye atarlar.

Tüylü El

Kişilik ve yiğitlik belirtisidir. Alicenap olurlar. Hangi şartlarda olurlarsa olsunlar adaletsizliğe başkaldırırlar. Normal zamanlarda işleriyle meşguldürler. Onlara görev düşünce birer kahraman olduklarını görürsünüz. Toplum içindeki haksızlıkları bilfiil ortadan kaldırmak isterler. Babacandırlar. İyi baba, güvenilir dostturlar. Hele kemikleri de iri ise…

Kadınlarda tüylü el, hâkimiyet ve cesaret işaretidir. Aynı zamanda canlı bir aşk hayatının varlığına işarettir. Melankoliden haz etmezler. Bir erkeğe dayanıp onun sırtından geçinmeyi de sevmezler. Paraları bitince kendilerini güvensiz bulurlar. Mutlaka bir yerlerde güvenebilecekleri bir akçeleri olması lazım…

Hayat doludurlar. Neşelidirler, cinselliği cinsellik olarak severler. Âşık olmazlar ama derin iç tutkuları vardır…

Çok Tüylü El

Duygusal bağımlılık derecesinde birilerine tutunmaya ihtiyacı olanların elidir. Zaten erken dönemde yönlendirici desteğe muhtaç oldukları anlaşılır. Fikirleri uyuşuktur. Tepkileri geçtir. Kuvvetli âşıkmış gibi görünürler ama bağlılıkları hazza dayalıdır.

Eğer kaşlarının arası da bitişik ise duygusallıkları onları sevdiklerine körü körüne bağlanmaya sevk edecek boyuttadır demektir. Aklın imkânlarını kullanma özürlüdürler âdeta. Bir ayaküstünde on kere aldatabilirsiniz ve o yine de sizin onu aldattığınızı düşünmez.

Daima iyi bir rehbere, onlara gerçeklerin farklı olduğunu öğretecek bir rehbere ihtiyaçları vardır.

Tüysüz El

Erkeklerde kadınsı bir mizacın göstergesidir. Hele el aynı zamanda yumuşak ve nemli ise cinsel dürtülerde sıkıntıya işaret eder...

Tüysüz el, histeriye, âşıkmış gibi görünmeye eğilimi gösterir. El aynı zamanda da dar ise tahammülsüz, zahmete gelmeyen bir yapıyı sergiler...

Nemli El

Sürekli nemli el, kötü bir sağlık işaretidir. Kan dolaşımının sağlıklı olmadığını gösterir.

Sindirim sisteminde sıkıntı, cinsel yaşamda tatmin olamama ve genel anlamda bağışıklık sisteminde bozukluğuna işaret sayılabilir.

Şayet bu el orantılı ve iyi yapılı bir else ve çizgileri mora çalıyorsa bu, büyük meşakkatlerin üstesinden gelebilecek mücadeleci bir ruha ve yüksek fikirlere işaret eder. Avucun içi terlidir çoğu kere. Bunlar büyük fikirlerin heyecanını daima içlerinde taşırlar.

Herhangi bir stres altında elinin içi nemlenenler muhakkak bir psikolojik destek almalı. Çünkü bilinçaltında veya zihinde bilinmesi ve görülmesi istenmeyen sıkıntılar var demektir. Bunların çoğunda itiraf edilmeyen korkular ve çok sayıda *engram* (tanımlanamayan acılar) olduğu tespit edilmiştir...

Nemli el, bir karakteri yansıtmaktan ziyade, içerideki sıkıntıları dışa vuran bir ipucudur!

Normal sıcaklıkta ve normal neminde bir insan eli, güvenilirlik ve sadakat işaretidir aynı zamanda.

Kuru El

Sinirlilik ve talihsizlikle yorumlanır.

Fakat bunlar sinirliliklerini ve hatta en küçük duygularını bile gizleyebilirler. Kuru elde damarlar ve sinirler görünmüyorsa bu daha da kötüdür.

İşleri hep sıkıntıyla gerçekleşir. Hakikaten talihsizdirler. Toplumda hak etmedikleri bir dirençle karşılaşırlar.

Eğer kuru el aynı zamanda kemikli bir else maişetini teminde de sıkıntıya düşebilirler demektir.

Ancak bu tipler iyi eğitildiği ve bir alanda maharet kazandıkları takdirde bütün akranlarını geride bırakacak kadar deruni, hak edilmiş başarılara imza atarlar...

Kaba, Pürüzsüz El

Kabadan maksadımız, ortalama görüntüden farklı şekillerdeki eller demektir.

Bunlar ummadığınız kadar özgün kişiliklerdir. İyi eğitilir ve yönlendirirlerse insanlığın hayatına daha önce olmayan bir renk de katabilirler.

Çünkü bu tip bir el, kişiye özgü bir hayat anlayışını, alışık olunmayan fikirleri ve yaklaşımları, kimseye benzemeyen bir mizacı temsil eder!

Kaba el sahibi, şunu bilmeli ki içinde insanlarda bulunmayan cevherler de saklıyor. Bunlar garip olabilir ama gereksiz değildir!

Zayıf Biçimsiz El

Kendini eğitmemiş birinde bu tip bir el, genelde toplum tarafından tasvip olunmayan hâllere yatkınlık işaretidir.

Tavırları tahmin edilemez. Her an her şeyi -daha çok kötülük- yapabilirler. Ne zaman ne yapacağı belli olmayan bir mizaç! Geçimli değildirler. Huysuz, cimri ve tetiktedirler.

Esasında bu tür el, psikolojik problemlerin de habercisidir. Çoğunun, içlerinde sayısız travmalar barındırdığı gözlenmiştir.

Bazen zayıf, ürkek ve korkak bir yapıdan da haber verebilir zayıf biçimsiz el! Sessizdirler, kimseye ilişmezler, kendi dünyalarında ürkek yaşayıp giderler. Çok uzun da yaşamazlar. Mazlum ve çaresiz görünürler...

Hissi El

Hissi el, vücuttan ayrı bir duyarlılığı varmış gibi görünen ellerdir. Sanki bir canlının üzerine monte edilmiş ikinci bir canlı...

Bunlar kendilerini severler, beğenirler. Daha çok kadınlara has bir eldir. Kendileri de ellerinin bu özelliklerinin farkındadırlar. Onu bezerler. Özelikle işaret parmağına yüzük takmayı severler.

Hele el düz, pürüzsüz ve soğuk ise kendisini "dünyanın merkezi" sanacak bir potansiyelden haber verir.

ARA NOT: Burada gördüğünüz gibi, ellerin kabataslak bir yorumunu yaptık. Burada anlatılanların hepsinin, genel bir analiz içinde tek cümlelik bir manası vardır. Yani hemen elinizin şekline bakıp kendiniz hakkında bir yargıya varmayın!

RENKLER BAKIMINDAN ELLER

Ellerin renkleri de önemlidir. Renkler, daha çok sağlıkla ilgili ipuçları verirler ama karakterin bir yansıması olarak değerlendirildiği de olur.

Beyaz El

Yumuşak, ince yapılı bir karaktere işaret eder. Sükûneti seven insanlardır. Sağlık açısından daha çok hazım sisteminin zafiyeti ve bağışıklık sisteminin güçsüzlüğünü yansıtır. Beyaz el, hastalıklara karşı dayanıksız bir bünyeden haber verir.

Şayet beyaz renkli el aynı zamanda yumuşak ve ince parmaklı ise anemiye yatkınlığı gösterir. Solgun renkli beyaz el, dolaşım bozukluğuna ve solunum yetmezliğine yatkın bir bünyeyi yansıtır. Beyaz elli insanın gözaltı morlukları da varsa bu yatkınlık güçlenir. Bu durum aynı zamanda vücudun bazı gıdalara karşı intolerans oluşturduğunu gösterir.

Beyaz elli bir insanda burun deliklerinden biri veya ikisi de normalden daha dar ise bu, o insanda sindirim ve dolaşım sistemlerinde sıkıntı olduğunu/olabileceğini gösterir.

Beyaz el temel manada hantal bir bünyeyi ve kansızlığı haber verir.

Canları tez değildir. Üşengeç ve hantaldırlar. Hareket etmek için kendilerinde yeterince enerji bulamadıkları için hareketsizliği severler. Bu da onların rahatına düşkün, bencil zannedilmesine yol açar!

Pembe El

Sağlık, sıhhat, afiyet; temiz yüreklilik ve sevimlilik işaretidir.

Hafif aşırıya çalan pembe el, son derece sağlıklı bir bünyeden, iyi ahlaktan, çalışkan bir yapıdan ve temiz bir mizaçtan haber verir.

Pembe renkli ve damarları şeffaf bir el yüksek bir kalbe, aydın bir düşünceye, parlak bir zekâya ve iyilikseverliğe işarettir.

Bir pembe elde aya içi de kendi doğal rengindedir. Eğer aya içinde renk farklılaşmaları varsa ve özelikle deri altında kırmızı beyaz adacıklar oluşmuşsa kanda toksik birikimler başlamış demektir. elinde bu belirtilerin görüldüğü kişilerin karaciğer temizliği yapmasında yarar var!

Kırmızı El

Aşırı heyecan, kavgacı tabiat, kontrolsüz, patavatsız bir konuşma tarzını gösterir. Tabii bu söylediklerimiz insanın doğasının yalın hâlidir. Bilhassa tartışmalarda soğukkanlılığını koruyamayan, ihtiraslı ve atılgan kimselerdir. Bütün kavgacılıklarına rağmen sıcakkanlı insanlardır.

Sık sık vurgu yaptığımız gibi eğitim ve ahlakın değiştiremeyeceği, zapt edemeyeceği eğilim ve karakter yok gibidir...

Kırmızı el, aynı zamanda kötü bir sıhhat işaretidir. Sindirim sisteminde sıkıntıların varlığına işarettir. Özelikle mide. El kırmızı ve çengelli veya sert veya kemikli kuru ise asabiyet kaçınılmazdır. O da doğrudan sindirim sistemini etkiler.

Sarı El

Entelektüellerin el rengidir. Bu genellikle heyecanlanan, itirazcı, olaylara şüphe ve merakla yaklaşan, sinirli insanların ellerinde görülür. Safravî bir mizaçtan haber verir. Kültürlü olmasalar bile kültürlü görünme telaşı içindedirler.

Hafif yeşile çalan sarılık ise hiddet ve öfkeye işaret eder.

Temel manada sarı renk, sağlıksız bir bünye işaretidir. Hastalıklara açık bir yapıyı sergiler. Bu insanların kendilerini hareketten alıkoymamaları gerekir!

PARMAKLARIN YAPISI BAKIMINDAN ELLER

El denince tabii ki parmaklar da işin içine girer. Eli parmaklardan bağımsız anlamak imkânsızdır! Fakat daha önce yaptığımız tasnif genel görünüm açısındandı. Şimdi burada yapacağımız ayrıştırma parmakların yapısına göre olacak.

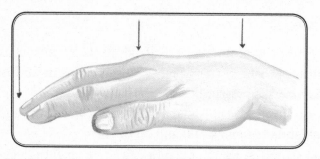

Şekil 1A

Bir parmağın uzun mu kısa mı olduğunu şöyle anlarız: Bileğin büküldüğü noktadan, bükülmüş vaziyetteki orta parmağın dibine kadar ölçülür. Sonra da orta parmağın aya kısmındaki kemikten ucuna kadar ölçülür. Bu iki uzunluk denk ise bu parmak normal parmaktır. Eğer parmak daha uzunsa uzun parmak, daha kısa ise kısa parmak olarak isimlendirilir… Uzunluk kısalık çok mühim… Zira anlamı ve el hakkında verilecek kararı derinden etkiler. (Şekil 1A)

Çünkü ellerin genel yapısı yanında, rengi ve tabii ki parmakların biçimi, uzunluğu, kısalığı, uçlarının sivriliği, bombeliği, bütün parmakların aynı veya değişik yapılar sergilemeleri, insan yapısında var olan eğilimlere, ayrışmalara, potansiyellere veya zaaflara işaret ederler. Bunları iyi tespit etmek gerekiyor.

El, başlı başına bir kitaptır. İçindeki bombelikler (dağlar), tepeler, çizgiler, renkler, tırnaklar, parmaklar, parmak uçlarının biçimi, aynı tip veya karma tipler oluşu... Bütün bunlar bir el yorumcusunun asla gözden kaçırmayacağı verilerdir. Bunlar el kitabının âdeta harfleri, harekeleri, heceleri, kelimeleri ve cümleleridir.

Her parmak, her tepe, her çizgi o kitabın bir bölümü, bir bahsidir... Tek tek incelenirler ve sonra onlardan genel bir durum tespitine geçilir.

Bir eli yorumlamak, verilerini değerlendirmek, tespit edilmiş bin kelime ile bir makale yazmaya benziyor. Hepsini kullanmak zorundasınız ama iki kereden fazla kullanamazsınız...

Bu bölümde, eli parmaklarla birlikte zihinde bıraktıkları görüntüleri yani yapıları açısından değerlendireceğiz.

Normal duruşuyla parmakların bitişik veya ayrıymış gibi görünmeleri de çok anlam ifade eder.

Mesela normal duruşuyla eğer işaret parmağı ile orta parmak birbirinden ayrıymış gibi duruyorlarsa bu, düşünce bağımsızlığını gösterir. Bu insanları, ortalama fikirleri kabul etmeye zorlayamazsınız. Zaten de kabul etmezler. Kendilerine özgü düşüncüleri vardır.

Eğer orta parmak ile yüzük parmağı birbirinden ayrı duruyorlarsa bu, sıra dışı bir tabiatı sergiler. Hayatı olduğu gibi kabul eden ve geleceğe dair bir kaygı taşımayan bir insanı yansıtır. Geleceğe dair kaygı duymamak güzeldir ancak bu, kişiyi tembelliğe de itebilir.

Eğer bu serçe parmağı sanki elden ayrıymış gibi duruyorsa bu, eylemlerinde özgünlük ve bağımsızlığı sergiler. Bu insan gerçekten orijinaldir, hareketleri de kendine özgüdür. Rahatlıkla diğer insanlar için savunmaya geçer ve onların özgürlüğü, düşünceleri ve onurları için de mücadele verir.

Sivri El

Parmaklar uzun ve uçları sivridir. El genel anlamda uzundur ve parmak uçlarına doğru bir daralma gösterir. Çoğu kere parmaklar birbirine bitişik gibidir. Aya geniş değildir. Konik ellerde ise aya geniştir. Bilekten parmak uçlarına doğru ilerledikçe elin sivrildiğini hissedersiniz. İşte bu tür ellere sivri el denilmektedir.

Şekil 1B

Sivri eller, mistiklerin, aristokratların, şair ve ressamların ve hikemiyat ile meşgul mutasavvıfların elidir.

Bütün sivri elli insanlar, hem çabuk etkilenirler hem de çabuk etkileyebilirler. Duyguları ön plandadır. Mantıkları analitik değildir. Çağrışımlarla düşünmeyi tercih ederler. Onlar için mavi gökyüzündeki bulut kümelerinden yeşil otlaklarda yayılan beyaz koyun sürülerine geçmek işten bile değil. Zihinleri çağrışımlara, kalpleri de ilhama açıktır. O yüzden de ilk intibaları en doğru olandır.

Kuru mantık ve muhakemeden sıkılırlar. O yüzden idrakten yoksun sanılırlar ama onlar idrakten yoksun değildir. Fakat beyinleri analitik çalışmadığı için fikirleri ilk etapta saçma görülür. (Şekil 1B)

Sivri elin yegâne özelliği sanatçı kişilik ve duyuştur. Fevkalade bir sezgi gücü ve hayal kudretleri vardır.

Çalışmayı sevmeyen sivri elliler idealist ve bencildirler; daha doğrusu kendilerini garantide hissetmeden başkalarına el uzatmazlar. Egzantrik kişilikleri, egoizme ve cimriliğe meyyaldir.

Sivri el sahibi bir insan rahat ve lüks yaşamayı sever. Fakat böyle bir hayatı ve refahı temin için kılını bile kıpırdatmak istemez. İyi birer mirasyedi olurlar. Zaten de bu tür el, en çok onlarda görülür.

İnsanın şartları ve şâkilesi (bedenin yapıları) o kadar birbiriyle uyumludur ki insan bu ilişkilerin satırları arasında ilerlerken, "Her şeyi önceden bilen ve tasarlayan biri var." demekten kendini alamıyor.

Bu tipler her işe yetenekleri varmış gibi görünse de hayatta çok nadir muvaffak olurlar. Çünkü başarının en temel esası olan istikrarlı gayret bunlarda çok azdır. Karşılaştıkları ilk zorluk karşısında hemen pes eder, başka bir konu ile ilgilenmeye başlarlar. Sivri elliler eğer bu yönlerini kontrol edebilir ve bir çalışma disiplini edinirlerse hakikaten yaratıcıdırlar ve özgün eserlere imza atma şansları diğer gruplara göre daha yüksektir.

Bir tek işle meşgul olmazlar. Sözgelimi dil öğrenmek isteseler, birkaç dile birden başlar ve hepsini yarım bırakırlar. Hep yarımcıdırlar, başladıkları işi bir çırpıda bitiremezlerse onu ısrarla sürdürmezler.

Çabuk tesir altında kaldıkları gibi çabucak da unuturlar. Mesela eşini kaybeden sivri elli bir kadın kederinden ölmek ister, ama aradan bir yıl geçmeden başka birilerini bulup her şeyi unutabilir. Bunu bir vefasızlık olarak da görmez.

Hep ölmek isterler ama asla buna teşebbüs etmezler.

Çok renkli bir kişilikleri vardır. Girdikleri her toplumda hemen dikkat çekerler. Esaslı bir fikirleri yoktur. Gündemlerini, o günlerde okudukları bir kitap, izledikleri bir film veya dinledikleri bir konu teşkil eder. Her konu, toplum içinde daha iyi rağbet gören daha etkilisini buluncaya kadar çekicidir onlar için. Ömürleri, cazibeden cazibeye kapılmakla geçer.

Güzel konuşurlar. Duygulu ve canlı bir hitap kabiliyetleri vardır. Laf ebesidirler.

Sivri elli insanlarda sevgi de sürekli olmaz. Bu yüzden vefasız ve nankör bilinirler ama değil. Bu onların fıtri hâlidir. Serîuttesir, serûzzeval olurlar. Etrafında fır dolandıkları dostlarını üç dört gün görmeseler veya yeni bir arkadaş edinseler hemen unutuverirler.

Zariftirler. Giydikleri her şeyi yakıştırırlar. Zevk sahibidirler. Fıtraten şairdirler.

Sivri elli bir kadına ev işleri en ağır işkencedir. O süslenip, takıştırıp şatafatlı salonlarda, ışıklar altında olmayı sever. Rahat bir hayat için ilginç evlilikler yapabilirler. Onların parmak diplerinde müsriflik alameti olan geniş açıklıklar olduğu da görülmüştür. Çünkü onlar için cinsellik de çok şey ifade etmez. Asil görünmek için çok zahmetlere katlanırlar. Yoksa bile, ilk fırsatta kendilerine öyle bir geçmiş yapmayı bilirler.

Sivri elli bir insan aşk için yaratılmış zannedilir ama onda da sebatsızdırlar.

Sivri elli bir kadın çok iyi bir metres olur, ama sorumluluk sahibi bir eş ve müşfik bir anne olmakta güçlük çekebilir.[7] Böyle bir kadının iyi bir anne olmasını sağlayacak, köşeli elli bir erkek olabilir. O onu tolere edebilir.

Sivri elli insanlar su gibidirler, girdikleri kabın şeklini alırlar. Hayal gücü onları yarı sarhoş hâle getirmiştir. İntizamsızdırlar. Kimseye isteyerek adaletsiz olmazlar ama fazlaca da hakperest ve âdil değildirler. Dışarıdan aldıkları tesirler altında hareket ederler.

Büyük taklit kabiliyetleri vardır. İyi artist ve sanatçı olurlar. Çevrenin tesiri olmazsa tam bir bohem hayatı yaşarlar. Sivri elli bir kadın eşini istediği şeye çarçabuk inandırabilir. Çünkü ağlamak isterse gerçekten ağlıyormuş gibi yapabilir...

---

7   Gİ, 101

Köşeli El

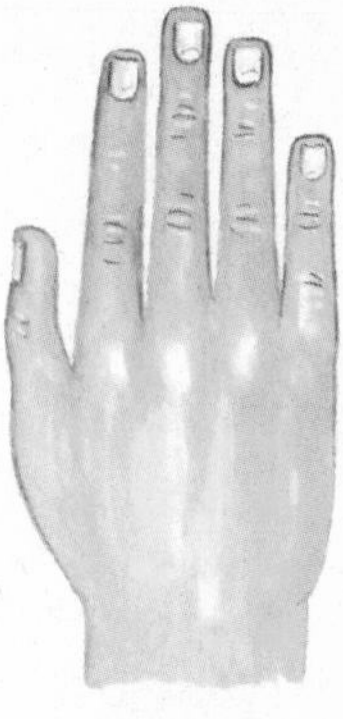

Köşeli eli tanımak için tırnakların bulunduğu boğuma bakılır. Parmakların uçları âdeta kare biçiminde ise bu ele köşeli el denir. Bu el tipine kare el denildiği de olur.

Köşeli elli insanlar, pozitivist, objektif, pratik zekâlı, enerji dolu insanlardır. Hayatın getirdiği sürprizlere sanki hazırlıklı doğmuştur. Zorluklarla baş etmesini bilir. En riskli ve heyecanlı ortamlarda bile metanetle ve soğukkanlılıkla karar verirler. Meselelere bir mühendis titizliği ile yaklaşırlar. Zaten çoğu da matematik ve fizik menşeli mesleklerde çalışır.

Şekil 2

Yüksek bir kavrayış ve derin bir düzenlilik duygusuna sahiptirler. Problemleri önce kademelere ayırır sonra basamak basamak giderek işin en altına kadar inerek tam bir vuzuh ile çözerler.

Gerçeği, düzenliliği ve açıklığı severler. Düşünceleri yavaş yavaş oluşur ama her noktada kendilerinden emindirler.

Konuşmaları süslü değildir. Aktaracakları her konuyu açık, net ve dolaysız anlatırlar. Fazla sözü sevmezler. Uzun uzun bir konuyu anlatmak, onlara sadece sıkıntı verir.

Köşeli elli bir insan faydacıdır. Çalışmak için yaratılmıştır. Faal ve çalışkandır. Sadece teorisyen değil, pratisyendir de. Kendisi teori ve fikir üretmeyebilir ama onları tatbike koyarken yaratıcıdır. Düşünmekten çok, düşünülen ve projelendirilmiş düşünceleri uygulamakta maharetlidir. O bir mühendistir, mimar değil. Vazifesini ve işini sever. Yüksek bir sorumluluk anlayışı vardır.

Köşeli elli insanlarda acılar da sevinçler de derindir. Dostluğunda faydadan başka bir şey görülmez. Ölesiye bağlanır.

Sevgileri süreklidir. Nefretleri de... Ailesinin geçimini sağlamak kutsal bir vazifedir köşeli elli bir baba için. Gemisinin kaptanıdır o.

Estetik anlayışı da yüksektir. Sanatçı ruhlu değildir ama güzelliği ve sadeliği sever. Nezakete, edebe ve intizama düşkündürler.

Düşünceleri arasında mükemmel bir uyum bulunur. Yüksek bir yöneticilik kabiliyetleri vardır. Ancak analiz ve sentez yetenekleri sınırlıdır. Fikir yürütmede üstlerine yoktur. Uzmanlaşmak için yaratılmışlardır. Birçok şeyi bilmektense bir veya birkaç dalda derin bir bilgiye sahip olmayı tercih ederler.

Bilim, politika ve hekimlikte büyük yetenekleri vardır.

Tabii ki köşeli parmaklı bir el, gerçekten bu özelliği taşımalıdır. Parmaklar ne çok uzun ne çok kısa, ne çok yumuşak ne çok sert olmalıdır. Fakat her durumda parmak köşeliliğini korumalıdır.

Bu ellerin sağlık açısından temel zaafı abur cuburu sevmeleridir. Obur değillerdir ama sürekli bir şeyler atıştırmayı (bilhassa meyve) severler. Çabuk kilo almaya yatkındırlar. En çok rastlanılan sağlık sorunları kabızlıktır. Kabızlık da onlar için her türlü sıkıntıya davetiye çıkarır.

Tiroid (Guatr) ve benzeri salgılarla ilgili hastalıklara yatkınlıkları vardır. (Şekil 2)

Meblağı (Ispatula, Yassı) Parmaklı El

Bu ellerde parmakların tırnak boğumu, âdeta ekstra bir genişlik kazanmış gibidir. Tırnak ete gömülüdür ve parmak uçları ortadan sıkıştırılıp yuvarlaklaştırılmış gibi bir intiba uyandırır insanda.

Meblağı parmaklı eller, sahibinin içgüdü ve önsezileriyle hareket ettiğini gösterir. Kendilerine sarsılmaz güvenleri vardır. Önsezilerini rehber edinmişlerdir ve önsezileri onları çoğu kere doğruya götürür.

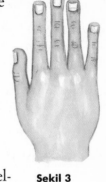

Coşkulu ve çok girişkendirler.

Meblağı parmaklılar büyük işlerin adamıdırlar. Kendilerine duydukları sonsuz güven, onları başarıdan başarıya götürür. Ama aynı özellik, helak olmalarına da sebep olur çoğu kere. Çünkü başaramadıkları takdirde kendilerine zarar verirler.

Şekil 3

Cesaretli ve atılgandırlar. Korku nedir bilmezler. Yorulmazlar. Yürümeyi çok severler. Öyle ki trafiğe girip beklemektense 10-15 kilometre uzaktaki evlerine yürüyerek gitmeyi tercih ederler. Yürürken şen ve coşkuludurlar. Seyahat için her türlü güçlüğe ve zorluğa katlanırlar. Çünkü seyahat etmeyi de çok severler.

Nefislerine duydukları aşırı güven, onları hem cesur hem de fedakâr kılmıştır. Kırda bayırda yaşamayı, toprakla haşır neşir olmayı çok severler. Aksiyon ve hareket adamıdırlar. Girdikleri meclisi bir anda şenlendirir ve bir güven çemberi yaratırlar.

El işlerinde büyük yetenekleri vardır. Birlikte çalıştıkları insanların sırtına yük değil, belki onların sorumluluklarını da yüklenirler. Üzerlerine aldıkları işi layıkıyla bitirmedikçe gözlerine uyku girmez. Bunlar dünyayı imar etmeye gelmişlerdir.[8]

Şiir ve benzeri sanat olayları, bunlar için boşuna zaman öldürmektir. Tam anlamıyla, teknokrattırlar.

Rahatlarına ve lükse düşkün değillerdir ama obur denecek kadar çok yemek yerler.

---

8   Gİ, 102

Geç yatar, erken kalkarlar.

Gösterişten hoşlanmazlar. Zengin olsalar bile sade ve derbeder yaşarlar. Büyük fabrikaların, atölyelerin babacan ustabaşıdırlar. Üzerlerindeki iş tulumunu, en şık elbiseden yeğ tutarlar. Çünkü tulumun içinde kendilerini daha rahat hissederler.

Çok iyi aile reisidirler. Evi ve ev işlerini en az bahçe ve toprak işleri kadar severler.

Şaşılacak kadar hürriyet ve bağımsızlıklarına düşkündürler.

Meblağı parmaklı bir insanın başparmağı uzun ve enli ise ihtilalci bir karakterle karşı karşıyayız demektir.[9]

Önsezileri çok güçlü olduğu için büyük dedektiflik yetenekleri de vardır.

Bu tipler önce yetenek sahibi olur, sonra öğrenmeye başlarlar. Hayatı iyi tanırlar, menfaatlerini bilirler. En küçük alışverişi bile sağlam esaslara bağlarlar.

Gayretlidirler. Yaptıkları işten iyice emin olmadıkça tevekküle yanaşmazlar. Bütün bildikleri çalışmak, çalışmak ve yine çalışmaktır. Bir iş yerinde, herkes otururken biri ayakta ve koşturuyor ise büyük ihtimalle o meblağı parmaklı bir insandır. Bir iş birlikte yapılıyorsa işi en son o bırakır.

Refah ve rahat bunlar için bir amaçtır, ihtiyaç değil. Hayatı olduğu gibi benimser ve kabul ederler.

Meblağı parmaklı insanları şu vasıflarla tanımlayabiliriz:

Cesaret, dayanma, önseziye uyma, azim ve gayret, nefse güven, çalışma ve sürekli hareket, güzel sanatlara karşı ilgisizlik fakat süse merak, müspet ve elle tutulan şeylere inanmak, beceri, ustalık ve zanaatkârlık.

Sağlık açısından en çok karşılaştıkları sıkıntıların başında bağırsaklarla ilgili sorunlar gelir. Şekere yatkınlıkları da vardır.

---

9 Gİ, 103

Çünkü yemeyi çok severler ve ne yediklerine fazla dikkat etmezler. En az çalışmak kadar yeme içmeyi de sevdikleri için obezite ve şişmanlık onların en temel problemidir. Bir kere kilo aldılar mı kolay kolay vermezler. Göbekleri hep taşkındır ve gömleklerinin son düğmeleri göbeklerini kapatmakta zorlanır. Oburluklarını frenleyebilseler uzun yaşarlar... (Şekil 3)

Konik El

Konik el karma bir el tipidir. Bu ellerde parmaklar, dipten yukarıya doğru daralarak ilerler. Uçları sivridir. Avuç kısmı ise köşeli ellerde olduğu gibi geniştir. Parmaklar birbirine yapıştırıldığında, bilekten uca doğru giderek daraldığı için konik el denmiştir bu el tipine.

Konik el, sivri parmaklıkların muhayyile gücüne ve seyyal düşünce sistemine sahip olduğu gibi köşeli elli insanlarda görülen muhakeme ve mantık kudretine de sahiptir. Bu yüzden de son derece yaratıcı tiplerdir.

Yani konik el, sivri ve köşeli el özelliklerinin karışımından meydana gelen vasıflara sahiptir. Bu vasıflar, büyük bir hayal gücü, düzenlilik, dürüstlük, samimilik, rahatlık, sevimlilik ve merhametliliktir.

Konik el sahibinden ikiyüzlülük, art niyet, laubalilik bekleyemezsiniz. Adil davranmak en büyük özellikleridir.

Barışsever ve hakperesttirler. Uysal ve arabulucudur. Yanlış yaptığını fark eder etmez, özür dilemesini veya hatasını düzeltmesini bilir. Gerçekler karşısında inatçılık yapmaz. Bilhassa başparmak uzun, kuvvetli ve esnekse büyük bir istidat ve "güzel ahlak heykeli" bir şahsiyetle karşı karşıyayız demektir.

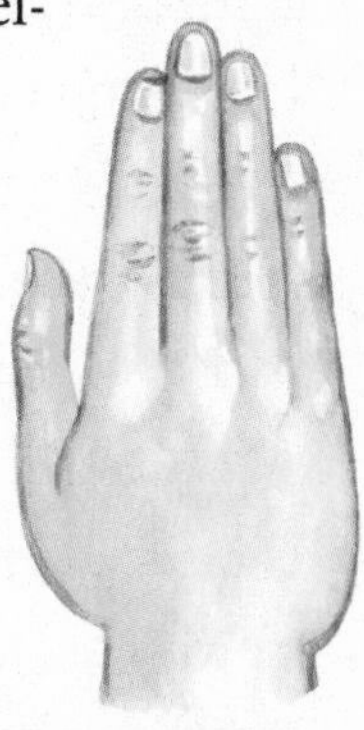

Şekil 4A

Güzel ve güzelliği bilir ve severler. Edebiyat ve güzel sanatlarda başarılı eserler vermiş çoğu sanatçılar konik ellidir. Çünkü iyi bir sanat eserinin ortaya çıkması için gereken azim, gayret, sebat ve ısrarlı çaba bunlarda mevcuttur.

Ayaları da dar olan sivri elliler, sebatsız oldukları için başladıkları işi sonuçlandırmadan bırakırken, konik elliler ağır hareket eder ve mutlaka neticeye ulaşırlar.

Bunlar da meblağı parmaklıları gibi hürriyetlerine ve bağımsızlıklarına düşkündürler. Tabiatları serttir. Kendilerine meydan okunduğunda bunu rahatlıkla kabul ederler!

Çabuk kızarlar fakat öfkeleri de çabuk geçer. Kibirliye karşı kibirli, mütevazıya karşı mütevazıdırlar.

Geniş bir algılama kudretine sahiptirler. Baktıkları eşyayı fotoğraf makinesi gibi zihinlerine resmederler. Bir gördüklerini unutmazlar. Bu bakımdan büyük casusluk yetenekleri vardır. Zaten ün yapmış casusların büyük ekseriyetinin konik elli olduğu görülmüştür.

Konik elli bir insan genellikle yuvarlak yüzlü olur. Aralarından nadiren aristokrat yüz dediğimiz dikdörtgen ve büyük kulaklı tipler de çıkar. İşte o tipler hakikaten uluslararası şöhreti yakalayabilecek nadir parçalar gibidirler. Sivrilmiş casusların büyük kısmı aristokrat yüzlü konik elli insanlardır. Her alanda aldıkları eğitimin hakkını verirler...

Konik elli bir kadın komple bir ev hanımıdır. Her türlü işlerini maharetle yapar. Aşk ve cinsel hayatı da o kadar canlı, parlak ve istikrarlıdır.

Hünerlidir, tertiplidir, beceriklidir. Dikiş, nakış, her şey elinden gelir.

Konik elliler şen şakrak ve merhametlidirler. Barış ve huzur içinde bir hayat onlar için şifa kaynağıdır. Sevdikleriyle küs olmak, en ağır hastalıklar gibi onları yıpratır. Konik elli bir insana dostunun verebileceği en büyük ceza ona küsmesidir.

Neşeli insanlardır, hiçbir şey gözlerinden kaçmaz. Gam çekmezler. Çünkü gam onları kısa zamanda tüketir. Bir musibetle karşılaştıklarında tevekkül etmeyi bilirler. Bunlarda barışık olma, uzlaşma ve anlaşma tam bir ihtiyaçtır.

İltifatı severler. Zaten hak da ederler. Kendileri de her iyi şey için başkalarına iltifat etmekten geri kalmazlar.

Teşvik ve takdir edildiklerinde başaramayacakları iş yoktur. Birçok işte fikirlerinin isabetliliği ile tanınırlar.

Maalesef bu insanlar sinir hastalıklarına, stresin sebep olduğu tüm hastalıklara ve tabii riskli hastalıklara açıktırlar. (Şekil 4A)

Parmakları Kırıkmış Gibi Görünen El

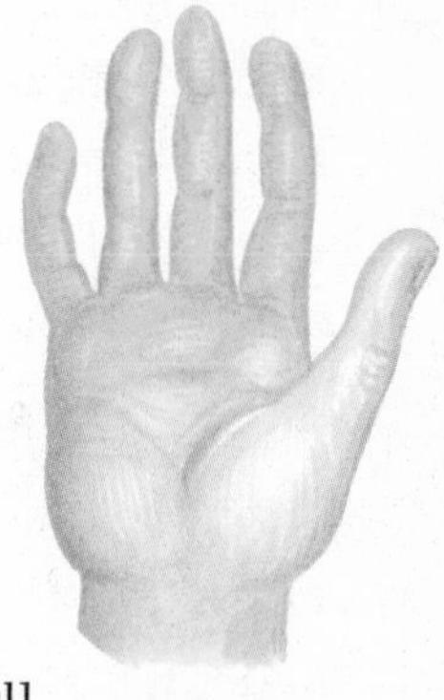

Bu elin parmakları, sanki bir kaza sonucu kırılıp öylece kaba bir şekilde kaynamış gibi bir şekil arz eder. Ama aslında kaza değildir. Özellikle serçe parmağı ile işaret parmağı kırılmış gibi eğiktir. El genel manada küt bir eldir.

Bu yapı maalesef iyi şeylere işaret etmez. Bu yapıda bir elin sahibi, kendi hâline bırakıldığında ve eğitilmediğinde hep kötü işler düşünür. Kıskançlıktan, birilerine zarar vermekten kendini zor alıkoyar veya alamaz.

Şekil 4B

İşaret parmağı Şekil 4A'da görüldüğü gibi eğik ve kırık gibi duruyorsa bu, o insanın pek de onuruna düşkün olmadığını gösterir. Menfaat için yapmayacağı şey yoktur.

Böyle bir el genelde çarpık bir zihniyeti yansıtır. Özellikle orta parmak kırıkmış gibi duruyorsa...

Yüzük parmağı kırıkmış gibi duruyorsa bu, o şahsın yeteneklerini kötü yolda kullanmaya açık olduğunu gösterir. Kötü adam diye meşhur olan tipler vardır toplum içinde. Bu tipler de öyledir.

Kırılmış da eğri kaynamış gibi duran serçe parmağı, gösterdiği kadar dürüst olmadığını yansıtır. Daha doğrusu dürüstlükte eksiklik demektir. Bu tipler, kendi pis işlerinin içine başkalarını da çekmeye teşne insanlardır.[10]

Bu tür eller, genelde bu tür işleri yapıp duran insanların genetik aktarımıyla bir sonraki nesilde ortaya çıkan bir yapıdır.

Bunların işi zordur. Nefisleriyle ve içlerinden gelen dürtüleriyle baş etmek için çok ciddi bir nefs terbiyesinden ve eğitimden geçmeleri gerekir.

Küçük yaşta parmakları bir şekilde öyle olan bir çocuk fark edildiğinde yapılacak en iyi iş, ona güçlü bir Allah korkusu vermek ve dürüst olmayan her davranışını fark edip eğiterek onu iyi olmaya sevk etmektir.(Şekil 4B)

KARŞILAŞTIRMA

Sivri parmaklı insan hayalci, muhakemesiz ve her türlü tesire açıktır. Köşeli parmaklı bir insan kederinden ölebilir ama sivri parmaklı -ondan çok daha kederli görünse bile- ne kederinden ölür ne de köşeli parmaklılar kadar kederlenir.

Sivri parmaklı, tembel ve rahatına düşkündür. Meblağı parmaklı ve konik elliler ise çalışkan, gayretli ve sebatlıdırlar. Köşeli elli insanlar da sabırla her zorluğa tahammül ederler.

Meblağı parmaklı, seyahat ve yürüyüşü sever. Sivri parmaklı ise çabuk yorulduğu için yürümekten nefret eder ama köşeli parmaklı bir insan zor da olsa buna katlanır.

---

10   Correspondes, 25

Meblağı parmaklılar kır hayatını, sadeliği; sivri parmaklılar şatafatlı salon hayatını ve ihtişamı; konik elliler ev hayatını ve zevkliliği; köşeli parmaklılar ise iş hayatını ve faydacılığı sever ve tercih ederler.

Bir şeyi düşünmek ve hayalinde canlandırmak sivri ellilerin; onu düzen içinde tasarlayıp modellemek köşeli ellilerin; çalışıp o modeli nesnel olarak ortaya koyup üretmek meblağı ellilerin; üretilen o şeyin keyfini sürmek ve kullanıp tadını çıkarmak ve her şeyden nasibini almak özelliği konik ellilerin bahtına düşmüş... Düzen böyle kurulmuş.

Sivri parmaklılar; hayalci, mistik, aristokrat, tembel, çalışma fikrinden yoksun, hayal ve lüks içinde yaşamayı arzulayan kimselerdir. Hayal ve fikir üretmek onlarda...

Köşeli parmaklılar; intizamlı, algılama ve kavrama gücü kuvvetli, soğukkanlı, ağırbaşlı, nüfuz ve hâkimiyet sahibi, otoriter insanlardır. Tasarlamak onlarda...

Meblağı parmaklılar; çalışkan, düzensiz, dağınık yaşama ve çalışma arzuları güçlü, kendilerine büyük güven duyan, içgüdüleri ve önsezileriyle hareket eden kimselerdir. O tasarlananı nesnel olarak üretip gerçekleştirmek onlarda...

Konik elliler; iyiliksever, barışçı, müstakil yaşama arzusu ile dolu, samimi, hakperest, adil, düzenli ve dürüst insanlardır. Onun hayatın içine yerleştirip anlamlandırmak onlarda...

PARMAKLAR

Önceki sayfalarda *Parmakların Yapısı Bakımından Eller* bahsinde dört çeşit parmağı tanımıştık.

Bunlar; sivri, köşeli, yassı (meblağı) ve konik parmaklardı.

Bu dört parmak çeşidine boğumlu, basit ve karışık parmaklar da eklenecek olursa 7 tip parmak çeşidi ortaya çıkmış olur: Sivri, Köşeli, Yassı, Konik, Boğumlu, Basit ve Karışık.

Sivri Parmaklar

Hayalperestlik, istikrarsızlık, sadakatsizlik (sevgide de istikrarlı olamadıkları için), düşüncesizlik (tefekkürî hayatın meşakkatine katlanamadıkları için), lüks ve ihtişam düşkünlüğü ile yorumlanır.

Sivri parmaklılar beğenilmeyi, övülmeyi, rahat bir hayatı severler. Ama o hayatın içinde ağır işler, zahmetli çabalar bulunmayacak! Çalışma fikri, tek başına onlara yük gibi gelir.

Köşeli Parmaklar

Kare parmaklar da denir. Olumlu ve düzenli bir mizaç, sistemli ve çalışkan bir yapı, atılgan ve kavgacı (mücadeleci) bir kişilik...

Köşeli parmaklılar intizamlı ve becerikli insanlardır. Köşeli parmaklı bir kadının evi her zaman düzenli ve tertemizdir. Köşeli parmaklıkların sistemli bir çalışma düzenleri vardır. Girişken yapılarıyla toplumda hep öne geçerler.

Spatula (Yassı) Parmakları

Bağımsız ve özgün bir karakteri yansıtır. Dinamiktirler, zanaatkârdırlar, el becerisi isteyen işlerde maharetlidirler.

Yassı parmaklılar son derece hareketlidirler. Sürekli etkili ve nüfuzlu olma tutkusu içindedirler. Kendilerine büyük güvenleri vardır. Her işten kârlı çıkmayı bilirler. Duygularını kontrol altında tutmada maharetlidirler.

Becerikli, hareketli, arı gibi çalışkan insanlardır. İyi esnaf, iyi politikacı, başarılı doktor, hatırı sayılır birer teknokrat olurlar.

Konik Parmaklar

Hareketlilik ve çalışkanlık işaretidir. Konik parmaklılar güzel olan her şeye ilgi duyarlar. Büyük sanatçıların ekseriyeti konik parmaklıdır. Güzel sanatların pek çok dalında başarı sağlayabilirler. Sahne ve sinema sanatçıları, şairler, büyük hatipler ekseriyetle bu gruptandırlar.

Konik parmaklılar, hayatı zevkli ve yaşanmaya değer kılan insanlardır.

Bununla beraber insanların büyük çoğunluğu konik parmaklılar grubuna girer.

Boğumlu Parmak

Sanatkârların, filozofların ve ekonomistlerin (teorisyen) parmağıdır. Büyük tüccarlarda da boğumlu parmaklara sıkça rastlanır. Şüpheci olurlar. Kolay kolay güvenmezler. Güvensizlikleri itimatsızlıklarından değildir, gerçeğin ne olduğunu bilme merakındandır.

Müthiş bir analiz kabiliyetleri vardır. Sınıflandırmayı, yönetmeyi iyi bilirler. Akıl yürütme, hüküm çıkarmada üstlerine yoktur. Yüksek bir algılama ve kavrama kabiliyetine sahiptirler. Büyük septikler, filozoflar, düşünürler ekseriyetle boğumlu parmaklıdırlar.

Basit Parmaklar

Bu parmaklar, kısa, kalın ve küttür. Parmak uçlarının belirli bir şekli yoktur. Fakat köşeliden ziyade yuvarlaktırlar.

Bunlar karma yeteneklere sahiptirler. Çok yüksek bir kabiliyet göstermelerine de gerek yok zaten. Ortalamanın üstünde bir hayat standardı yakaladıklarında başarılı sayılırlar.

Eğitim almadıkları takdirde en alt kademelerde kalırlar. Gündelik işlerde çalışırlar. Hayata yön vermek derdinde olmazlar, tarif edilmiş işleri yaparlar. Düşünce üretme kabiliyetleri çok azdır.

Hayvani içgüdüleri kuvvetlidir. Bu tür parmaklara daha çok kutup bölgesinde yaşayan insanlarda rastlarız. (Bunlara Slavlar ve Tatarlar ile Avustralya yerlileri dâhil değildir.)

Bu parmakların çeşitli varyasyonlarına her yerde rastlarız. Bu insanlar, vasıfsız, ağır işlerde çalışırlar.

Böyle parmaklar şiddetli, hantal duyuları gösterirler. Yaratıcılıkları yoktur. Her şeye kayıtsız ve ilgisizdirler. Sadece günlük zevklerini düşünürler. Yerler, uyurlar, ölürler. Her taraftan maddi dürtülerle hapsedilmişlerdir.

Fikir ve düşüncelerinde mantıklı bir temel bulunmaz. Batıl inançları ve korkuları vardır.

Hastalanınca ağrılarını durdurmak güçtür. Hastalıklar karşısında manen çabuk yıkıldıkları için dirençleri azdır. Tam ağır işlerde çalıştırılmak üzere yaratılmışlardır âdeta.

Bu parmaklar, "Dış görünüş, içerinin aynasıdır." sözüne en iyi örnektir. Beyinleri karmaşık işleri ve fikirleri kavrayamaz. Vücutları nasılsa kafaları da öyledir.

Karışık Parmaklar

İnsanların yüzde altmış yetmişinin parmakları bu gruba girer. Hiçbir parmak ötekine benzemez. Birinin ucu sivridir, ötekinin yuvarlaktır vs. Bu insanların yetenekleri de parmakları gibi karmadır. Her alanda basit bir fikirleri vardır. İyi eğitim aldıklarında ve en bariz yeteneklerine yöneldiklerinde ciddi başarılar gösterebilirler.

Karma parmaklı elde her bir parmağı ayrı ayrı değerlendirmek gerekir. Sonra onlar birleştirilerek baskın olan yeteneğin ne olduğu tespit edilir.

Bu parmak yapıları daha çok değişik milletlerin evlilik yoluyla bağ kurmalarından kaynaklanmıştır. Mesela Güney Amerika, Meksika, Güney Fransa, İspanya, Kuzey Afrika, Arabistan, Hindistan ve İtalya'da genellikle konik ve sivri uçlu parmaklar yaygınken, İskoçya, İngiltere, Norveç ve Kuzey Amerika gibi soğuk ülkelerde kare ve spatula tipler mevcuttur.

Slav, Çin, Tatar ve Japonlarda daha çok basit parmaklar görülür. Anadolu, İran, Irak, Orta Asya, Yunanistan ve çevrelerinde karışık parmaklar çoğunluktadır.

PARMAKLARIN DİĞER ÖZELLİKLERİ

Uzun Parmak

(El ayasının üçte ikisine yakın olmalı.)

Beceriklilik ve deruni kabiliyetlerden haber verir. Hemen hemen her işe yeteneklidirler. Çözümleyicidirler. Dikkatleri yoğun, gözlemleri realisttir.

Uzun ve İri Parmak

Açık yürekli, sevgi dolu, eli açık, cömert ve yardımsever bir kişiliği yansıtır. Sağlıklı bir bünyeden de haber verir. Çarçabuk inanırlar ve saflık derecesinde güven duyarlar!

Çok Uzun İnce Parmak

Alıngan, zafiyetli bir tabiatı sergiler. Hastalık derecesinde titizliği de yansıtır. Göğüs kafesindeki organları hassastır. Solunum yapmayı bilemedikleri için sürekli asabiyet içindedirler. Hep bana karışmayın modundalardır...

Uzun, Zayıf ve Sert Parmak

Tutkulu bir taraftardırlar. Bir kere inandılar mı artık onlara başka bir şey kabul ettiremezsiniz. Bu tutumlarından dolayı genelde bağnaz olarak algılanırlar. Dertleri bağnazlık değildir tabii. İnandıklarını, altına üstüne bakmadan tatbik etmek isterler.

Eğitilmemiş, kendi hâlinde bırakılmış böyle bir tip hakikaten bağnaz, dik kafalı ve uyumsuz olur. Ama hep anlaşılmamaktan yakınır! Çünkü kendisi anlaşılması zor bir mizaçtır.

Kısa Parmak

Ortalama bir zekâyı temsil eder. Ayrıntılar üzerinde durmayan, her şeyi genel tarifleriyle kabullenen bir tabiat! Lakayt görünürler, refleksleri çok gelişmiş değildir. Yüzde doksan beşi, sadece sağ ellerini kullanabilirler...

Çok Kısa, Yağlı ve Uçları Kalın Parmak

Toplum içinde düzenbaz, üçkâğıtçı diye adlandırılacak mesleklerde maharetli kimselerin parmağı böyledir. Her türlü alavere ve dalavereye eğilimlidirler. İnsanları çabucak kandırabilirler. Bunlar en sıradan bir işe bile hile ve hurda katmadan edemezler.

İri Parmak

Hantal, tembel bir mizaçtan haber verir. Hayvansı kabalığın ve basit içgüdülerin habercisidir. Bunlardan incelik ve kibarlık beklemek boşunadır. Hayat kalın bir çizgiden ibarettir onlar için. Yiyecek, içecek ve barınacak bir imkân bulmuşsa daha ne istesin denilecek cinsten insanlardır...

İnce Parmak

Zeki, diplomat, nerede nasıl davranacağını iyi bilen bir yapıdan haber verir. İyi bir eğitim almamış olanlarda bu yetenekler dessaslık ve sinsilik hâlini alır.

Esasında son derece nazik ve diplomattırlar. Kibar ve idealist olabilirler.

Hassastırlar, maddiyata fazla ehemmiyet vermezler.

İnce parmak kadınlarda kararsızlık olarak da değerlendirilebilir. Tabii hiçbir işaret tek başına böyle nihai bir karar vermeye yetmez. Siz de öyle karar vermeyin. Giriş bölümünde de temas edildiği gibi, bir elin imkânlarını yorumlamak, tüm verilerin birlikte kullanılmasıyla mümkündür...

İnce ve Küçük Parmak

Tahammülsüzlük ve sabırsızlık işaretidir. Sık öfke krizine girerler. Sebep gerekmez. Cinnete yatkın bir tabiatı da haber verir. Delice hareketlerden zevk alan, uslanmaz bir çocuk tabiatını yansıtır.

Kalın Yağlı Parmak

Oburluk, şehvet düşkünlüğü ve gamsızlık işaretidir.

Kuru Parmak

Kanaatkâr, tutumlu, rahata karşı ilgisiz bir yapıyı yansıtır. İmkânlarını öyle tutumlu kullanırlar ki insanlar onları cimri zanneder! Başka bir insana iki gün yetecek bir yiyecekle bunlar bir hafta idare edebilirler...

Parlak Renkli Parmak

İçtenlik, samimiyet ve ihlâs işaretidir. Bunlar tabii, yapmacıksız insanlardır. Önsezileriyle ve çabuk hareket ederler. Süratli ve isabetli karar verirler. İyimserdirler. Dinamik bir yapıları vardır. Coşkulu, tutkulu bir taraftar ve iyi bir âşıktırlar.

Yumuşak Parmak

Diplomaside beceri, politikaya yatkınlık, esnek bir yapıyı sergiler. Rahat dostluk kurabilen hoş, sevimli bir mizaç!

El işlerinde maharetli olurlar. Plastik sanatlarda ve işlerde hünerlidirler. Pratik ustalık kabiliyetine işarettir!

Eğri (Çengel) Parmak

Cimrilik ve egoistlik belirtisidir. Kendini beğenmiş, kendine büyük saygı duyan, kuru aristokrat kişiliktir.

Ucu Yukarı Kalkık Parmak

Kafasının arkasında daima başka bir planı bulunan, farklı ajandaları aynı anda içinde barındıran bir yapı... Bu tutumlarından dolayı, insanlar arasında 'hileci' diye isim yaparlar zaman içinde.

Çok beceriklidirler ama güvenilmezdirler.

Eğitilmemiş kaba bir insanda bu tür parmaklar kandırmaya meyilli bir yapıyı gösterir. İmkân bulduklarında sefahate de dalarlar. Herhangi bir şeyle suçlandıklarında kendilerini kurtarmak için her yalanı mübah sayabilirler, karşıdakine iftira da atarlar. Herkesi kendileri gibi bildikleri için iffet ve hayâ bunlara çok şey anlatmaz.

Eğer parmaklarının tırnaklı boğumu tabii hâlinde iyice yukarı (yani arkaya) kıvrık görülüyorsa bunlar, hemen hemen düzgün iş yapmayı beceremezler diyebiliriz.

ARA NOT: Hz. Ali, bir gün çarşıdaki bir işini görmek için devesini birkaç dakikalığına bir çocuğa teslim eder. Döndüğünde bakar ki çocuk yok, devesinin yuları da yok. Sonra birilerine rica eder, "Al şu iki dinarı git bana bir yular al." der.

Adam iki sokak ötede bir çocuğun bir yuları sattığını görür. "Bu yuları ne kadara satıyorsun?" deyince çocuk, "İki dinar!" der. Adam iki dinarı verir ve yuları Hz. Ali'ye getirir. Hz. Ali bakar ki yular kendi yuları. Adamın yuları ne kadara aldığını öğrenince Hz. Ali, "Hay Allah! Bu yular bana ait. Sabretseydi, ben zaten ona iki dinar bahşiş verecektim helalinden. O yuları çalıp sattı ve o iki dinarı kendisi için haram hâle getirdi." der. Bu insanlar maalesef böyle tiplerdir! Aldatmak varken doğru iş yapmayı akıl edemezler.

Parmakları böyle olan bir arkadaş tanımıştım. Düzgün, dinî eğitim almış, helalinden geçinen bir insandı. Eline bakınca ne diyeceğimi bilememiştim. O da hâlimden anladı ve sordu. "Ya kardeş benim bildiğime göre bu parmaklar şu şu anlama gelirler -tabii biraz daha yumuşatarak anlattım- ama ben seni tanıyorum. Şimdi cidden kendimden şüpheye düştüm." dedim.

O da şöyle demişti, "Yok hayır, bence yanılmıyorsun çok da. Çünkü ben nefsimi yokladığımda o söylediklerin bende var olduğunu hissediyorum. Ama tabii ki Allah'tan korkarak elimden geldiğince dürüst davranmaya çalışıyorum…"

Evet, bu tipler hakikaten pek güvenilmez tiplerdir ve dostlukları uzun ömürlü olmuyor ama eğitildikleri zaman kendilerinde hiç de o hâller görülmeyebiliyor.

Bazen böyle ağır sıfatları herhangi bir insan için sıraladığımda kendi kendime kızıyorum. Böyle toptancı davranmanın doğru olmayacağını bildiğim için. Ama kireçli toprağa, humuslu toprak muamelesi yapmak da eşyanın tabiatına haksızlık olur diye düşünüyorum. İnsan arızasını, eksiğini bilse, neyi nasıl ikmal edeceğini de bilir. O yüzden de uyarma ihtiyacı duyuyorum.

"Bu söylediklerim, tabii ki yalın, hiç eğitilmemiş, nefs-i emmare mertebesindeki bir yapıya aittir." diyorum. "Siz o hâliniz ile mücadele etmezseniz, o hâl üzerinize yapışır ve huyunuz olur." diyorum.

Dindarlık, tabiatı uygun olan insanlarda kemal ve olgunluktur. Fıtratı ehil olmayan, sert ve kurak tabiatlar için din, onlardan hâsıl olacak hoş olmayan hâl ve hareketlerin bastırılması anlamına gelir. O da büyük bir iştir. Tabiatının oynak, hileci olduğunu hisseden bir insan, kendisini dürüstlük için zorlamalı. Akil adam öyle yapar. Akıldan mahrum olan ise der ki, "Ne yapayım bu benim kaderim imiş." Hâlbuki insan tam da 'bu kaderdir' denilen şeylere karşı; imanı, ahlakı ve sabrıyla mücadele etmek için yaratılmıştır. Görevi tabiata teslim olmak değil, onunla mücadele ederek onu doğru yönde evirmektir.

Evet, bu söylediklerimiz, parmaklarının tırnaklı boğumu, yukarıya (arkaya) kıvrılan insanlarda mevcut. Ama her mevcut olan sıfatın illa tezahür etmesi şart değil. Çünkü o insan eğitilmiştir ve Allah'tan korkmaktadır. Yani insan iyi bir eğitim almış veya Allah korkusu taşıyorsa, bu özelliklerin hiçbirini göstermeyecektir. İman ve Allah korkusu, kişinin tabiatında mevcut olan sapmaları frenler ve onların açığa çıkmasını önler.

Esnek Parmak

Şekil 4B

Esnek parmak ile ucu arkaya esneyen parmak farklıdır. Esnek parmak, kökten arkaya doğru esneyen, hafif bir yay oluşturan parmaktır. (Şekil 4B) Bu da önceki maddede geçen vasıfları bazen yansıtır ama nispeten daha düşük seviyede.

Bu parmak tipi aynı zamanda büyük kabiliyetleri ve diplomaside esnekliği temsil eder. Kavga etmeden netice alabilen ve suhuletle iş görebilen kimselerdir. Ben, Hudeybiye Günü Hz. Muhammed (s.a.v.) ile anlaşma imzalayan Süheyl'i hep öyle, parmakları esnek bir adam gibi hayal etmişimdir. Buna karşılık Übey Bin Selül'ü uzun parmaklı ve parmak uçları arkaya kıvrık biri olarak tasavvur etmişimdir.

Evet, esnek parmak diplomatlık (cahil insanlarda hilekârlık), maharet ve beceriklilik olarak yorumlanmalıdır.

Şayet parmaklar dipten itibaren yumuşak bir kavisle yay şeklinde geriye yatabiliyorsa bu, insanları incitmekten sakınan hoş, güzel bir yapıyı sergiler. Bunlar neşeli, yumuşak huylu, konuşkan ve akıllıdırlar. Zeki değil, akıllıdırlar. Zeki insan aldatmaya yönelebilir. Akıllı insan ise dürüst olmayı tercih eder...

Son derece yüksek bir tecessüs kabiliyetleri vardır. Oturdukları yerden her bir olayı gözlemler ve kaydederler. Çok meraklı, araştırıcıdırlar. Sosyal konularda başarılıdırlar. Hayatın hep güzel yanlarını görürler. Problemlerin kendilerini üzmesine izin vermezler. Zaman ve para bunlar için değersizdir. Dedikoduya kulak asmazlar ama yine de söylemeliyim ki her sözlerine güvenilmez.[11]

Araları Açık Parmaklar

(Normal bitişik durumda parmakların arası açık kalır.)

Kibir, gurur ve kendini beğenmişlik yanında yüksek dozda israfçılığı gösterir.

Para gibi sözü de yerinde kullanmayı bilmezler. Yani müsrif ve boşboğazdırlar.

En güzel yanları, içlerinde ne varsa onu olduğu gibi aktarırlar. Ketum değildirler. Ağızlarında bakla ıslanmaz. En mahrem sırları bile, 'Ne yani Allah'ın bildiğini kuldan mı saklayacağım!' der, ifşa ederler.

Bazıları kendileriyle alay edecek kadar kendileri ile barışıktır. Hakikaten çok cömerttirler. Ve zekidirler. Bol kazanırlar aslında ama elde tutamadıkları için sık sık parasızlıktan söz edebilirler.

Yapışık Parmaklar

Ser verir sır vermez bir kişilikten haber verir. Ve tabii cimridirler. Bunlar dindar, inançlı, dirayetli, emanete hıyanet et-

---

11 Correspondes, 26

meyen insanlardır aynı zamanda. Bir öncekinin tersi yani… Maişetlerini de zor kazanırlar… Eğer dudakları da ince ve yapışık ise bu özellikler büsbütün artar.

Bitişik Parmaklar

Teşebbüs kabiliyeti az, değişken bir mizaç. Dili sıkı ve ketumdur.

Dipleri Ayrı, Uçları Bitişik Parmaklar

Asla kusur kabul etmeyen, alıngan bir tabiatı sergiler. Acizdirler ve toplum içinde çok zor itibarlı bir yer edinebilirler. Asapları hep bozuktur. Geçimleri de zordur.

Dipleri Bitişik, Uçları Ayrı Parmaklar

Her duyduklarına hemen inanan, aymazlık derecesinde muhakemeden uzak bir yapıyı sergiler. Her işe çarçabuk kanarlar ve körü körüne bağlanırlar.

Birinci paragrafta geçen tanımlamalar bu sıfatın kötüye kullanılması hâlidir. Madalyonun diğer yüzünde çok farklı bir hâle bürünür bu sıfatlar. Bu insanlar, bir şeyhin etrafında canla başla çalışan mürit de olabilirler. Sorgusuz sualsiz bağlılık gösterirler. Bağlandılar mı tam bir fanatiklikle bağlanırlar. Bunlar mutekit, dindar insanlardır ama muhakeme yapmaktan hoşlanmazlar. İhtiyaç da duymazlar. Sevdikleri birinden bir söz duyarlar ve onu kendilerine temel yasa yaparlar. Fakat yazık ki kendi başına iş yapmaya kalkıştıklarında, iyilik yapayım derken zarar verebilirler. "Akıllı düşman ahmak dosttan iyidir." atasözündeki "ahmak dost" tabiri bu tipleri iyi tanımlar.

Her söylenene hemen inanırlar. Her hayalin peşinden koşarlar. Kötü insanlar değiller fakat çalışıp iş yapmak yerine, birine dayanmayı tercih ederler. Bir ağanın marabası olmak, bir şeyhin kapısına kapılanmak tam bunlara göredir.

Öyle olmayanlar ise define bulmayı, toto veya loto oynamayı tercih ederler. Yıllarca hep kaybederler ama bu defa yakalayacaklarını sanarak yine o işin peşinden koşturmaktan kendilerini alamazlar.

UZUNLUK-KISALIK VE MEYİL BAKIMINDAN PARMAKLAR

Şehadet Parmağından Daha Uzun Yüzük Parmağı

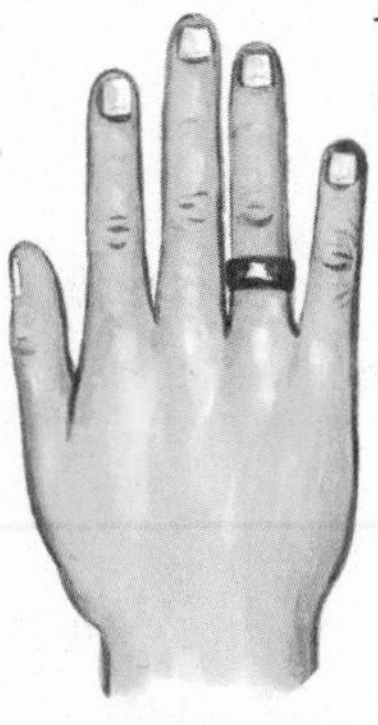

Her daim, risk almaya açık bir yapı. Önce işe atılırlar sonda düşünürler. Daha doğrusu düşünmeden hareket ederler. İki parmağın uzunluğu arasındaki fark ne kadar fazla ise tedbirsizlik ve atılganlık o kadar artar.

Genel anlamda oyuna, eğlenceye -özel anlamda da şans oyunlarına- karşı eğilimlidirler. İşlerinin içinde zekâ vardır biraz, ama akıl sonradan devreye girer. Bazen hiç girmez.

Şekil 5   Ne zaman ki iş arzu ettikleri gibi sonuçlanmaz o zaman düşünürler, acaba nerede yanlış yaptım diye…

Mesela diyelim belli bir geliri vardır, ama akıbeti düşünmeden kredi kartıyla alışveriş yapar. Çünkü o anda harcadığı bir şey yok. Onu yine kendisinin ödeyeceğini düşünmez. "Nasıl olsa öderim." der. Sonra işin gerçeğiyle yüzleşince ondan kurtulmak için daha ağır neticelerin altına girer…

Pratiktirler, akıllarında her mesele için bir çözüm vardır. Ama hiç düşünmezler, bu çözüm gerçekten isabetli mi değil mi diye… Yetenekleri vardır ve sıradandır. Orta sınıfı teşkil ederler. Yüzde 80 - 85 insanın yüzük parmağı şehadet parmağından uzundur. (Şekil: 5)

Yüzük Parmağından Daha Uzun Şehadet Parmağı

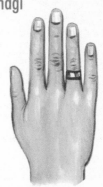

Diplomasiye, halkla ilişkilere, gazetecilik, televizyonculuk vs. gibi iletişim mesleklerine aşırı merakı temsil eder. Sükseyi severler. Kendilerini beğenirler. İş başarma kabiliyetleri yüksektir. İlişki kurmakta, ilişkileri sürdürmekte yeteneklidirler. Zevke düşkündürler. Başkalarının imkânlarını kullanarak harika hayat sürdürebilirler...

Şekil 6

İyi yönetmendirler (organizatör). Gazetecilik mesleğinde çalışmayı, iletişim alt ve üst sektörlerinde görev almayı severler.

Aralarından iyi tabipler, ziraat mühendisleri de çıkar. Zekâları o tür alanlarda işlektir. Sürekli fikir üretebilirler. Esasında, başkalarının imkânlarını kullanarak lüks bir hayat sürmeye hizmet eden her türlü meslekte başarılı olurlar... (Şekil:6)

Şehadet Parmağına Denk Uzunlukta Yüzük Parmağı

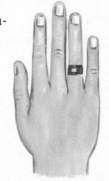

Düşüncede, davranışta ve zevkte denge işaretidir. Hiçbir konuda aşırı gitmeyen ve her konuda nasibini almasını bilen, her şeyde "orta yolu" tutturabilen dengeli bir kişilik. Hangi mesleğe, hangi işe koyulurlarsa ortalamanın üstünde bir seviye tutturmasını bilirler. (Şekil 7)

Şehadet Parmağına Meyilli Orta Parmak

Şekil 7

Zevk ve eğlenceden başka bir şey düşünmeyen, yaşamaya düşkün, hayat dolu bir mizaç.

Hep yöneticilik katında bulunurlar veya yöneticilere yakın olurlar. Kendileri yönetici değil ama onların iktidarlarından yararlanarak onlar kadar imkân sahibi olabilirler. Onları hep patronların veya yöneticilerin yanında görürsünüz. Mamafih onların yanına da yakışırlar. Herkesi tanırlar; tanımak isterler. Öyle görünmek isterler.

Şekil 8   Girdikleri toplumda tanınmazlar ve ilgi görmezlerse mutsuz olurlar.

Bu, aynı zamanda entelektüel bir kişiliğe eğimliligi de gösterir. Yüksek anlayış, aristokratça yaşama arzusunu gösterir. (Şekil:8)

Yüzük Parmağına Meyilli Ortak Parmak

Güzel sanatlara aşırı düşkünlük ve bu konuda yetenek demektir. Sahne sanatçılarının parmağıdır. Daima ışıklar altında olmayı, girdikleri her mecliste dikkatlerin onlarda toplanmasını arzu ederler.

Yüzük parmağı şehadet parmağından daha uzun olanlar için söylenenler bunlar için de mevcuttur ama özenti olarak.

Şekil 9   Gösterişe meraklıdırlar. Parlak, kaliteli kumaşlardan yapılmış elbiseler ve orijinal takılar takmayı severler. Güzel sanatların her dalında başarıya ulaşabilirler. Kendileri sanatçı olamamışlarsa sanatçılarla beraber olmayı tercih ederler. Hakikaten sanatseverdirler. Sanatçıları desteklemekten de hoşlanırlar. Çünkü onların getirdiği tanınırlıktan kendilerine de pay çıkarmayı bilirler. (Şekil:9)

Orta Parmağa Meyilli Şehadet Parmağı

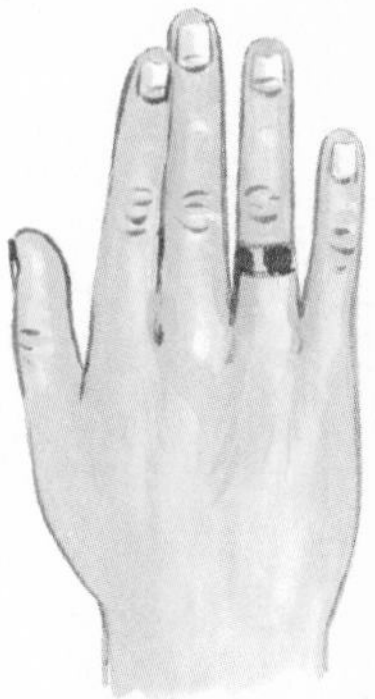

Dışa açık, toplumcu, cana yakın bir kişiliği sergiler. Bunlar rahatlarına düşkün, sohbeti seven kimselerdir. İktidara gelirlerse bu mevkileri rahatları için kullanabilirler. Bağ, bahçe işlerinden hoşlanırlar. Toprakla ilgili (ziraat, emlak, arazi alım satımı vs.) uğraşıyorlarsa bir hayli başarılı olurlar.

Şekil 10

Para kazanmayı da bilirler. Esasında bunlar için yönetim de çevre de gelinen mevkiler de mal mülk ve servet edinme aracıdır. İmkân ve emlak sahibi olmayı severler. Parasal imkânları varsa bunu çevreleriyle de paylaşır ve hayatın tadını çıkarmayı sürdürebilirler. (Şekil 10)

Orta Parmağa Meyilli Yüzük Parmağı

Genelde varlıklı ailelerin çocuklarında görülür. Ya bir mirasa kavuşurlar ya da benzer bir şekilde varlık sahibi olurlar. Kendilerine miras kalacak insanların parmağıdır. Ellerine para geçti mi keyiflerinden geçilmez. Bu insanların neşesi, mutluluğu ve her türlü moral güçleri maddi varlığa bağlıdır. Parasız kaldıklarında dünya onlara zindan olur. Özellikle bu kadın ise...

Şekil 11

Maddi varlıkları yerinde ise neşeli, sevecen, şakacı, yardımsever ve şen şatır olurlar. Parasızlıktan bunlar kadar etkilenecek, bunalıma girecek başka bir tip yoktur. (Şekil 11)

Orta Parmağa (Neredeyse) Denk Yüzük Parmağı

Oyun ve eğlenceye düşkünlük ve maceraperestlik belirtisidir. Bunlar borç alıp kumar oynayabilecek ve macera olsun diye en tehlikeli oyunları deneyebilecek yapıda insanlardır. Ömürlerini serüven ve heyecan arayışı içinde geçirirler.

Şehadet parmağından daha uzun yüzük parmağı için söylenenlerin biraz daha abartılısıdır bu durum. (Şekil: 12)

Şekil 12

Başparmakla ilgili özellikleri "elin beş parmağı" bahsinde ele alacağız.

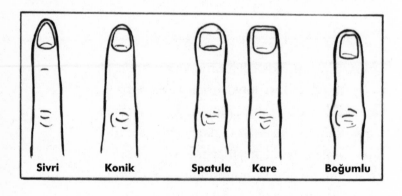

Sivri   Konik   Spatula   Kare   Boğumlu

TIRNAKLAR

Tırnakların da fizyonomide önemli bir yeri vardır. Sadece fizyonomi açısından da değil, tırnaklar aynı zamanda psikolojik ve klinik vakaların tespitinde de önemli rol oynar. Esasında vücudun sağlık durumunu sadece tırnaklardan tespit etmek mümkündür. Bu sebeple bir ele bakılırken tırnaklar dikkatle incelenmelidir. Ancak bu şekilde tam bir karakter tahliline varılabilir.

Elbette ne parmaklar ne de tırnaklar tek başına şahsiyetin ortaya çıkarılabilmesi, vücut dilinin çözülmesi için yeterlidir. Avuç çizgileri, elin yapısı, parmakların birbiriyle nispeti ve biçimi hep birlikte incelenmelidir. Eldeki her bir unsur, koca bir kitap içerisindeki harfler, kelimeler, cümleler gibidir. Kitaptan küllî bir yorum çıkarabilmek, bu kitabın tamamını okuyabilmek ve anlayabilmekle mümkündür.

Tırnaklar psikolojik ve klinik açıdan da büyük bir değer taşır demiştik. Evet, psikolojik planda, tırnağın biçimi rahatsızlığın belirtilerini gösterir. Hastalanıldığı zaman tırnakların yoğunlukları ve renkleri değişir. Tırnak, renk, biçim ve yapısal değişmelerle vücuttaki arızayı hem de hangi organda olduğunu belirterek bize haber verir. Hastalığın cinsini ortaya koyar.

Doktorlar tırnaklarda görülen bu renk değişikliklerine bakarak hastalıkları veya hastalıkların evrelerini tespit ve takip etme imkânını elde ederler.

Tırnaklarda ortaya çıkan bu belirtiler, bilhassa ağrılı ve sancılı hastalıklarda çok önemlidir.

Tırnağın yapısı, büyümesinde görülen aksaklıklar hep birer teşhis aracıdır uzmanı için.

Normal bir tırnak, uzunluğu genişliğinden biraz fazla, ortadan hafif bombeli ve kenarlara; yani tırnağın ete temas ettiği noktalara doğru eğilerek gider. Tırnağın alt kısmında yarım ay şeklinde bir beyazlık (hilal) vardır. Çizgisiz ve parlaktır. Büyüklüğü ve küçüklüğü de parmaklarla orantılı bir uyum içinde olmalıdır. Yani tırnak ne çok dar, ne çok geniş, ne çok uzun, ne de çok kısa olmalıdır. Esmer ve pembe renkte olması gerekir. Koyu, siyah ve kolayca kırılır olmamalıdır. İyi bir tırnak bombelidir, düz olmaz. Beyaz hilali görülür. Boyu eninden uzundur. Böyle bir tırnak sağlıklı bir bünyeden haber verir. Bu insanlar karakter itibarıyla da adil, açık yürekli, güvenilir ve soğukkanlı kimselerdir. Ve hakikaten sorumluluk sahibidirler.

TIRNAKLARIN GÖRÜNÜŞÜ

Pembe Tırnaklar: Tabii olarak pembe renkli tırnaklar iyi bir sıhhat, sağlam ve dayanıklı bir bünye, istikrarlı ve dirençli bir tabiatı gösterir.

Yuvarlak ve Bükük Tırnaklar: Bağımsız ve hür bir ruhun belirtisidir. Bunlar müstakil ve başına buyruk yaşamayı severler. Aynı zamanda hırs ve tamah küpüdürler.

Şayet parmağın birinci boğumu sıkılmış gibi yuvarlak ve el ayası da sıcaksa sıraca (şirpençe) ve tüberküloz türünden hastalıklardan haber verir. Bu tür tırnaklar genel anlamda akciğer, böbrek veya omurgada rahatsızlıklar olabileceğine işarettir.[12]

Sivri ve Eğik Tırnaklar: (Parmaklar da ince olmak şartıyla) Şehvete düşkünlük, kötü alışkanlıklara yatkınlık işare-

---

tidir. Bunlar her şeye çabucak tiryaki olurlar. Alışkanlıklarına engel olunduğunda kötülük yapmaya eğilimli olurlar.

Böyle bir tırnak açık şekilde karaciğerin sağlıklı çalışmadığına işaret eder.

Uçlarda İncelen Tırnaklar: Kötü bir sıhhate işarettir. Bilhassa akciğer bozukluklarının, bronşit, astım vs. gibi hastalıkların belirtisidir.

Kısa Tırnaklar: Kavgacı bir mizaçtan ve mücadeleci bir tabiattan haber verir. Eleştiriye tahammülsüzdürler. Ama kendileri her türlü eleştiriyi yapabilirler. Mızıkçı, itirazcı ve doğal muhaliftirler.

Tahammülsüzlüklerinin temel sebebi akciğerin sağlıklı çalışamamasıdır. Zira bu insanların vücudu, hiçbir zaman yeterince oksijen alamadığı için doğal olarak asabi ve tahammülsüz olurlar. Tırnakları böyle olan çocuklara erken yaştan itibaren nefes alma egzersizleri yaptırılmalı ve derin nefes alması öğretilmeli.

Bu kısa tırnak biraz da mavimtırak ise kalıtım yoluyla gelen hastalıklara açık bir bünyeyi gösterir. Şayet ince ve çizgili ise hastalığın başladığını ve ileri safhada olduğunu gösterir. Bu tür tırnak sahipleri heyecandan kaçınmak zorundadırlar.[13]

Kısa ve Kemirilmiş Tırnaklar: Kısa ve kemirilmiş gibi duran tırnaklar -ki hakikaten de kemirilirler- her an itiraza hazır, geçimsiz bir yapıdan haber verir. Sık sık derin sinir buhranları geçirirler. Hiddet ve öfkelerini bastırmakta zorlanırlar. Cinsel anlamda doyumsuzdurlar ama güçlü bir cinsellik performansları da olmaz. Daha çok histerik bir doyumsuzluk ve seks problemi içinde bocalayan, ilgiye muhtaç insanlardır. Hayal içinde yaşarlar. Melankoliktirler.

---

13 Correspondes, 5

Kısa ve Sert Tırnaklar: Kısa ve sert tırnaklar, öfkeli ve hiddetli bir mizaçtan haber verir. Bünyeleri, riskli hastalıklara açıktır.

Kısa ve Geniş Tırnaklar: Cesaret ve cömertlik işaretidir. Ama sağlık açısından pek iyiye yorulacak bir tırnak değildir. Çoğu kere sıhhat bozukluğundan ve ilişkilerde kabalaşmaya hazır bir kimlikten haber verir.

Bu tırnaklarda dipteki beyaz hilal bulunmuyorsa tırnakların üstünde dikine kabartma çizgiler oluşmuşsa ciddi bir kalp rahatsızlığından haber verir. Ya damarlarda tıkanma vardır ya da ciddi bir kolesterolden dolayı damarlar elastikiyetini kaybetmiştir.

Tırnakları böyle olanların akciğerleri de zayıftır. Akciğer kaynaklı hastalıklara işaret eder. Kan dolaşımı yavaştır.[14]

Geniş ve Sağlıklı Tırnaklar: Bu, sağduyunun ve adalet duygusunun belirtisidir. Bunlar aklıselim sahibi hakperesttirler. Tırnağın dibi yuvarlak ve biraz da uzunsa oldukça sağlam bir bünyeye işaret eder. Dikkat etmeleri hâlinde sağlık problemiyle karşılaşmazlar.

Uzun yorgunluklar sırasında ciddi olarak üşütürlerse uzun vadede hasta olma ihtimali doğar. Çünkü bünyeleri en çok üşümekten zarar görür.

Uzun ve Sivri Tırnaklar: Hayalcilik, kuruntu, vehim ve yapmacık bir mizaç belirtisidir. Edebiyata ve özellikle şiire yatkındırlar. Güzel sanatlara büyük ilgi duyarlar. İnce, sanatkârane zevk sahibidirler. Bu tırnak aynı zamanda tembellik işaretidir.

Uzun ve Dar Tırnaklar: Tutarlı, dengeli, samimi, fakat içine kapanık bir kişiliğin belirtisidir.

---

14   Age, 14

Sevgilerini zor açığa vururlar. İstikrarlı bir fikir hayatları olur.

Şayet kişi narin ve ince yapılı ise ve tırnak da çizgili ise kalp, karaciğer ve özellikle akciğer ve omurgalarda rahatsızlıklara işaret eder.[15]

Uzun ve Düz Tırnaklar: Hoşgörü, bilgelik, sevimlilik ve sadakat belirtisidir. Toplum içinde, fazlaca bir çaba harcamadan mümtaz bir yer edinirler.

Bu insanların bilhassa yaşlılıkları, çevreleri için hoşgörü, hayat ve tecrübe kaynağıdır. İdealisttirler ve sanata eğilimlidirler.

Şiir, müzik, sanat ve tabiat güzelliği, ilgi alanlarını teşkil eder. Barışçıdırlar. Tartışmadan kaçınırlar. Hayatı hafife alırlar. Kinci değillerdir ama hakareti zor unuturlar.[16]

Badem Tırnaklar: İdealist ve mütevekkil bir tabiatı sergiler. Sevimli bir mizaç ve huy göstergesidir.

Yuvarlak Tırnaklar: Aşk, öfke, şiddet, karamsarlık, çabuk kanma, inatçılık ve ısrarcılık belirtisidir. Bunlar bünye itibarıyla zayıf ve zafiyetli, hayata karşı isteksiz ve ihtirassızdırlar.

Yassı ve Uçları Bükümlü Tırnaklar: Sır saklayıcı, laubalilikten hoşlanmayan ama kendince gerekli gördüğünde hilekârlığa başvurabilecek bir kişiliği ele verir.

Yamuk Tırnaklar: Aşırı alınganlıkları ve kendine özgü bir kişilikleri vardır.

Kıvrık Tırnaklar: Cimrilik, sözünde durmamak, ikiyüzlülük ve bencillik işaretidir. Eğer işaret parmağının tırnağı dışa kıvrıksa bu, akciğerlerin hasta olduğunu gösterir.

Lekeli Tırnaklar: İki çeşit leke vardır. Bunların birincisi beyaz lekedir ki zenginlik, mutluluk ve iyi sıhhat belirtisidir.

---

15 Correspondas, 13
16 Age, 6

İkincisi siyah lekedir ki tam beyazın tersi ile yorumlanır. Tırnak köşelerinde görülen sürekli siyah leke ağır hastalıklara veya kazalara işaret eder.

Ara Not: Bu tür keskin ifadelerin insanı rahatsız ettiğini, moral bozucu olduğunu biliyorum. Bu ilim zaten herkesin harcı değildir. Her ölümde, her ağır vakada eli kolu birbirine dolaşan doktor, cerrah olmamalı. Bu ilim de öyle bir şey.

Yeryüzünde çok ağır kazalar, elim facialar, tuhaf cinayetler vs gerçekleştiğine göre birileri bu cinayetleri işliyor ve birileri de o cinayetlere maruz kalıyor. Elbette o tür vakalar da yazılıdır ve o insanların ellerinde, tırnaklarında bunun tezahürleri görülecektir.

Peki, böyle bir durumda ne yapmak lazım? Bu görülenleri mutlak, kaçınılması imkânsız bir kader olarak mı algılamalı yoksa madem görülmüş ve öğrenilmiştir, öyleyse ona karşı tedbir alabilirim mi demeli? Ve tedbir alınabilir mi?

Evet, bu bilgiler tam da bunun için lazımdır. Kendisine karşı tedbir alınamayacak hiçbir dert, bela, musibet vermemiştir Allah. Bir insan hayatını düzgün kurgulasa, aklını kullansa, iradesini güçlendirse, sürüklenip gittiği hayatın içinden pekâlâ kendini çekip çıkarabilir. Fakat insan tembellik veya eğitimsizlik yahut şartlanmış bir zihin sebebiyle hayatını değiştirmeye yanaşmaz. Kendisi kendisini değiştirmez ama ister ki hadiseler kendilerini değiştirsinler ve düzgün olarak üstüne gelsinler! Bu da tabii ki mümkün değil. Kendilerini değiştirmek zorunda olan akıl sahibi olandır. Mesela gördüğünüz bir duvar yıkılıyor, **"Bana ne canım, o da benim geçeceğim zamanı mı buldu!"** deyip devam mı ederseniz, yoksa siz kenara çekilirsiniz ve duvarın size zarar vermeden yıkılmasını mı beklersiniz?

İşte başa gelenlerin bir kısmı da böyledir. Kim aklını kullanır, çevresine (genel anlamda çevreye) karşı saygılı, verici olur ve iyilikleri fark edip ona göre yaşarsa, hep doğru işlerin ona denk geldiğini fark eder. (Leyl Suresi, 3-5)

Ama insan bahîl, bencil, çevrenin imkân ve ihtiyaçlarını gözetmez ve nankör bir hayat tarzı tercih ederse, hadiselerin de sertleşerek kendisine yöneldiğini görür... (Leyl Suresi, 5-8)

Dolayısıyla kişi kendinde veya başka birinde bu tür işaretlerle karşılaştığında onu doğruya, düzgün olan hayata ve daha çok da iyilik yapmaya yönlendirmeli...

Bir tanıdığım vardı, gençliğinin elinden alınmayacağını varsayarak, gemi azıya almış şekilde yaşıyordu. Bu tür şeylere de çok inanıyordu. Bir gün eline bakmamı istedi. Ben de ona, "Hayır bakmayacağım, çünkü gözümün iliştiği kadarıyla önünde iyi şeyler görmüyorum." dedim. O daha da meraklandı. Israr etti, eline baktım. Çok abartılı şeyler değildi ama hakikaten önünde kaza ve kariyeri ile ilgili sıkıntılar vardı. Hayatını düzeltmezse ahir ömrünün çok rezilane olabileceğini söyledim.

O anda etkilenmiş gibi göründü ama sonra tekrar eski hâline döndü. Derken, ona ilk söylediğim vaka ile karşılaştı söylediğim yaşta. Karşılaşır karşılaşmaz, "Sen beni uyarmıştın ama ben anlamadım." dedi. Tabii o anda ben daha önce ona ne dediğimi hatırlamamıştım ama o hatırlıyordu.

Bana, "Daha sonra olacaklar için bir çare var mıdır?" diye sordu.

Ben de, "Allah, tedbiri bulunmayan dert, musibet ve hastalık vermemiştir. Bu işaretler dahi, tedbirin alınması için ön uyarıdır. Akıl büyük nimettir. Aklını doğru kulansan, dinde ifadelerini bulan ilahî emirler çerçevesinde yaşasan -ki bunlar esasında tamamen senin dünyadaki hayatın için lazım olan şeylerdir-, Allah'ın sana garezi olmaz. Hadisler ve olaylar da O'nu kayıtsız şartsız dinlerler. Sen seni düzeltsen, göreceksin ki sana toslamak üzere gelen olaylar, tam önüne gelince yana kırıp geçerler. Sen yine onlarla karşılaşırsın ama onlar sana isabet etmezler. Etseler de sana fazla zarar vermezler. Çünkü hiçbir hadise, mikrop, virüs, bela, musibet, nimet başıboş değil. Hepsi bir hikmet ve hak ediş altında hareket ederler. 'Allah dilemedikçe insana bir şey isabet etmez.' sözünün manası budur. Sen aklını hayır yolunda ve düzgün kullanırsan, karşına çıkacak hadiseler de kendilerini sana zarar vermeyecek şekilde konumlandırırlar." dedim.

Anladı ve kendine öyle bir rota çizdi. Şimdi hiç de şikâyetlenmediği, belasız, musibetsiz bir hayatı var. İnsan yediğine içtiğine, aldığına verdiğine, yaptığına ettiğine dikkat etse, zaten hayat akışı kendiliğinden değişir, doğru istikametine yönlenir.

Bir ayette Allah, "İnsanların kendi işledikleri (kötülükler/hatalar/kıymet bilmezlikler) sebebiyle karada ve denizde bozulma ortaya çıkmıştır. Allah, yaptıklarının bazı (kötü) sonuçlarını (çevre felaketlerini) onlara tattıracaktır ki belki pişman olurlar da o fiilleri yapmaktan vazgeçerler." diyor. (Rum Suresi, 41)

Bu ayet gösteriyor ki insan aklını doğru kullansa, eşyanın ve hadiselerin dilini doğru okusa kendine daha problemsiz, sıkıntısız bir hayat çizebilir.

İşte şu satırlar arasında dolaşırken okuduğunuzda hoşunuza gitmeyen, sizi ürküten şeylerle karşılaştığınızda, onları kendinizi düzeltmenin bir vesilesi yapın. "Ah kaderim buymuş!" deyip akıl nimetinden yararlanmazsanız, olaylar daha da şiddetlenerek önünüze çıkar…

Çizgili Tırnaklar: Hastalık ve bedenî arızaların habercisidir. Bilhassa kalp, karaciğer, akciğer ve kan dolaşımıyla ilgili ciddi problemler tırnaklarda kendilerini hemen açık ederler. Bu belirtiler ya ele dokunur çizgilerdir veya renklerdir. Bazen çizgiler tırnağın içindeymiş gibi görünür.

Mor, esmer ve kırmızı: Bunlar hastalığın henüz başlamadığını ama yaklaştığını haber verir. Siz o işaretlerle karaciğerinizin, kalbinizin veya akciğerinizin sıkıntıda olduğunu anlarsınız. Kalkıp doktora giderseniz, o size neyin ne olduğu hususunda net bir sonuç verir.

Gerçi doktorların elindeki cihazlar, çoğu kere ancak patolojileri tespit edebiliyorlar. Gelmekte olan arazı bilemeyebilirler. Ama siz yine de o noktada müteyakkız olun.

Mesela yüzük parmağının tırnağı çizgili ise hemen kalbinizi kontrol ettiriniz. Ben bunu kendimden de biliyorum.[17]

Yumuşak Tırnaklar: Dermansızlık, dayanıksızlık, pasiflik ve yumuşak mizaçlılık belirtisidir. Bunlar bünye itibarıyla zayıf ve zafiyetli, hayata karşı isteksiz ve ihtirasızdırlar.

Sert ve Çabuk Kırılan Tırnaklar: Sert, haşin, öfkeli, şiddetli, kavgacı, sinirli bir tabiat ve sınırlı bir zekâ belirtisidir. Sıhhatleri bozuktur. Bilhassa kandan kaynaklanan hastalıklarla (anemi ve lösemi gibi) uğraşmak zorunda kalırlar.

Düz Tırnaklar: Anlayış ve kavrayış zorlukları, hantallık, ağırcanlılık, inatçılık ve kararsız bir mizaç belirtisidir.

Bombeli Tırnaklar: Zekâya ve aristokratça zevklere işarettir. Güzel aşkların ve sanat zevkinin varlığına delalet eder.

Saat camı gibi yuvarlak ve kubbeli tırnak bronşit hastalığının açık belirtisidir.

Genel olarak tırnak renklerini ele alacak olursak; beyaz bencillik, bezginlik; pembe sıhhat, sağlamlık, dengeli yapı;

---

kırmızı kavgacı tabiat, mutsuz aşk, acımasızlık; gri öfke, hiddet, dedikoduculuk, ani parlama; siyah hastalık, kötü sıhhat, mutsuzluk, yoksulluk belirtisidir.

Uyarı: Tabii bu renklerin hiçbiri sürekli ve kalıcı değildir. Sıhhatiniz, bünyenizin o dönemdeki durumu gibi faktörlerle o renkler değişebilir, dönüşebilir. Ben kendimden bir örnek vereyim: Bir zaman tırnaklarım hiç sağlıklı değildi. Ayak tırnaklarım âdeta küf olarak çıkıyorlardı. Sonra ben karaciğer temizliği yaptırdım, bünyeme ve mizacıma uygun beslenmeye başladım. Baktım tırnaklarımın hem rengi hem yapısı değişti. Hakikaten sağlığım da eskisinden çok daha iyiydi.

Bir ayette belirtildiği gibi, "Kim (kendisine zarar verecek) bir yanlışlık yapar/günah işler yahut kendine zulmeder (vücuduna zarar verir), sonra da Allah'tan bağışlanma dilerse, Allah'ı çok bağışlayıcı ve çok merhamet edici bulur." (Nisa, 110) hatadan dönüldüğünde hayat da vücut da insana hemen cevap veriyor; hayat ve beden kendisini hemen onarabiliyor.

Evet, gerçekten insan, aklını ve iradesini iyi yönde kullandığında hayat ve vücut insana nankörlük etmiyor, arzu edilen yönde tavır değiştiriyorlar...

Bunun böyle olduğunu bilmede her insan için büyük yarar var!

ELİMİZİN BEŞ PARMAĞI

Elimizin her parmağının kendisine has bir özelliği vardır. Daha doğrusu her bir parmak, bizi biz yapan özelliklerimizin bir kısmını simgeler. Her parmak başka başka anlamları ifade ettiği gibi, parmak boğumları da o ifadelere detay katarlar. Şayet herhangi bir parmak, anadan doğma eksikse o parmağın temsil ettiği vasıflar da eksik demektir.

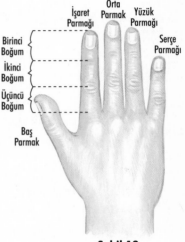

Şekil 13

Her parmağın üç boğumu vardır. Tırnağın bulunduğu kısma, 1. boğum (kemik), ikinci kısma 2. boğum (kemik) ve avuca bitişik kısma da 3. boğum (kemik) diyoruz.

Genel olarak:

1. boğum; kabiliyetleri, zekâ ve beyin gücünü temsil eder.

2. boğum; zekâ kabiliyetinin derecesini gösterir. Bu boğumun iyi incelenmesiyle göğüs kafesimizdeki organların sağlık durumunu, akıl gücünün derecesini ve kısaca beş duyumuz ve ruhumuzla duyduğumuz zevk ve acıların mahiyetini anlayabiliriz.

3. boğum; tabii zevkleri temsil eder. Omurilik ve karın bölgesindeki organların sağlık raporları, üreme kabiliyeti ve cinsel kapasite de bölümden okunabilir. Libidoyu temsil eder çünkü! Motorumuzun kaç beygir gücünde olduğunu da buradan anlayabiliriz.

Şimdi her parmağı tek tek inceleyebiliriz (Şekil: 13)

BAŞPARMAK (VENÜS) (Şekil: 14)

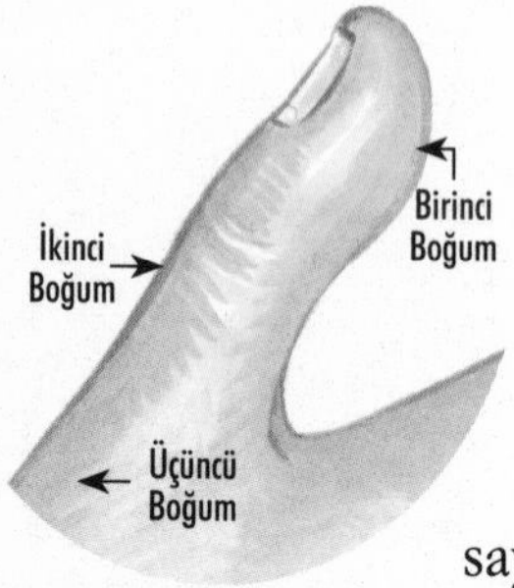

İnsan elinin başparmağı, eli el yapan en önemli unsurdur. Elimizi bu kadar ustaca ve çok amaçlı kullanabilme nimetine başparmak sayesinde kavuşmuşuz. İnsan elini "ön ayak" olmaktan kurtaran da Allah'ın bahşettiği bu başparmaktır.

Başparmağın pratik yanlarını burada saymakla bitiremeyiz. O olmasa diğer dört parmak da bir işe yaramaz. Bu nedenle başparmak büyük önem taşır insan hayatında ve tabii EL-FABE ilminde.

İkinci Boğum
Birinci Boğum
Üçüncü Boğum
Şekil 14

Nitekim parmakları yorumlama sanatı olan sirolojide de başparmağa büyük bir önem verilmiş, geçen zaman içerisinde, başparmağın, insanın zekâ kapasitesi ve iradesiyle doğrudan alakalı olduğu tecrübelerle tespit edilmiştir.

Bu parmağın dünya dillerindeki adı ne olursa olsun daima "güç", "kuvvet", kudret", "baş" ve "önder" kelimeleriyle karşıt bulduğu görülür.

Mesela Türkçede "başparmak" denmiş. "Birinci parmak" da denilebilirdi. Hâlbuki baş, bizde "başbakan", "başkumandan", "başçavuş" kelimelerinde görüldüğü gibi güçlü olmayı, önde gelmeyi bünyesinde barındırır.

Keza Batı dillerinde ve özellikle tıpta başparmak "pouce" diye anılır. Pouce, Latince'de "önemli" ve "güçlü" manasına gelir.[18]

Evet, başparmak hayatımızda önemli rol oynadığı gibi, kişinin kabiliyetlerinin ve beyin gücünün tespitinde, kişinin nelere muktedir olabileceğinin belirlenmesinde birinci derecede rol oynar.

---

18 Les Lignes, 22

Çinliler eskiden bir memlekete diplomatik bir elçi; karşılıklı müzakere ve münazara neticesinde gerçekleşecek bir maksadın elde edilmesi için birini görevlendirmeye karar verdiklerinde mutlaka başparmağının güçlü, uzun ve düzgün biçimli olmasına özen gösterirlerdi.

Başparmak ile şehadet parmağı arasındaki üçgenin geniş ve perdesiz olmasına dikkat ederlerdi. Çünkü bu tiplerin, münazaraya, tartışmalı meselelerde netice almaya doğal kabiliyetleri olduğuna inanırlardı. (Nitekim bugün de dünya üzerinde büyük şirketleri idare eden bütün CEO'ların başparmakları uzun, güçlü ve aradaki açı perdesizdir...) Şayet başparmağı istenilen vasıflarda insanlar bulunmamışsa elçilere "hasımlarına başparmaklarını göstermeme" tembihinde bulunurlardı. Onlar da görüşmeler boyunca başparmaklarını avuçlarının içine gömerek gizlerlerdi. Hatta çok kritik görevlerde, karşı taraf zaaflarını anlamasın diye kendi elçilerinin başparmağını kestikleri dahi vakidir.

Romalılar da aynı şekilde başparmağa önem verirlerdi. Başparmaktaki bir yara izi yiğitlik ve mertlik sayılır, başparmaksız bir erkek düşünülemezdi.[19]

Bunun için bir elin yorumlanmasında başparmağın incelenmesi çok büyük önem taşır. Çünkü siz bu inceleme ile herhangi bir insanın ruhi kapasitesini, asabi gücünü, zihni kabiliyetini, zihniyetini ve mizacını bütün olarak doğrudan doğruya öğrenmiş olursunuz. Zira başparmak hür iradenin, ihtiras ve arzuların parmağıdır. Daha doğrusu toplam motor gücünün göstergesidir. Doğu kıyafetnameciliğinde başparmak, tevhidi temsil eder. Yani insanın toplam kapasite ve mahiyetini yansıtır.

Genel bir incelemeye geçmeden önce çok kısa bir başparmağın, daima doğuştan gelen bir aptallığın, aklını yerinde ve

---

19   Les Lignes, 22

yeterli kullanamamanın belirtisi olduğunu belirtmekte yarar var.[20] Bu insanlar zayıf iradeli, sebatsız ve istenilen yöne kolayca yönlendirilecek kişiliksiz kimselerdir.[21]

Uzun Başparmak: Büyük bir girişkenliğin, sabrın, düşünme gücünün, enerjik bir tabiatın belirtisidir. Başparmağı uzun insanlar, gayret, irade, metanet ve sebat sahibi kimselerdir.

Çok uzun başparmak, egemenlik kurma, insan yönetme arzu ve kabiliyeti olarak yorumlanır.

Kısa Başparmak: Her şeye duyguları hâkimdir. Çoğu kere acele ile yanlış karar verirler. Hele bir de aya ile bağlantı yeri perdeli ise duygularını işe karıştırmaktan dolayı işlerinde sonuç alamaz demektir.

Toparlak Başparmak: (Birinci boğumu çok kısa ve âdeta bilye gibi yuvarlaktır.)

Bu insanlar, tamamen içgüdüleriyle hareket ederler. Münakaşada veya münazarada hemen itidallerini kaybederler. Bir meseleyi etraflıca tartışamazlar çünkü işi hemen kavga boyutuna vardırırlar. Bu yüzden de hiç yere cinayet işleyebilirler.[22]

Bu durum, bazen büyük ama gerçekleşmesi zor ihtirasların varlığına da işaret eder. Böyle bir başparmakta eğer tırnak içe doğru kıvrım da yapıyorsa ağır ve zor baş edilir hastalıklardan haber verir...

İnce Başparmak: Yumuşak huylu, uyumlu insanların başparmağıdır. Stanke[23], bunun aynı zamanda organlarla ilgili hastalıkların bir işareti olduğunu söyler. Uzun ve ince baş fikirli, hile ile muvaffak olmayı düşünen kişilerin parmağıdır.

---

20 Age, 22
21 Gİ, 108
22 Gİ, III
23 Louis Stanke, Les Lignes De La Main adlı kitabın yazarı

Dik Başparmak: (Kaskatı ve dimdiktir). Bu insanlar dik kafalı, her an isyan etmeye, başkaldırmaya hazırdırlar. Tedbirsiz bir kendine güven duygusu içindedirler.

İnatçılığını yönlendirmeyi öğrenmiş eğitimli bir insanda böyle bir başparmak, istikrarın, istikrarı sürdürmenin ve yaratılmış bir bilincin sürdürülmesinin işaretidir.

Yassı ve İnce Başparmak: Hislerle hayatını tanzim eden kimselerin parmağıdır. Ağır canlı, zihinleri genç intikal eden, zor öğrenen ama öğrendiğini uzun süre muhafaza eden bir yapıdan, hantal bir bünyeden haber verir.

Meblağı Başparmak: Tuttuğunu koparmak isteyen, başaramadığı zaman daha da hırslanıp saldırganlaşan, mutlaka sonuç almak isteyen bir yapıyı sergiler. Neticeye odaklandıkları için, çoğu kere hırçın, saldırgan ve inatçı görünürler.

Kalın Başparmak: Kararlı, düzenli ve pragmatist bir yapıyı sergiler.

Sivri Başparmak: Şairane bir hassasiyet, kararsızlık, idealizme yakın ve arzulu bir tabiatın göstergesidir.

Çengel Başparmak: Egoistlik ve cimrilik işaretidir.

İşaret Parmağına Doğru Eğik Başparmak: Dar canlılık, dar görüşlülük ve cimrilik olarak yorumlanır. Bu tiplerde damar hastalıklarına da sıkça rastlanır.

Avuç İçine Kıvrılan Başparmak: Aklın ve irade kullanımında zafiyetin göstergesidir. Çaresizlik işaretidir. Ellerinden bir şey gelmeyen, rahatlıkla boyunduruk altına alınacak saf ve art niyetsiz kimselerdir. Boş arzular ve hayaller içinde ömürlerini tüketirler. Bir ayaküstünde yüzlerce aslı astarı olmayan olay uydururlar. Yalan söylerler ama bu yalanları insanları kandırmak için değil ilgi toplamak için yaparlar. Aynı zamanda cimrilik işaretidir.

Devrik Başparmak: (Parmak âdeta arkaya devrilmiş gibidir.) Müsrif bir kişilik işaretidir. Bunlar, uyumlu, çabuk dostluk kuran insanlardır aynı zamanda. Sözü ve parayı yerinde kullanmayı tam beceremezler.

Kesinlikle kötü insan değillerdir. Tanımlanmış işleri de yaparlar, candan da itaat ederler ama o kadar.

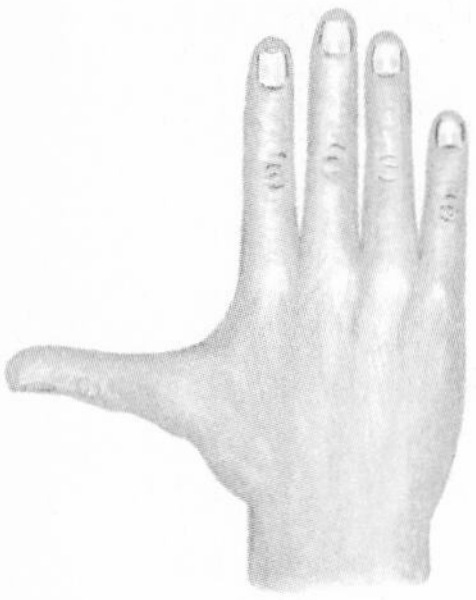

Geniş Açılı Başparmak: (Gergin açıldığında başparmakla işaret parmağı arasında dik açıdan daha geniş bir açı meydana gelir.)

Bağımsız, sınır tanımayan bir kişilik, itaat altında olmayı sevmeyen bir ruh hâli... İtaat etmeye zorlandığında isyan edebilen ama geniş görüşlü, geleneksel dışı olabilen bir yapı. İsyancı değildir ama kayıt altına alınmayı da sevmez. Herkesin görüşüne saygılıdır, kendi anlayışına da saygı bekler. Doğal yapıları içinde geniş, hoşgörülü, her fikre açık ve bağımsız kalmak isteyen bir yapı... Kendilerine has bir algıları vardır ve kimsenin o algıya müdahale etmesini istemezler o yüzden de isyancı sanılırlar.

Şekil 15

İnanç ve ibadetler konusunda gevşektirler. Bu, onları inançsız veya ibadete değer vermeyen biri yapmaz. Sadece rahattırlar. İbadet kurallarına sık sıkı bağlanmayı, o kuralları bire bir tatbik etmeyi sevmezler. İbadetleri de kendilerine özgüdür. Dindar olduklarında dinin içindeki bilgeliği öne çıkarırlar. Cezalandırıcı olmaktan ziyade bağışlamaya açıktırlar. (Şekil: 15)

Dar Açılı Parmak: Başparmak ile işaret parmağı arasındaki açının normal değeri 90-95 derece civarındadır. Bunu geçen açılar geniş açı, bundan daha dar olanlar da dar açı olarak tanımlanır. Genişlik ne kadar artarsa, rahatlık da o kadar artar. Darlık ne kadar ziyade ise fanatiklik ve tutku da o kadar ziyadeleşir.

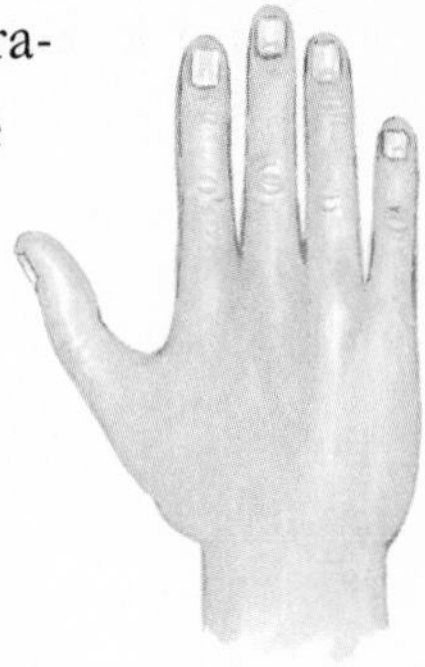

Başparmağı ile şehadet parmağı arasındaki açısı dar olan insanlar tedbirlidirler. Daima ihtiyat akçeleri bulunur.

Bu durum bazı hâllerde nefs kifayetsizliği (özgüven eksikliği) anlamına da gelir. O yüzden de bireysel davranmaktan çok bir grubun içinde yer alıp onunla kendini tamamlamayı tercih ederler. Fanatik bir kulüp veya grup yahut tarikat taraftarı olabilirler.

Şekil 16

Tavizsiz taraftardırlar. Bir şeye inanmışlarsa onu net çerçevesiyle benimserler ve herkese de onu dayatmak isterler. Fanatik denecek bir taraftarlıkları vardır.

Dindarlıkları çekilmezdir. Katı, şekilci ve kuralcıdırlar. Kendilerinin öğrendiği şekilden başka şekle tahammül etmezler. Cezalandırarak uyarmayı bağışlamaya tercih ederler. Katı dindar olurlar, katı taraftar olurlar ve sorgulamaya da gerek duymazlar. (Şekil: 16)

Şimdi de Boğumlarının Durumuna Göre Başparmağı İnceleyelim...

Genel olarak başparmağın;

Birinci boğumu (kemiği); irade, yönetme arzusu ve metaneti simgeler.

İkincisi; akıl ve mantığın gücünü sergiler ve temsil eder.

Üçüncüsü; Nefs kudretini, motor gücünü (libidonun seviyesini) gösterir. Aşk duygusu, cinsel performans, hırs ve azim o boğumun ifade ettiği anlamlardır.

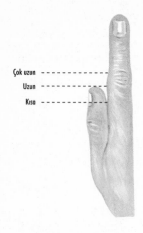

Çok uzun
Uzun
Kısa

Parmakların uzunluğu ve kısalığının nasıl ölçüldüğünü, 'Parmakların Yapısı Bakımından Eller' (25. Sayfa) aktarmıştık. Yani bir eldeki parmakların uzun veya kısalığını o elin orta parmağıyla tayin ediyoruz. Eğer orta parmak verilen tariflere göre uzun bir parmak ise o ele "uzun parmaklı el" diyoruz.

Bir başparmağın uzunluğu da orta parmak ile yapılacak bir kıyaslama ile ortaya çıkar. Başparmağın üçüncü boğumu olan kök boğum, ayadan bağımsız hareket eder. Ama ayanın içine gömülüdür. Dolayısıyla başparmağın uzunluğu ölçülürken bilekten başlanır ve genelde orta parmağa yakın bir uzunluktadır. Ondan çok az bir kısa olabilir veya uzun olabilir. Eğer başparmağın toptan uzunluğu orta parmaktan da uzun ise bu muhteşem bir şeydir. Ama genelde birazcık kısa veya denk olur. Çok kısa ise zafiyet belirtisidir.

Bu kadar ince ölçümlere gerek kalmadan şöyle bir kıyaslama ile başparmağınızın uzun veya kısa olduğunu anlayabilirsiniz. Parmaklarınızı birbirine yapıştırdığınızda, başparmağın bitiş noktası şehadet parmağının ikinci eklemine ulaşıyorsa bu uzun bir başparmaktır. Geçiyorsa çok uzun, altında kalıyorsa kısa sayılır.

Her bir boğumun kendine göre uzunluğu ve kısalığı ölçülebilir. Her boğumun eşit uzunluk kısalıkta olması gerekmez. Zaten bu durum bize kişilik hakkında ipucu veriyor.

BİRİNCİ BOĞUM (Kemik)

Uzun: Başparmağın birinci boğumu (yani tırnağın yer aldığı bölüm) uzun ise kudretli bir irade, güçlü bir zekâ, metanetli ve dirençli bir yapıyı sergiler. Uzun başparmakta güçlü bir birinci boğum, büyük bir enerji, kendine güven, egemen olma arzusu, ciddiyet ve sorumluluk belirtisidir. Bu aynı zamanda inatçı ve gururlu bir kişiliği sergiler.

Çok Uzun: Başparmağın birinci boğumu çok uzun ise bu aşırı bir üstünlük arzusunu açığa çıkarır. Hakikaten de kolaylıkla bir şirketi idare edebilir ve insanlar üzerinde hâkimiyet kurabilirler. Bu insanlar eğer politikanın içinde iseler bir kere iktidarı ele geçirdiler mi bir daha bırakmak istemezler. İktidarlarını güçlendirmek veya iktidarlarını sürdürmek için zorbalığa bile tevessül edebilirler.[24]

Bu durum, bazen -özellikle de birinci boğum da güçlü, doku itibarıyla dolgun ve sert ise- kötü yollara eğilimi de gösterir.

Uzun ve Kalın: Mantıksız, kural tanımayan istek ve arzuların varlığına işaret eder.

Orta Uzunluk: Dirençsiz, muti bir kişilik belirtisidir. Bunlar başkalarının iradesine karşı tepkisizdirler. İdare-i maslahatçıdırlar. Hareketlerinin büyük bir kısmında aklın ve iradenin tesiri azdır. Alışkanlıklarıyla hareket etmeyi yeğlerler. O yüzden de bazen düşüncesizce hareket ediyormuş gibi algılanırlar. Hevesleri de arzuları da geçicidir. Nefretleri de tabii.

İkinci Boğumla Eşit: Eğer başparmağın birinci boğumu ikinci boğumu ile eşit uzunlukta ise bu insan mutedil, dengeli bir insandır. Hislerini ve mantığını eşit oranda kullanır ve genelde de işlerinde başarıya ulaşır.

Sivri: Başparmağın birinci boğumu ince uçlu ise şairane hassasiyetten ve nezaketten haber verir. Kaba hazlardan ziyade bedii hazları tercih eder. Sanatkârane bir tabiatı vardır ve o çevrelerden hoşlanırlar. Kendi kabiliyetlerince sanat dallarının biriyle de ilgilenirler. Fakat bir varlık gösteremezler özellikle de doku itibarıyla gevşek ise... Eğer ince ve etsiz ise, irade zafiyetine işarettir. Bu insanlar bir işin yöneticisi olmaktan korkarlar. Yönetmektense hizmet etmeyi tercih ederler.

Top ve Şişkin: (Parmak ister uzun, ister kısa olsun.)

İnatçı ve kaba bir kişilik... Ani ve kontrolsüz parlayan öfkeli bir yapı... Bu insanların cidden kendilerini sıkı kontrol etmeleri gerekir. Çünkü çoğunlukla o ani patlamalar esnasında öyle taşkınlıklar yapar, öyle hatalar işlerler ki sonradan telafisi zor olur. Durduk yerde ellerinden kaza çıkabilir!

Bazı metinlerde bu tipler için "duygusuz ve acımasız" ifadeleri geçer ama bu tam doğru değildir. Çünkü bunlar duygusuz ve acımasız değildir. Aksine çok duygusaldırlar ve o yüzden dengeyi koruyamazlar. Öfkeleri anlıktır ama dehşet tahribat yaptığı için acımasız zannedilirler. Öfkeli ve kavgacı bilinirler.

Kare: Başparmağın birinci boğumu kare bir yapı sergiliyorsa pratik ve iradesini dengeli kullanan bir insan ile karşı karşıyayız demektir. Adil ve hakperest olurlar. Hayatın içinde de adaleti temsil ederler. Başkalarına da haksızlık yapılmasını istemezler ve hemen tepkilerini gösterirler. Mekanik çalışan bir zekâları vardır. Bunların varlığı aciz insanlar için bir tür garantidir. Çünkü hak aramada, mazlum ve mağdurlara sahip çıkmada mahirdirler.

Konik ve Yuvarlak: Başparmakta konik ve yuvarlak bir birinci boğum, değişik ama vasat maharetlerden, kabiliyetlerden haber verir. Bu tipler birçok işe yatkındırlar ama duygusallıkları da yüksek olduğu için sık sık havlu atarlar.

Sevmeye açık bir yapıları vardır. Küçük bir iyilik bile gördüklerinde minnet duyarlar. Bu da onları hayat içinde hep medyun bir tip hâline getirir. Mamafih çok sık geçici isteklere kapıldıkları için bunu kendileri hazırlarlar. Bir işi uzun soluklu sürdürebilme felsefesinden de mahrumdurlar çoğu kere.

Yassı ve Geniş: Başparmağın birinci boğumunun yassı ve geniş olması pek makbul değildir. Çünkü bunlar kendilerinde yüksek bir yönetme kabiliyeti var zannederler ama değil. His ve hevesleri o yöndedir ama iradeleri ve akılları onu taşıyabilecek, gerçekleştirebilecek kudrette değildir. Bu tipler daha çok kudretli ve muktedir bir insanın gölgesinde, onun hizmetinde başarılı olurlar. Kendi başlarına yönetici olsalar his ve hevenlerine uyarlar ve acı çekerler.

Kısa: Başparmağın birinci boğumu gözle görülebilir şekilde diğer boğumlardan daha kısa ise bu açık bir şekilde irade eksikliğini gösterir. Bu insanlar idare etmek için değil, idare edilmek için yaratılmışlardır. İradeleri zayıftır, kendilerine güvenleri azdır ve hayatın sürprizlerini karşılama cesaretinden yoksundurlar. Ellerindeki imkânı yeniden kazanamayacaklarını bildikleri için mevcut durumu kaybetmek istemezler. O yüzden korkaktırlar. Pasif ve sıkılgandırlar. Ortalama insanların büyük bir kısmı bu kategoriye girer. Çabuk etki altında kalırlar. Daha doğrusu başkalarının etkisinden kurtulamazlar. Merhametsiz değildirler ama başkalarının içine düştükleri hâllere karşı çok duyarlı olmazlar.

Çok Kısa: Tam anlamıyla iradesizlik, koyun gibi uysal, bezgin, yılgın, pısırık bir tabiatın belirtisidir.

Kuru: Bu boğumun (kısa olmamak şartıyla) kuruymuş gibi bir intiba vermesi, yüksek bir teorik zekâya işaret eder. Üstlendikleri işin mahiyetini ve hikmetini tespite yönelirler. Bunu da gerçekleştirebilirler. Zaten çoğu, hayatın içinde hayat filozofu gibi yaşarlar.

Geniş: Bu boğumun gereksiz derecede genişliği dik kafalılığa, kimsenin aklına ve fikrine önem vermemekliğe işaret eder. Ve maalesef o yüzden kibirli ve dik kafalı zannedilirler.

İKİNCİ BOĞUM (Kemik)

Başparmağın ikinci kemiği kişinin akıl ve yeteneğini, mantık ve muhakeme kudretini gösterir. Görüş ve düşünce kabiliyetinin aynasıdır. İnsanın ileri görüşlü veya kıt düşünceliliğini ortaya koyar. Bir insanın hayat karşısında nasıl bir pozisyon alacağını anlamak isterseniz bu kemiği dikkatli inceleyin.

Normal Bir Uzunluk: Başparmağın ikinci boğumunun, normal bir uzunlukta olması, olgun, nerede nasıl hareket edeceğini bilen, hayatın getirdiklerini karşılamaktan sakınmayan bir yapıyı sergiler. Esasında en iyi mütevekkiller bu tiplerden çıkar. Hayrın da şerrin de hayatın içinde var olduğunu bilir, seçici bir zekâ ile iyisini alır, kötüsünden kendilerini uzak tutarlar.

Uzun: İkinci boğumun (kemiğin) -birinciye ve ikinciye göre- daha uzun olması düşünce berraklığını, sağlam bir mantık ve adalet duygusunu yansıtır.

Bunlar hakikaten uyumlu ve mutedil bir mizaca sahiptirler. Onları çoğu kere hayatın içerisinde önemli işlerin başında görürüz. Babacan, fedakâr ve toparlayıcıdırlar. Kusurları görmektense onu telafi etmeyi yeğlerler.[25]

---

25   Gİ, 112; Les Lignes, 25

Kısa: İkinci kemiğin kısalığı, mantıktan yoksunluğu, daha doğrusu sık sık mantık ve muhakemeye başvurmadan hareket etmeyi temsil eder. Mantıksız ve muhakemesiz işe başladıkları için hep kaybeden olurlar. Bu da onları asabi, öfkeli ve hırçın bir insan yapar. Onların sık sık, **"Neden her şey gelip beni buluyor kardeşim!"** diye yüksek sesle yakındığını görürsünüz. Oysa kendisi o işleri başına açmıştır.

Önemli Bir İzah

Şimdi şöyle bir soru soralım.

- Bu insanın başka türlü olabilme şansı var mı? Mademki bu kemik kısa olduğunda insanlar mantıksız hareket ediyorlar, o zaman bu insan neden o hareketlerinden sorgulansın?

Evet, bu soru akla gelebilir. Hem de gelmeli. Çünkü eğer insan, -tıpkı hayvanlar gibi- 'şâkile'sinin etkisinden kendisini kurtarma imkânına sahip değilse, o zaman iyi veya kötü davranmanın; sınavda olmasının ne anlamı kalır? Yani hayvan, hayvanlık yaptığında neden bir de cezalandırılsın?

-Allah önce, hiç de senin seçimin olmayan bir yapı veriyor. Sonra da, kendini o yapının etkisinden kurtaramadığın için mutsuz, başarısız, öfkeli, asabi, sevilmeyen bir insan oluyorsun ve sınavı kaybediyorsun. Bu adil mi?

-Tabii ki adil değil! Çünkü öyle bir dayatma yok. Ve sen de akıl taşıyan, Rabbe muhatap bir varlıksın. Programlandığı gibi hareket eden bir hayvan değilsin. Sende akıl var, iman ve ahlak var, eğitim var. Onların sayesinde kendini değiştirme ve mükemmele vardırma kabiliyetin var.

Hayvanlar kendilerini değiştirmek ve geliştirmek zorunda değiller. Onlar olması gerektiği gibi programlanmışlar ve o hâl üzere sabitler. Ama sen kendini eğitimle, imanla, ahlakla ve gayretle değiştirebilir yaradılıştasın. Sen, başka türlü olma şansı bulunmayan bir hayvan değilsin.

Evet, farklı yapılar, farklı mizaçlar, farklı genetik aktarımlarımız var. Ama bunları Allah kendi yanından değil, annebabanın yapısından alarak sana veriyor.

Bugün çoğumuz biliyoruz ki insanlar genetik özelliklerini bir sonraki nesillere aktarıyorlar. Bu aktarımda aktarılan, sadece genler değil, onlardaki programlar da aktarılıyor. Yani veballer ve sevaplar da aktarılıyor. Arazlar ve hastalıklar da aktarılıyor.

Diyelim arazlı bir gen aktarıldı. Ama o arazlı geni taşıyan insan, düzgün, uygun ve hayatın içindeki kurallara uyarak sağlıklı yaşadı. O gen yine de aktif olur mu?

-Elbette hayır!

Ya da diyelim ki siz yıllarca tüberküloz mikrobunu taşımaktasınız. Ama eğer vücudunuzun bağışıklık sistemini güçlü tutarsanız o size zarar vermez, pasif konumda kalır gider.

Aynı şekilde evlatlar; babalarının, dedelerinin, nenelerinin eseridirler. Onların genetik özellikleri, arazları, hastalıkları olduğu gibi evlatlara da intikal edebiliyor.

Ancak her intikal eden genetik özellik aktif olmaz. O genetik özelliklerin, o arazların aktif olması için sizin de bir şeyler yapmanız gerekir. Dolayısıyla denilebilir ki bir dededen veya neneden aktarılan bir kötü huy, pekâlâ, ahlak, eğitim ve iman ile değiştirilebilir, dönüştürülebilir. Zaten iman bunun için vardır, güzel ahlak bunun için vardır, eğitim bunun için vardır, din ve içindeki prensipler onun için vardır, peygamberlerin bir yaşam koçu gibi bize rehberliği onun için vardır. İnsan değişebilir, dönüşebilir; kötüyü, ceht ve gayret ile iyiye dönüştürebilir bir varlıktır.

Bu tür farklılıklar ve karakterler, başlangıcı biraz etkileyebilir. Sıkıntıların ve yoksunlukların içinden çıkıp zirveye ulaşmış pek çok insan vardır. Buna karşılık bolluk ve imkânların içinden geldiği hâlde dip yapmış ve insanlık seviyesinin bile altına düşmüş de sayısız insan vardır. Demek ki bizdeki iyi veya kötü huylar ve yetenekler, başlangıç şartımızı oluşturuyorlar. Gerisi tamamen gayrettir. İmkânsızlık her daim, kaybetmenin, kötü insan olmanın sebebi olmadığı gibi imkânlılık ve varlık da her daim kazanmanın ve iyi insan olmanın vesilesi değildir.

İnsana düşen aklını doğru kullanmaktır. Bu da ancak iman ve onun neticeleri olan ahlak ve eğitimle olabilir…

Sonuç olarak burada yazılanlar sizin yapınızda olan ama yazgınız olmayan şeylerdir. Siz onları kendi hatanızla yazgı hâline getirirsiniz veya onlar yokmuş gibi düzgün bir hayat yaşarsınız.

Bir mesele daha var: Burada, insanı cennetlik veya cehennemlik; mutlu veya mutsuz kılan seçimlerden söz etmiyoruz. Yani dedenizin işlediği günahtan dolayı siz cehennemlik olmuyorsunuz, olmazsınız. Ama onların işleyip de size bıraktığı veballer, hayat içindeki şartlarınızı, yükünüzü ağırlaştırıyor diyoruz. Cennetlik, cehennemlik olma, mutluluk, mutsuzluk insanın kendi seçimidir biraz da. Siz iman etmek istersiniz, Allah da onu sizin kalbinize indirir. Siz istemezseniz, kimse sizi cennete de cehenneme de koymaz, merak etmeyin. Cennet ve cehennem, mutluluk ve mutsuzluk, hatta bir parça fakirlik ve zenginlik, sağlık ve hastalık sizin kendi seçimlerinizin doğal sonucudur.

Birileri, çok daha az bir çaba ile bir şeyin üstesinden gelebiliyorken, siz daha ağır ve daha sıkı bir çaba ve irade göstermek zorunda kalıyor olabilirsiniz, size aktarılanlar yüzünden.

Ama bu, sizi kendi tarafınızı seçmenize mani değildir... Zorunlu da değilsiniz.

Keşke hiçbirimizin dedeleri, neneleri, anne-babaları bize vebal bırakmasalardı ama böyle bir geçmiş devralmak mümkün değil. Ve maalesef, genetik yapıların aktarımı gibi veballer, kahırlar, dualar ve beddualar da aktarılıyor fakat biz anlamıyoruz.

Gerçek bu! Öyleyse kişiye düşen, hangi şartta olursa olsun, hangi 'şakile' üzerinde bulunursa bulunsun, daima aklını kullanmayı, Allah'ın varlığını bilerek hareket etmeyi esas almak, kendisinden çocuklara devrolacak veballer bırakmamaktır. Şunu unutmayınız. Hiçbir insanın; yapısının onu zorladığı şeyi yapmak gibi zorunluluğu yoktur. Böyle bir dayatma yoktur. Çünkü insan, hayvan değildir ve değişmeyecek bir programı da yoktur. İnsanın asıl vazifesi, "taallümle tekemmül, ubudiyet ve dua" (öğrenerek mükemmele ulaşmak ve onu ibadet ve dua ile süslemek) olduğuna göre, bir zorlama ve zorunluluk söz konusu olamaz ve olmamıştır. İman edip onun gereklerini yapmaya yöneldiğinizde yeteneğinizde olup da yenemeyeceğiniz, baş edemeyeceğiniz kusur, zaaf, kötü huy kalmaz. İnsan, bu evrenin hadiseleri karşısında eli kolu bağlı olan bir varlık değildir. O dönüştürmek, fiillerini hayra yöneltmek üzere tasarlanmıştır. Ve iradesini gerçek anlamda kullanmak istediğinde, evrenin içindeki hadiseler onun elinde bir oyun hamuruna dönüşür.

Siz Allah'tan korkarsanız, içinizde sizi çalmaya zorlayan kleptomanlık dürtüsünden kendinizi kurtarırsınız. Siz iman ediyor ve hadiselerin Allah tarafından sevk edildiğine inanıyorsanız, öfkenizi kontrol edebilirsiniz. Aksi takdirde içinizden geldiği gibi hareket eder, kendinize ve sizden sonraki nesillerinize yeni veballer yüklersiniz...

Etli: Başparmağın ikinci boğumu etli olanlar, akıldan çok mantık kurallarını esas alırlar. İnce bedii zevklerle ilgilenmezler. Uygun bir eğitim almışlarsa son derece başarılı avukat olurlar... Fakat aşırı mantıkçı yaklaşımları onları kuru ve zevksiz bir hayatın içine iter.

İnce: (Birinci ve üçüncü boğuma göre) sağlam bir zekâyı sergiler. Şaşmaz bir mantık ve derin kavrayış gücünü yansıtır. Dünya üzerinde önemli işlere imza atan insanların ekseriyeti, başparmağının ikinci boğumu ince ve uzun olanlardır. Son derece idealist olurlar aynı zamanda.

Uzun ve Güçlü: Başparmağının ikinci boğumu birinci ve üçüncü boğuma göre daha uzun güçlü ise, bu o insanın irade ve akılcılıktan çok, mantık ve adalet duygusuyla hareket ettiğini gösterir. Çok sağlam bir adalet anlayışları vardır. Bu tipler, "Hakkın/halkın üstünlüğü" ilkesine bağlı, sağduyu sahibi muazzam insanlardır. Onların bir toplumda eksikliği ciddi bir eksikliktir. Bu tiplerin varlığı her toplum için şanstır.

Haksızlıkların önünde duran, toplumların geleceği için, en çetin işlere soyunan, ölümü bile göze alarak hakkı savunan insanlardırlar. İnsanlık adına büyük davaların altına girmiş hâkimler, topluma yön vermiş din adamları ve önderlerin ikinci boğumları uzun ve güçlüdür. Hakikaten kıskanılası bir meziyettir. Tabii elin diğer unsurlarının da o kemiği destekliyor olması gerekir. Yoksa tek başına o, bir sıfatı yansıtır o kadar. O kabiliyet, eğitim, ahlak ve bedenin öteki güçleri tarafından da desteklenmiş olmalı. Mesela korku bu insanlarda çok ciddi bir zaaftır. Böyle bir insan korkak yetiştirilmişse, sadece söylemde kalan bir ideolog olur!

Eşit: (Birinci ve ikinci boğumların eşit uzunluğu) Tam ve şaşmaz bir denge. Akılla kuvvet, mantıkla irade arasında tam bir denge varlığını gösterir. Şayet parmak aynı zamanda uzunsa "tarik-i müstakim" denilen yoldan sapmayan bir şahsiyetle karşı karşıyayız demektir. Hakikaten, bu özellik tek başına büyük bir tanrı vergisidir...

ÜÇÜNCÜ BOĞUM (Kemik)

Başparmağın üçüncü kemiği avucun içine gömülüdür. Venüs tepesi (ileride anlatılacak) denilen bu bölüm kemiği gizlediği için bu boğumun özellikleri doğrudan doğruya Venüs tepesini ilgilendirir. Bu tepenin genişliği, kabarıklığı veya basıklığına göre kişinin aşk, duygu, ihtiras ve şehvet gücünü anlamak mümkün olur. Çünkü üçüncü kemik aşk ve duyguyu temsil eder.

Venüs tepesi de aşk, duygu, ihtiras ve şehvet duygularının mahiyetiyle ilgilidir.

İleride avuç içini anlatırken, bu tepeler tek tek incelenecektir.

İŞARET PARMAĞI (Jüpiter/Müşteri) (Şekil 17)

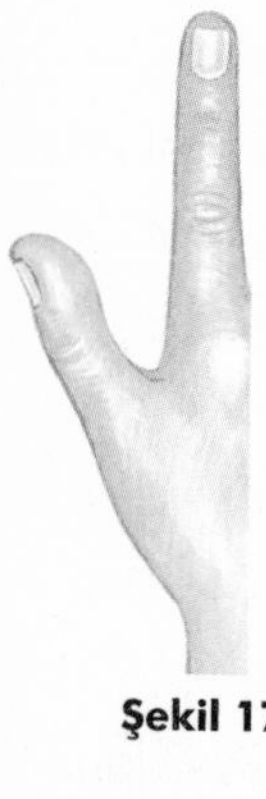

İşaret parmağı Jüpiter adıyla da anılır. Otorite ve yöneticilik parmağıdır. Kişinin sosyal yapısını, mevkisini, toplum hayatında nelere muktedir olabileceğini, diplomasi yeteneğini, halkla ilişkilerdeki kabiliyet veya kabiliyetsizliğini, iletişim ve etkileşim becerisini, eğilim ve özentilerini bu parmaktan okuruz.

İşaret parmağı bizim kumanda parmağımızdır aynı zamanda. Otoritemizi onunla yansıtırız.

Şekil 17

Onunla tehdit eder, onunla işaret ederiz. Onu yüzümüzün hizasına kadar kaldırıp sallayarak tehdit ve uyarıda bulunuruz.

Dudaklarımızın üzerine dayanarak sessizlik istediğimizi karşı tarafa hissettiririz. Fazla uzakta olmayan birini onunla yanımıza çağırır, onunla yönlendiririz.

Hatipler için işaret parmağı, kelimelerin yetersizliği hâlinde veya anlamın güçlendirilmesi istendiğinde kullanılan sihirli bir vasıtadır. Toplum içinde konuşmak isteğimizi veya itiraz hakkımızı onunla gösteririz.

İnsanın yolu, kişinin hedefi, işaret parmağının gösterdiği yöndür.

Teslimiyet ve tasdik vasıtamızdır. Tanrı'yı bile onunla "bir"leriz. Bilindiği gibi bu yüzden "şehadet parmağı" da diyoruz.

Birçok hislerimizi onunla açığa vururuz.

Şimdi belli başlı görünüşlerini ve yapısına göre onu incelemeye başlayabiliriz...

Uzun: Uzun bir işaret parmağı -orta parmağa denk veya ona yakın- her şeyden önce güçlü hayat tutkusunu ve idare etme arzusunu temsil eder. Büyük din adamlarının, toplumsal dönüşümlere öncülük eden liderlerin, iletişim ustalarının, büyük hatiplerin, büyük gazetecilerin parmağıdır. Bunların doğal bir yetenekleri vardır halkla ilişkiler konusunda...

Bu alanlarda kendilerini gösterme imkânı bulmaları hâlinde kendi mecralarında giden ve ciddi başarılar da gösteren bu tipler, arzu ettikleri dikkat çekiciliği sağlayamadıklarında büyük hırs ve tutkuyla etrafa saldırırlar. İlla da toplumun dikkatini çekmek isterler. Çünkü bu parmak toplum önünde olma tutkusunu ve yönetme arzusunu temsil eder. Bu tutku doğal olarak beraberinde bazen kibirlilik ve ısrarcılığı da getirir.

Eğer bir insanda gerçek bir idare etme kabiliyeti yoksa bu tutku özentiye dönüşür. Bu tipler her şeyde bir övünme vesilesi ararlar. Şayet mevcut yetenekleriyle toplumda dikkat çekmeyi başaramamışlarsa, bu tutku, tersinden harekete geçer ve aşırı tevazu ile dikkatleri yine de kendine çeker.

Bu tip parmak sahipleri tutkularını ciddi manada eğitebilseler önemli işler başarırlar. Bilhassa çok iyi iletişimci ve televizyoncu olurlar. Esasında onları gösterişe sevk eden de bu tiplerdeki projeler altında olma özlemidir...

Çok Uzun: İşaret parmağı çok uzun olursa yukarıda sayılan vasıfların "şiddet" derecesinde olduğunu gösterir. Zevkperest, burunları daima havada ve fanatik olurlar.

Kısa: Özentisiz, sade, mütevazı ve samimi bir kişiliği sergiler. Fakat bu insanlar aynı zamanda sabırsızdırlar.

Kalın: Kalın işaret parmağı kadar maddeci bir yapıyı, mala mülke olan ihtiras ve tutkuyu gösteren başka bir işaret az bulunur. Aşırı derecede şehvetlidirler.

İnce: İnce işaret parmağı kanaatkâr, azla yetinen, kibirsiz ve ihtirassız bir mizacı sergiler. Zahit insandırlar. Cinsellik bakımından da zayıftırlar.[26]

Boğumlu: Eklem yerleri boğumlu işaret parmağı ihtiyatlı, akılcı, filozofça bir yapıya ve özentili bir kişiliğe işaret eder. Hakikaten, meseleleri tahlilde müthiş bir kabiliyetleri vardır. Her şeyin gerçeğine varmak için büyük bir iştiyak duyarlar.

Gergin: Gergin bir işaret parmağı, dinmeyen bir ihtiras, insanı yalnızlığa mahkûm edecek kadar yüksek bir gurur, kibir ve tutku belirtisidir.

Hayatta samimi dost edinemezler ve bu yüzden yalnız ölürler. Fakat aristokratça bir yaşantıları olur. Zaten etraflarında fazla kimseye de ihtiyaç duymazlar.

Yumuşak: Yumuşak işaret parmağı büyük bir kurnazlık ve diplomasi işaretidir. Bunlar esnek mizaçlı, tatlı dilli ve

---

26   Les Lignes, 26

menfaatperesttirler. Toplum içinde doğru yerlerini bulduklarında müthiş işler başarırlar. Bu kabiliyetini sergileyebileceği bir eğitim almamışsa bu özellik onu zor durumlara düşürebilir. Çünkü güç ve disiplin gerektiren işlerde pek çalışmak istemezler. Birine dayanıp geçinmeyi yeğlerler. O yüzden de o diplomasi yetenekleri kuvvetli bir dalkavukluk yeteneğine dönüşür. Ömrünü dalkavuklukla geçiren insanlar bunlar arasından çıkar.[27]

Başparmağa Meyilli: İhtiyaçlarını istemede utanmaz, arsız ve kendini beğenmiş bir kişiliği yansıtır. Eğer işaret parmağı biraz da aralık duruyorsa bu insan, kendine özgü bir özgüven anlayışına sahiptir demektir. Toplumsal değerlere pek önem vermez. O yüzden de 'utanmaz' diye algılanır. Çünkü özgünlüğü her zaman anlaşılır olmaz.

Orta Parmağa Meyilli: Sosyeteye ve lükse meraklı bir tabiatları vardır. Bunların gazetelerde ilk bakacakları sayfa magazin ve özellikle sosyete dedikodularını işlendiği sayfalardır. Kendileri de ya sosyetiktir ya da o hayata karşı derin bir ilgi içindedir.

Teferruatı severler. Entelektüeldirler, en azından böyle bir görüntü verirler. Öğrenmeye ve araştırmaya da gerçekten yeteneklidirler ve meraklıdırlar.

Para ve emlak bunlar için çok önemlidir. Eğer her daim ellerinin altında yeterince paraları ve imkânları yoksa hemen mutsuzluğa kapılırlar. Esasında böyle bir parmağın sahibi, iktidarı ve gücü daha çok mal edinmek için basamak yapmaya da yatkındır.

Yüzük Parmağından Uzun: Yüzük parmağından daha uzun işaret parmağı maddi bakımdan şanslılığı sergiler. Ve tabii bunlar iyi halkla ilişkilerci ve etkileyici hatiptirler. Medya alanında başarılı olanların ekseriyetinin işaret parmakları yüzük parmağından uzundur. Hata çoğunun işaret parmağının uzunluğu orta parmağa yakındır. Ve tabii şans oyunlarına da düşkündürler. (Ayrıca parmaklar bölümüne bkz.)

Yüzük Parmağından Kısa: Şen şakrak bir yapı, entelektüel şans ve aşkta başarı alametidir. Topluma açık, uyumlu, mütevazı bir kişilik sergiler.

Anormal İşaret Parmağı: Yapısı bozuk ve diğer parmaklarla uyum sağlamayan işaret parmağı kişiye özgü bir yapıyı sergiler. Bunlar amacına ulaşmak için legal-illegal her türlü yola başvururlar. İhtilalcidirler. (Ayrıca bkz. **Parmakları Kırıkmış Gibi Görünen El**)

BOĞUMLARI (Kemikleri) (Şekil 18)

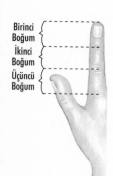

Birinci
Boğum
İkinci
Boğum
Üçüncü
Boğum

Birinci Boğumu (Kemiği): Din duygusunu, ilhama dayalı bir düşünce hayatını,

İkinci Boğumu (kemiği): İhtiras ve özentiyi; iktidar olma arzusunu,

Üçüncü Boğumu (Kemiği): Yönetme arzusunun kapasitesini, şehvet ve cinsellik derecesini temsil eder.

Şekil 18

BİRİNCİ BOĞUM (Kemik)

Uzun: Dindarlık, önsezi, ilhamlı düşünce ve hakseverlik işaretidir. Bunlar; merhametli, dürüst ve otoritelerini daima hâkim kılacak yapıdadırlar. Bilgedirler aynı zamanda.

Kısa: Kuşkucu, kanaatsiz ve inançla ilgili meselelere karşı kayıtsızlık işaretidir.[28] Bilhassa tırnaklı kısmı kare ise bu in-

---

28   Les Ligneb, 27

sanlar dinsizliğe eğilimli, tanrı konusunda reybi ve şüpheci, düşünce ve pratik hayatlarında kararsız ve tutarsızdırlar.[29]

Konik: Sinema ve tiyatro gibi sahne sanatlarına düşkünlük ve yetenekleri vardır. Okuma, araştırma merakı da bulunur.

Kare: Birinci kemik kare görünümünde ise bu, dine karşı ilgisizlik ve dinî bakımdan hoşgörü olarak yorumlanır. Bunlar meraklı ve şüphecidirler. Ve aynı zamanda kısa ise dinsizlik, dine karşı ilgisizlik olarak da yorumlanabilir. Son derece pragmatik bir zihinleri vardır. Her şeyde faydacılığı esas alırlar.[30]

Meblağı (Spatula, Yassı): Mistik düşüncelere yatkınlık işaretidir. Her şeye çarçabuk inanırlar. Hurafenin hurafe olduğunu bile bile onu uymakta sakınca görmezler. Dinde yeri olmayan ama geleneğin içinde bulunan tüm inanışlara açıktırlar ve onlara bağlanmayı severler. İyi taraftardırlar. Bunlar çok iyi âşıktırlar ve büyük aşklar yaşarlar.

Sivri: Vecd, tutku, cezbe. Tabiaten coşkulu ve hayrandırlar. Her an yeni bir cazibeye kapılıp, kendinden geçecek kadar pervane yaradılışlıdırlar. Güçlü önsezileri vardır. Hele bir de bombesi varsa her öngörüleri doğru çıkar.

Yuvarlak: Din ve inançlar bakımından gevşeklik, lakaytlık işaretidir. Fıtraten laik bir yapıdadırlar. Kimin ne düşündüğüyle ilgilenmezler. Âdeta tepkisizdirler...

Etli: Etli bir birinci boğum işaret parmağında, bedenî hazlara düşkünlüğü sergiler. Âşık olmaktan çok aşk yapmayı severler!

Çengel: Bencil ve cimri bir yapıdan haber verir. Esasında bunlara cimri demek haksızlıktır. Çünkü bu daha çok kanaatkâr olmanın sembolüdür. Kanaatkârlıkla cimrilik arasın-

29   Gİ, 113
30   Age, 113

daki farkı bilemeyenler, onları cimri zannederler. Mamafih, cimdi denilecek kadar tutumludurlar... Eğer dindar iseler, mütevekkil, kanaatkâr düzgün bir dindar olurlar...

Geriye Dönük: Politika, siyaset, felsefe, bilhassa dinî ilimlere büyük bir yeteneğin varlığından haber verir. Bu kabiliyetleri yerinde kullanma eğitimi ve alışkanlığı edinmemişlerse bu yaradılış, onları dönek, içten pazarlıklı ve gayr-ı samimi hâle de dönüştürebilir.

İKİNCİ BOĞUM (Kemik)

Uzun: İşaret parmağının ikinci boğumunun uzun olması ihtiraslı bir kişiliği, otorite kurmaya meraklı ve arzulu bir yapıyı sergiler. Mutlaka tatmin edilmesi gereken bir ihtirası yansıtır. Mamafih, genellikle de tuttuklarını koparırlar ve hakikaten de başarılı olurlar.

Kısa: Kısa bir ikinci boğum şehadet parmağında tembel ve uyuşuk bir yapıyı sergiler. Daima bir enerji yetmezliği içindedirler âdeta... Hevesleri geçicidir. Bir işe hırsla başlarlar ve sonra bir de bakarsınız o heyecan geçmiş, o arzu da sönmüş...

Etli: Rahat bir hayat yaşama arzusunu yansıtır. Bu insanlar hakikaten de rahat bir hayat kurarlar. Bunu gerçekleştirmemişlerse hep rahat bir hayat özlemi içinde olurlar. Başaramasalar da öyle yaşarlar, ona özenirler.

Kuru: Şehadet parmağında kuru bir ikinci boğum, şöhrete ve makam tutkusuna işaret eder. Tabii ki bu sadece bir tutkuda kalmaz ve çoğu kere bunu gerçekleştirirler de. Çünkü böyle bir yapı, üne ve şöhrete olan arzuyu ve gerçekleştirme iradesini yansıtır. Paraya ve iktidar gücüne yakın dururlar. Mevki, makam sahibi olmaya ihtiyaçları vardır çünkü.

ÜÇÜNCÜ BOĞUM (Kemik)

Uzun: Şehadet parmağının üçüncü boğumu yani, ayaya bağlı kısmı uzun ve düzgün ise, (etli olmamak şartıyla) kuru bir kibir, gurur ve kendine güven göstergesidir.

Uyumlu bir elde ve parmakta ise bu durum, hakikaten insanları ve olayları idare etme sanatına yatkınlığı gösterir. Hâkim olma eğilimini sergiler ve buna da muvaffak olurlar. Böyle bir üçüncü boğum, sahibinin maddi açıdan da rahat ve zengince bir hayat yaşayacağını gösterir.

Kısa: Kısa bir üçüncü boğum fakirliği; daha doğrusu, maddi imkânları teminde güçlüklerle karşılaşmayı temsil eder. Bunlar kendi haklarını almakta bile güçlük çekerler. Duygu ve duyu kabiliyetleri de sınırlıdır. Hayata ve hayatın getirdiklerine karşı kayıtsızdırlar. Kendilerine göre bir düzen tutturmuşlardır; onu sürdürmeye çalışırlar. Toplum içinde dikkat çekmek gibi bir dertleri yoktur. Silik bir şahsiyetin ifadesidir çünkü.

Etli: Şehadet parmağının hangi boğumu etli ise, işaret parmağının yansıttığı o kabiliyeti güçlendirir. Mesela demiştik birinci boğumu din duygusunu, ilhama dayalı bir düşünce hayatını yansıtır. İkinci boğumu ihtiras, özenti ve iktidar olma arzusunu yansıtır. Üçüncü boğum yönetme arzusunun kapasitesini, insanın şehvet (dünyevi taleplerin tamamı açısından), kudretin ve cinsellik gücünün derecesini temsil eder.

İşte bu üçüncü boğumun güçlü ve etli olması, insanın dünyevi taleplerini rahatlıkla elde edeceğini gösterir. Bunlar yeterince şehvete ve onun gereklerini yapma kudretine sahiptirler. Etlilik ne oranda artarsa bu alanlardaki kapasite de o kadar yüksektir demektir. Diğer boğumlara göre kabarık olan üçüncü boğum, sahibinin yeterli bir şehvete (istediklerini elde etme gücüne) sahip olduğunu gösterir. Bu insan-

lar şehvetperest, oburluk, içki, uyuşturucu (keyif verici) vb.
maddeleri kullanmaya eğilimlidirler.

Kuru: Kuru bir üçüncü boğum, zor bir hayatı, çilekeş bir
ömrü ve maddi sıkıntıları sembolize eder.

ORTA PARMAK (SATÜRN)

Orta parmak, başparmak ve işaret parmağına göre daha az
önem taşır. Bu parmak kötü belirtilerin, talihsizliklerin parma-
ğı değildir. Daha çok insanın maddi durumunun, kaderin ve
hayatın belirgin olaylarının izlenebileceği bir parmaktır.

Orta parmak, mal mülk ve para parmağıdır. Meslekler
içinde emlak komisyonculuğu yapan, toprak ve onun etra-
fındaki işlerden geçinen insanların parmağıdır orta parmak.
Batılılar özellikle Amerikalılar, birisine 'avucunu yala' demek
istediklerinde hakaret olarak o orta parmağı gösterirler. Bu
kıyafetnameci lisanıyla, "Ben senden daha varlıklıyım. Sen
kendi derdine yan!" demektir. Çünkü orta parmak insanın
maddi varlığını sembolize eder.

Genel görünüşlerine gelince:

Uzun: Uzun bir orta parmak, bilim adamlığının gerek-
tirdiği cinsten bir şüpheciliği, merakı ve bilime karşı derin
bir ilgiyi yansıtır. Hakikaten de bu uğurda yeterince sabırlı,
mütevekkildirler.

Şartları, o merak ve ilgilerini giderecek şekilde gelişme-
mişse bu insanlar karamsar ve kaderci olurlar. Hayata küser-
ler. Çünkü bu tiplerde kendine güven de azdır.

Uzun bir orta parmakta üçüncü boğum etli ise, bu insan,
maksatlarına kavuşacak demektir. Bilhassa emlak ve toprak-
la ile ilgili alanlarda çalıştıklarında küçümsenmeyecek maddi
imkânlara kavuşurlar.

Kısa: Sathi bir zihin, fazla derin olmayan düşünce hayatı ve belirsiz bir kaderi yansıtır. Hayat gailesini ve maddi zorluklarla boğuşmayı temsil eder...

Orta parmak kısa, şehadet ve yüzük parmağı da oldukça uzunsa bu, kişinin çok dikkatsiz olduğunu ve kendisine hiç güvenmediğini gösterir. Bunların yargılarına güvenilmez. Geçmişten ve hatalardan asla ders almazlar. Ciddi de olamazlar.[31]

Kalın: Kalın bir orta parmak bayağı, maddeci, ince zevkleri olmayan hazcı bir yapıyı temsil eder. Çıkarları esastır. Küçücük bir çıkar için eğilebilirler. Maddi varlıklarına dokunulmasın tek her şeye razı olabilirler. Oburdurlar. Sevgiden çok cinsel ilişkiye, lezzetten çok oburca yemeğe yatkındırlar. Hele bir de o kalın parmak biraz yağlı imiş gibi görünüyorsa... Tabii eğitilmemiş bir tabiatta tüm bunlar geçerlidir. Pekâlâ, insan kendisini eğitmişse bu kusurlardan da kurtarabilir nefsini.

İnce: Orta parmağı ince olan insanlar ispritizma, septisizm, mistisizm gibi parapsikolojik ve psişik olaylara karşı son derece duyarlı ve meraklıdırlar. Kendileri de bu konularda oldukça yeteneklidir. Çok rahat bir şekilde ruhlarla irtibat kurabilirler. Telepati, teleportasyon, medyumluk konularına yatkındırlar.[32]

Boğumlu: Eklem yerleri kabarık boğumlu orta parmak, gerçekçi, iyimser ve prensip sahibi bir kişilikten haber verir. Bu insanlar gerçekten metotlu çalışır ve her işi başarırlar. Çok sistemli çalıştıkları için fuzuli enerji harcayıp yorulmazlar. Felsefi konularda, daha doğrusu teorik tahlil gerektiren işlerde başarılıdırlar.

---

31 Correnpondes, 20
32 Les Lignes, 28

Gergin: Orta parmak gergin ve sert bir görünüm sergiliyorsa bu, zahmetli bir hayat, bir türlü iki yakanın bir araya gelmesine fırsat vermeyecek amansız bir kader, katı, sert ve tavizsiz bir mizaç ve acımasız bir tabiatı yansıtır.

Eğer bu insanlar, bir şekilde, bu tabiatlarının üstesinden gelecek bir yol bulmuşlarsa, hakikaten deniz feneri gibi yol gösterici olabilirler. Çünkü o noktaya gelinceye kadar büyük ihtimalle hayatın her türlü sillesini yemiş olabilirler. Bu da onları bilge bir danışman yapar!

Parlak: Diğer parmaklara nispetle daha az pürüzlü ve derisi parlak orta parmak sahibinin, kolaycı avantajı, beleşçi, araştırma merakından mahrum, anı yaşayan, gündelikçi biri olduğunu gösterir.

Bu kişiler içlerine doğan ilk ilhama tâbi olur ve üstünde durmazlar. Ortaya koydukları eseri yeniden gözden geçirip eksik veya fazlalıklarını giderme ihtiyacı duymazlar.

Hislerine gereğinden fazla güvenirler.

Yumuşak: Yumuşak, bükülebilen orta parmak neşeli, müsamahakâr, babacan bir yapıyı sergiler. Bu kişilerle çok çabuk dost olunur. Uyumlu kişilikleri vardır.

Yüzük parmağına meyilli: Yüzük parmağına meyletmiş bir orta parmak, sahibinin sanatsever olduğunu ve sanatçılara yardımda cömert olduğunu gösterir. Kendisi de o alanlarla meşgul olmaya yatkındır. Fakat bu durum, sanat ile bizzat meşgul olmaktan çok sanatçılara yakın durmayı yansıtır. İnce, hassas ve sanatkârane bir mizaçtan haber verir. Işıkların altındaki insanların yanında bulunmak bunları çok mutlu eder.

Bu tipler zenginliği, şöhretlerini pekiştirmek için kullanırlar. Eğer bunu sağlayacak bir maddi imkân oluşturamamışlarsa o dünyaya karşı yoğun bir özenti içinde olurlar.

İşaret Parmağına Meyilli: İşaret parmağına meyilli bir orta parmak iktidara ve iktidar sahiplerine yakın durmayı sergiler. Yüzük parmağına meyilli bir parmakta sanat için kullandığımız ifadeleri bu parmakta, iktidar için kullanabilirsiniz. Yani idarecilere, iktidar sahiplerine yakın olmak için her yolu denerler. Ya da kendileri iktidar olmalılar.

Ama genelde kendilerinde bizatihi iktidar olma hırsı ve gücü yoktur. O yüzden de iktidar sahiplerine yakın dururlar. Siyasilerle dost olurlar. Maddi imkânları yeterli ise onları finanse de ederler. Böylece kendilerini iktidarın ortağı yaptıklarına inanırlar.

BOĞUMLAR (Kemikler)

Birinci boğum (kemik): Şüpheciliği ve fikirlerde bağımsızlığı temsil eder.

İkinci boğum (kemik): Bilime, özellikle gizli ilimlere ilgi, bilim felsefesine ilgiyi temsil eder.

Üçüncü boğum (kemik): Konsantrasyon kabiliyetini, psişik ve parapsikolojik kabiliyetleri ve fikri, bir noktada yoğunlaştırabilme özelliklerini yansıtır.

BİRİNCİ BOĞUM (Kemik)

Uzun: Birinci kemiği uzun olan orta parmak bilimsel şüpheciliği yansıtır. Eğer bilimle uğraşmıyorlarsa bu şüphecilik, özgüven eksikliğine dönüşür. Her şeyden şüphelenen, etrafındakilere hayatı zehir eden bir yapı ortaya çıkar.

Esasında orta parmağın birinci boğumunun uzun olması çok makbuldür. Çünkü bilgeliğin işaretidir. Ama bu, bazen onları boş ve hayat için lazım olmayacak bilgilerin ve işlerin peşine düşmeye de sevk eder. Evet, bilgedirler ama zaman zaman boş inançlara da kapılırlar.

Bilim için gerekli inat ve ısrarcılık bunlarda vardır. Bilimle uğraşmaktan veya bu inat ve ısrarlarını bir amaç için kullanabileceği bir imkândan mahrum iseler o zaman bayağı bildiğimiz inatçı ve ısrarcı tiplerden olurlar.

İyi eğitim almış böyle bir tip o inat ve ısrarcılığı sayesinde son derece önemli mevkilere gelebilir ve önemli işler başarabilir. Düşünce ve işteki cesaretlerini pratik hayata yansıtmazlar. Çünkü hayat karşısında ihtiyatlı ve tedbirlidirler...

Kısa: Aldırmazlık ve zor durumlarda soğukkanlı hareket etme kabiliyetine işarettir. Şüpheci değillerdir. Bunların en bariz özelliği panik yapmamalarıdır. Ama bunu bilinçli yapmazlar, sadece sensörleri geç algıladığı için tepkisiz görünürler. Tatlı bir tevekkül sahibidirler. Yumuşak huylu ve uysaldırlar.

Yassı: Vurdumduymaz bir tabiatı temsil etmesine rağmen, bunlar sık sık ölüm ve gelecek konusunda endişeye düşerler. Vehim ve vesveseden kendilerini zor kurtarırlar. İnanç noktasında da zayıf olurlar. Sık sık ölümü düşünürler.

Karamsarlıkla baş edecek bir eğitim almamışlarsa sık sık kendilerini kötümser bir karamsarlığın kucağında bulurlar. Hiçbir neden yokken hayata ve geleceğe dair kaygılara kapılırlar. Vehimlerle önce psikolojilerini bozar, sonra da o psikolojik yıkımla intihara kadar kendilerini sürükleyebilirler.[33]

Bu insanların yüreklerini şüphelerden temizlemeleri gerekir. Bilimsel araştırmalarda gerçeği yakalamak, her işin aslını anlamak için insana verilmiş bir araç olan şüphecilik, -bu alanda son derece faydalı iken- Yaratıcının varlığını sorgulamaya yöneltildiğinde insanı hasta edebiliyor. Çünkü insanın varoluşsal problemlerinden biri olan ölüm

---

33 Les Lignes, 29

gerçeğiyle, sıradan insanlar ancak inançla baş edebilirler. Bir yaratıcının varlığını kabullenmeyen bir insan varoluştan getirdiği ölüm, değrililik, özgürlük ve iç dünyasındaki yalnızlık gibi içini kemiren hislere karşı sağlıklı mücadele edemez ve kendini psikolojik rahatsızlıkların kucağında bulur. İşte insandaki dinî duyguları temil eden işaret parmağının yassı uçlu olması bu konudaki vehim ve vesveseleri daha da güçlendiriyor. Böyle bir insan ne yapıp etmeli, kendini sağlam bir inanca monte etmeli. Aksi takdirde bu parmağın işaret ettiği dürtüler onun içini kemirmeye devam eder. Bu da karamsarlıkları ve intihar etme duygularını getirir beraberinde. İşaret parmağının ilk boğumu yassı olan kimseler buna dikkat etsinler. Bunu kendisiyle baş edilmez bir kader değil, kendisi ile mücadele edilmesi gereken kötü bir gen farz etsinler!

Kalın: Kalın bir orta parmağı ucu, kaba, bayağı ve maddeci bir tabiatı yansıtır. Dinde araştırmacı değildirler. Kulaktan duyma bilgilerle yetinirler.

Sivri: Fevri hareket edebilen, tedbire gerek duymayan ve bu yüzden de sık sık "düşüncesizlik" denilebilecek durumlara kendini düşüren bir yapıyı sergiler. Uyuşulması zor bir tabiatı yansıtır.

İyi bir eğitim almış işaret parmağı sivri bir insan, esasında insanlık adına yeniliklere açılan bir kapıdır. Çünkü bunlar sürekli bir hâlden başka hâle geçebilen tiplerdir. Bir laboratuvarda çalıştırdığınızda, onlardan çok değişik fikirler çıktığını görürsünüz. Mamafih orada da geçimsiz olurlar...

Yaradılışlarında var geçimsizlik. Ahlak boyutunda yeterince beslenmemiş olanlar hoppa ve hafifmeşrep de olabilirler.

Kare: Birinci boğumu kare olan bir orta parmak, ağırbaşlı ve disiplinli bir yapıyı sergiler. Müsamahasız ve kuralcıdırlar.

Doğru bir eğitim aldıklarında çok güzel işler başarırlar insanlık adına. Maddi imkânları da rahat olur.

Etli: Ciddiyetten uzak, patavatsız ve yüzsüz bir tabiat belirtisidir. Özellikle inançsal konularda fazla ciddi değillerdir.

Yuvarlak: Yuvarlak bir ilk boğum orta parmakta, toplumcu, katılımcı, dışa açık bir tabiat sergiler. Bu tipler gerçekten hayatı güzelleştiren insanlardır.

Geriye Dönük: Orta parmakta geriye dönük bir uç, dost canlısı; yaşamaktan ve yaşatmaktan keyif alan bir insanı haber verir. Yaşama sevinciyle doludurlar. Girdikleri her ortama hemen o ışığı yayarlar. Caddede yürürken de onları hemen tanırsınız. Çünkü herkese selam verir, herkesin hâlini sorarlar. Ve hep mütebbessimdirler.

Çengel: Ucu (birinci boğumu) çengel gibi olan bir orta parmak suskun, kuşkucu bir mizaçtan haber verir. Bunlar bencil ve cimridirler. Bazen merhaba demek bile canlarını sıkabilir. Dar canlıdırlar, inanmakla inanmamak arasında bocalayıp dururlar... Tutkularını açık etmekten hoşlanmazlar ama gizli ve derin tutkuları vardır.

Bu tiplerle ilişki kurmak esasında kolaydır bir yönüyle de. Çünkü içlerinde mutsuz bir çocuk barındırırlar. O çocuğa ulaşabilirseniz ona her şeyi yaptırabilirsiniz...

Kuru: Bilhassa inançlar konusunda korkunç bir şüphecilik içindedirler. İstediklerini elde edememişlerse cidden tehlikeli bir kıskanç da olurlar. Sağlıklı bir eğitim almamışlarsa bunlar bencil ve kibirli olurlar.

Bilindiği gibi vakar ile kibir arasında ince bir çizgi var. Eğitimli ve inançlı bir insanda bu özellik, vakar olarak dışarıya yansır. Tersinde ise kibir olur ve kıskançlık olur.

Aynı şey kıskançlık ve gıpta arasında da vardır. Gıpta etmek, bir insanın başarısına öykünmektir, aynısını veya daha iyisini yapmak için çaba sergilemektir. Kıskançlık ise, bir başarıyı kıskanıp o başarının yok olmasını istemektir.

Hiçbir sıfat tamamen kötü ve tamamen iyi değildir. Sizler de fark ettiniz ki her bir işaretin iyi ve kötü anlamları vardır. Demek ki bir el yorumunda dikkat edilmesi gereken en önemli hususlardan biri de insanın eğitim, inanç ve ahlak yapısını bilmektir. Ahlak ve inanç, insandaki en kaba hisleri daha inceltebilir, yararlı hâle getirebilir...

İşaret Parmağına Meyilli: Dünya nimetlerine, ziraata, bağ bahçe işlerine düşkünlüğü gösterir. Tabiat sevgisi işaretidir.

Yüzük Parmağına Meyilli: Dışa açık, gizlisi saklısı olmayan, içi dışı bir, açıklık politikasını seven bir kişilik belirtisidir. İyi reklamcıdırlar. Kendilerini satmasını bilirler.

İKİNCİ BOĞUM (Kemik)

Uzun: Orta parmağın ikinci kemiği uzun olan insanlar gizli ilimlere çok meraklıdırlar. Mahallede kimin nesi var, kim kiminle nasıldır bilirler. Ama asıl ilgi alanları toprak ve toprakla ilgili mesleklerdir. Toprakla haşır neşir olmayı her şeye tercih ederler. İyi birer çiftçi, ziraatçı ya da botanikçi olurlar.

Fakat ilginçtir, iyi casuslar da bunlardan çıkar. Tecessüs kabiliyetleri onları bu alanda da temayüz ettirir. Çok değişik alanlara meraklıdırlar. Mesela, karıncaların dünyası, ay hareketlerinin insan davranışları üzerindeki etkileri, yaşadığı iklimde kaç tür bitki yaşadığı vs gibi hiç umulmadık alanlarda bilgi sahibi olurlar. Toplum bilgesidirler...

Kısa: Orta parmağın ikinci kemiğinin kısalığı doğal çevreye karşı ilgisizliği gösterir. İlgisiz, dikkatlerini bir noktaya toplayamayan (konsantrasyondan mahrum) ve bu yüzden de işte başarılı olamayan kimselerdir bunlar.

İnceleme, araştırma yeteneğinden de yoksundurlar. Uzun süre bir mesele üzerinde çalışmak bunları bıktırır, usandırır.

Üzerlerine aldıkları işi bir an önce bitirip boşa düşmeyi tercih ederler.

Kalın: Orta parmağın ikinci boğumunun kalın olması hakikaten zanaatkârlığı gösterir. Bu insanlar pratiklik gerektiren bütün işlerde maharetli olurlar.

Sosyal değillerdir. Entelektüel olmak gibi bir kaygıları da yoktur. Onlar başını eğip saatlerce ve dikkatlice işleyecekleri bir tahta parçasını, bir ahşap oymacılığını tercih ederler. Saraç, sarraf, marangoz vs gibi tamamen bireysel yaratıcılık gerektiren işlerde çalışmaktan keyif alırlar. Maddi açıdan bazen varı bazen yoku yaşasalar da genelde kimseye muhtaç olmazlar. Arı gibi çalışırlar. Teknokrat yapıdadırlar.

Şiire, güzel sanatlara fazla önem vermezler ama sohbeti severler.

Etli: Bunlar, âdeta dünyaya ziraatla uğraşmak, bağ bahçe işleri yapmak için gelmişlerdir. İnsanlık onlara çok şey borçludur. Hangi tohumu hangisi ile eşleştirirse ne çıkar merak ederler. Öyle tahmin ediyorum ki bugün sebze, meyve ve tohumların bugünkü hâle gelmelerinde bu tür insanların büyük emeği var...

Kuru: Bunlar da zekâ küpüdürler. Boğum kısa olmamak kaydıyla kuru bir ikinci orta parmak boğumu, zekâ gerektiren her işte maharetli gösterir. Son derece zekidirler. Zekâları aynı zamanda sezgiseldir. Buna karşılık pratik değillerdir. El işlerini fazlaca beceremezler.

Her erkeğin bir kadına ihtiyacı vardır denilir ya, belki de özellikle bu tip erkekler için söylenmiştir... Kadını da erkeği de pratik beceri gerektiren işleri sevmezler.

ÜÇÜNCÜ BOĞUM (Kemik)

Uzun ve Zayıf: Orta parmağının üçüncü kemiği uzun ve zayıf olması zahmetli bir hayatı, meşakkatli bir ömrü temsil eder. Halk arasında 'kaderi kötü' diye tabir edilen cinsten insanlardır bunlar. Erken yaşta anne-babadan birini veya ikisi kaybederler. Kaybetmeseler bile onların desteğini görmeden hayata tutunmak zorunda kalırlar. Her vardığı yerde bir yardımcı bulan insanlara karşılık, bunlar var olan yardımcılarını kaybederler. Yalnızdırlar.[34]

Öz itibarıyla iyi insandırlar fakat hayat onlara genelde zor ve zahmetli tarafını gösterdiği için bir parça küskün yaşarlar. Talihsizdirler.

Uzun: Orta parmağının üçüncü boğumu uzun olanlar -tabii etli olmamak şartıyla- aşırı derecede tutumludurlar. Çok iyi iktisatçı olurlar. En az maliyetle en iyi sonuç nasıl alınır bilirler. Büyük şirketlerde satın almanın başına konulsalar en uygun yerde istihdam edilmiş olurlar. İnsan kaynakları açısından dikkate değer bir tiptir. Doğal olarak bu insanların toplum tarafından cimri sayılacağını bilirsiniz. Evet cimridirler. Kendi nefislerine karşı da cimridirler. Çok istedikleri bir şeyi "sanki yedim" deyip bakıp geçerler.

Bazılarında bu, tamahkârlık derecesindedir. Hakikaten cimridirler. Yaşarken acınacak durumda sanılan bu tip insanların, öldüklerinde büyük servet sahibi oldukları çok kere görülmüştür.[35]

Kısa: Tutumluluk, yerli yerince harcama belirtisidir. Bunlar sürekli ekonomik düşünce içindedirler. Sohbetlerinin konusunu, parayı nasıl kazandıkları (özellikle zorluklar bakımından) teşkil eder. Cimri değildirler ama fuzuli beş kuruş

---

34 Les Lignes, 30
35 Gİ, 114

harcamazlar. Tamahkâr da değillerdir. Kelimenin en doğru şekliyle tutumlu insanlardır bunlar.

Kuru: Orta parmağının üçüncü boğumu kuru kimseler iyi araştırmacıdırlar. Ne var ki mutsuz, içlerine kapanık, sosyal çevreye karşı aldırışsız kimselerdir. Ama zararsız insanlardır.

Kalın: Maddeci, menfaatçi bir yapıya işaret eder. Ama bunu illa da kötü anlamda almamak gerekir. Kendisini garantiye almak her insanın tabiatında vardır. Bunlarda ise biraz abartılıdır o kadar. Haklarını yedirmediklerini, nasıl da başarılı bir taktikle hakkını aldığını anlatmaktan keyif alırlar.

Etli: Cimrilik, bencillik ve bayağılık işaretidir.

Esasında etli bir ikinci boğum, kesinlikle servet u saman alametidir aynı zamanda. Ama onların mantığına göre, cimri olmadan o varlık var edilemiyor demek ki.

Cimrilikle varlıklı olmak birbirine yakışmıyor olsa da bu tipler, karakterlerinde bu ikisini bir arada barındırabiliyorlar.

YÜZÜK PARMAĞI (GÜNEŞ PARMAĞI)

Elimizin en zarif parmağıdır. Ele takılacak süs eşyalarını onda taşırız. Bağlılıklarımızın, aşkımızın sembolüdür o. Aşklarımızı ve zevklerimizi temsil eder.

Bir insanın tasarım ve kompozisyon kabiliyetini bu parmaktan anlarız. Sanatların temsilcisidir ve Apollon parmağı diye de anılır.

Bilhassa -ileride göreceğimiz gibi- altında güneş çizgisi varsa bu parmak çok önemli işaretler verebilir istikbal ve başarılacaklar açısından. O yüzden dikkatle incelenmelidir.

Belli başlı görünüşlerine gelince:

Uzun: Uzun yüzük parmağı, güzellik tutkunu bir tabiatı sergiler. Bu insanlar şatafattan, tiryakiliklerden ve tutkulardan haz duyarlar. Yaradılış olarak bohem bir hayata meyillidirler. Her sanata karşı yetenekleri vardır. Ve tabii doğal olarak savurgandırlar. Hatta israftan özel bir zevk alırlar dersem abartmış olmam.

Kısa: Kısa yüzük parmağı ise yukarıda anlatılanların tam tersi, kaba, sanatkârane tavırlardan yoksunluk işaretidir. Küstah ve duygusuz olabilirler.

Duyguları taşkın değildir. Uzun süreli bir aşk yaşamazlar. Esasında bunlarda aşk cinsel dokunuştur. Hayvani iç dürtüleri bedii zevklerini bastırmıştır.

Dikkat! Tabii ki tüm bu söylediklerimiz, eğitilmemiş bir yapı için geçerlidir. İnsanın eğitilmesi demek, yaradılışında var olan eksiklikleri tamamlamak veya taşkınlıkları dizginlemek içindir. İnsan öğrenerek mükemmelleşen bir varlıktır. Bir insan şu yargılara bakıp çok kötü bir insanla karşı karşıya olduğu hissine kapılmamalı. Evet, o vasıflar ve hâller doğasında olabilir ama o insan kendini eğiterek ve ahlak ile güzelleştirerek bütün bu hâllerden kendini uzaklaştırmış olabilir...

Kalın: Kalın yüzük parmağı maddeci ve cimri bir tabiata işaret eder. Kendilerini iyi satarlar. Reklamcıdırlar, günahlarını da sevaplarını da uluorta sayıp dökerler.

İnce: İnce bir yüzük parmağı, bütün sanatlara karşı derin bir ilgiye ve üretken sanatsal yeteneklere işaret eder. Soyut düşünce ve biçimleri kolay kavrarlar. Eskilerin zevk-i bedii dedikleri teorik güzelliklere, düşünsel hazlara açıktırlar.

Yumuşak: Yumuşak ve esnek bir yüzük parmağı kadar insanda artistik eğilimlerin varlığını gösteren bir işaret az bulunur.

Güzel olan her şeye karşı derin bir hayranlık duyarlar. Yüksek bir taklit kabiliyetleri vardır. Ünlü stand -upçıların elini görmek nasip olmadı ama sanırım onların şehadet parmakları da yumuşaktır. Her şeye kolay uyum sağlarlar.

Boğumlu: Eklemleri boğumlu (yani eklem yerleri kabarık) yüzük parmağı prensip sahibi, metotçu bir kişilikten haber verir. Her işlerini büyük bir düzen içinde yaparlar. Hüsnüniyet sahibidirler. Herkes hakkında iyi düşünce beslerler. Defalarca aldatılmadan birilerinin onları kandırabileceğine inanmazlar.

Parlak: Derisi parlak yüzük parmağı güzele karşı hassas ve sezgili bir tabiatı sergiler. Derin hisleri vardır, fakat ifade etme güçlüğü çekerler. Sanatkârdırlar ama velut değiller.

Gergin: Sistemli çalışan ama dar kalıplardan kurtulmayı başaramayan bir yapıyı sergiler.

Orta Parmakla Denk: Orta parmağa denk uzunluktaki yüzük parmağı şiddetli oyun merakını gösterir. Büyük kumarbazlarda (kazanan) bu parmak ince, uzun ve üçüncü kemiği etlidir.

Biçimsiz: Biçimsiz bir yüzük parmağı, kendisinde olmayan yetenekler ve yapmadığı şeylerle övünme arzusunu açığa vurur. Eğer eğitilmemişler ve bu huylarını sağlam bir ahlak ile iyiye dönüştürmemişlerse hakikaten ikiyüzlüdürler. Şartlar neyi gerektirirse öyle davranırlar. Münafık tabiatlıdırlar diyeceğim ama içlerinde nefsini terbiye etmiş olanlar da vardır diye diyemiyorum. Bu hâl, kıskanç; yani başkasının elindekini kıskanan bir yapıyı da gösterir. **Parmakları Kırıkmış Gibi Görünen El** bahsine de bakınız!

BOĞUMLARI (Kemikleri)

Yüzük parmağının;

Birinci Kemiği: Sanat duygusu ve ideale erişme arzusunu,

İkinci Kemiği: Estetik duygusunu; yani güzellik-çirkinlik konusunda ince tahlil gücünü,

Üçüncü Kemiği: Çalım, gösteriş arzusu ve sanat hayatını sergiler. Bu boğum ayrıca, kişinin yapısında kıskançlık, haset ve heves gibi hasletler bulunup bulunmadığını da sergiler.

BİRİNCİ BOĞUM (Kemik)

Uzun: Birinci boğumu uzun olan bir yüzük parmağı, asil bir sanat zevkini, ideal bir estetik duygusunu, güçlü bir ilham ve seziş kabiliyetini ortaya koyar. Sanatçı kişiliğin gerçek ve şaşmaz işaretidir bu.[36] Oyunculuğunu ispat etmiş büyük artistlerin parmağı da böyledir. Çok güçlü rol kabiliyetleri vardır.

Çok Uzun: Tabii elin diğer unsurlarının da destekliyor olması şartıyla, birinci boğumu çok uzun bir yüzük parmağı, kendine özgü bir kişiliği sergiler. Orijinal bir karakteri yansıtır... Yaptıkları her işte bir özgünlük vardır. Gerek hat olsun gerek resim olsun ve gerekse şiir olsun, her türlü sanatsal çabalarında onların özgün kimliğini görürsünüz.

Fakat ciddi bir zaafları vardır; kırılgan, alıngan, duygusal ve bazen şahane tembel olabiliyorlar. Maddeten desteklenmedikleri takdirde bazen hayatın zor şartları karşısında yıkılırlar. Çünkü para kazanmasını bilmezler. Onlar estetiği inşa etmek için yaratılmışlardır, para kazanmak için değil.

Kısa: Kıt ve dar bir sanat anlayışını gösterir. Sanatkârdırlar evet ama güçlü yapıları tekrar etmekten kendilerini alamazlar. Özgür eser ortaya koyamazlar ancak geleneği sürdürebilirler. Duyguların temizliğine de işarettir.

Bu durum, özgüven eksikliğinden de haber verir. Kendine güveni olmayan, para ve dil konusunda beceriksiz, basit ve saf yapılıdırlar.

Kalın: Sanatkârane bir duygusallığın sembolüdür. Güzelliğe tutkundurlar ve tabiatları icabı sevimlidirler.

---

36 Les Lignes, 31

İnce: İnce bir birinci boğum, renkli ve canlı bir imaj gücünü yansıtır. Büyük bir tasavvur ve canlandırma yeteneğine sahiptirler. Bunlar iyi şair, büyük senarist ve güçlü film yönetmeni olurlar. Hele parmak uçları köşeli ise...

Boşlukta mekân kurma ustasıdırlar. Ünlü yazılımcılarda (softwareciler) da bu boğum incedir.

Yassı: Türlü sanat dallarına mahareti yansıtır. Bunlar iyi birer müzisyen, artist ve heykeltıraş olurlar.

Etli: Güzellik tutkusu, estetik anlayışı ile beraber bedenî hazlara düşkünlüğü ve şehvetperestliği de yansıtır. Çok kışı zamanda bohem bir hayata dalabilirler. Terk edilmesi zor tiryakiliklere açık bir yapıdadırlar.

Kuru: Aşırı duygusallık ve güçlü bir hayal kudretini sergiler. Bunların ilham kudreti kesintisizdir. Ve müthiş bir yeni imajlar yaratma kabiliyetleri vardır. Zihinleri sürekli bir sağanak altındadır. Eski Araplar, büyük şairlerin cinleri olduğuna ve o cinlerin şairlerin kulağına sürekli fısıldadığına inanırlardı. İşte bu insanlar o tür inançları doğrulayacak üretkenliğe ve ilham bolluğuna sahiptir. Sürekli ilham ve imaj bolluğu içinde müthiş bir yaratıcı sanat kudreti...

Kare: Sanat hayatında ve pratik hayatta başarıyı gösterir. Bunlarda servet aşkı ve sanat tutkunluğu eşit seviyededir. Sanatlarından geçinebilen insanlardırlar.

Konik: Artistik önsezileri yansıtır. Rol yapmada son derece başarılı olurlar. Konuşkandırlar, geveze denilecek kadar konuşkandırlar. Gerçek stand-upçıların parmak ucu uzun ve koniktir. İstedikleri zaman istedikleri kadar komiklik yapabilirler...

Sivri: Birinci boğumu sivri bir yüzük parmağı, mistik bir sanat anlayışından haber verir. Ortaya koydukları sanat eserleri o kadar soyuttur ki çoğu kere anlaşılmazlar.

Hayalcidirler. Ama hakikaten ince ve estetik bir sanat zevkleri vardır.

Yuvarlak: Yüzük parmağında yuvarlak bir birinci boğum, sanattan ziyade ticarette mahareti gösterir. Bunlar hakikaten ticari hayatta şanslıdırlar. Nerede ise hep kazanırlar denilebilir. Yüksek bir sezgileri de olduğu için ne zaman ne yapmak gerektiğini bilirler. Terkipçi (olgucu) bir düşünce kudretine sahipler.

Çengel: Bencil, istediğini gerçekleştiremeyen kısıtlı bir sanat anlayışını gösterir. Sanatla uğraşsalar da kendi özgün eserlerinden ziyade taklitle iş yapmaya çalışırlar. Kıskanç oldukları için sanat çevrelerinde pek sevilmezler... Ama kendilerini disipline ettiklerinde hakikaten tuhaf ve ilgi çekecek eserler ortaya koyabilirler.

Kıvrık: İçeri doğru hafif kıvrılıyormuş gibi duran birinci kemik, sanatçı yeteneği ve güçlü ifade kudretini temsil eder. Fakat bu aynı zamanda özgüven eksikliğinden ve korkulardan da haber verir. Sık sık gereksiz kaygılara kapılırlar.

Orta Parmağa Meyilli: Birinci boğum orta parmağa meyletmişse bu, o kişinin kaderci, teslimiyetçi bir insan olduğunu gösterir. Bunlar sanatı sanat için yapmazlar, onunla geçinmeyi düşünürler. O yüzden de özgünlükten ziyade piyasada para edecek işlere yönelirler. Sanatı, maddi imkânlara kavuşma aracı yaparlar.

Bununla beraber tuhaf denilecek kadar kaderci oldukları da görülür. Alın yazısının şaşmaz bir şekilde gerçekleştiğine inanırlar.

Serçe Parmağına Meyilli: Bilgi, beceri ve maharet isteyen sanatlara daha doğrusu zanaatlara yatkınlığı gösterir. Ve tabii ki o alanlarda başarıyı sergiler.

İKİNCİ BOĞUM (Kemik)

Uzun: İkinci boğumu uzun olan bir yüzük parmağı, nevi şahsına münhasır (özgün) eğilimleri ve sanatta öncü bir ruhu yansıtır. Bunlar sanatın her dalında kabiliyetli, enerji dolu, mantıklı insanlardır. Sıradan olmamak için her türlü tuhaflığı ve acayipliği yaparlar. Büyük bir muhakeme kudretleri vardır.

Kısa: Sanatkârane bir tabiatı yansıtmakla birlikte sanat eseri üretmekte karşılaşılacak güçlükleri yansıtır. Eser vermede şanssızlıklarla ve güçlüklerle karşılaşırlar. O yüzden de sık sık kaderlerinden yakındıklarını duyarsınız. Gururludurlar ve kendilerinden bahsetme arzusuyla doludurlar.

Kalın: Becerikli, realist ancak orijinaliteden mahrum bir sanat anlayışını yansıtır.

İnce: İdealist bir sanat anlayışını gösterir.

Kuru: Zeki, akıllı ancak ifadesi cansız bir hitabet kabiliyeti ve sanat anlayışını yansıtır. Yazıları tutarlıdır, doludur ama ifadeleri cansız ve kurudur. Üslupları akıcı değildir.

Etli: Realist bir sanat anlayışından haber verir. Düşüncelerini kolayca ve cesurca anlatabilirler. Güçlü ve parlak bir ifade melekeleri vardır. İyi hatip olurlar! Tüm ünlü vaiz ve etkili konuşan rahiplerin yüzük parmakları parlaktır ve etlidir.

ÜÇÜNCÜ BOĞUM (Kemik)

Uzun: Kibirlilik, sanata kabiliyet ve zenginlik işaretidir. Sanatta başarıyı ve büyük bir şöhreti vadeder.

Kısa: Maddeci, menfaatperest bir sanat anlayışını sergiler.

İnce: Zahmetsiz bir hayat anlayışını sergiler. Çalışmayı hiç sevmezler. Âdeta bohem hayatı yaşamak için yaratılmışlardır.

Tabii ki kimse bohem olsun diye yaratılmaz. Ama bu insanlar doğal dürtülerini disipline etmeyi göze almazlar. İçlerinden geldiği gibi yaşamayı severler. Bu da onları bohem yapar. Babadan kalma bol paraları yoksa hayatlarını ikinci devresinde sefalete düşerler.

Kuru: Realist bir kişiliği yansıtır. Hayatı olduğu gibi kabul ederler. Zengin veya fakir olmak, rahat veya zor bir hayat yaşamak onları ciddi derecede ilgilendirmez. Âdeta varoluşçu felsefenin mücessem temsilcileridirler... Hayatlarından şikâyet etmezler, değiştirmek için de çabalamazlar.

Etli: Kasıntılı, kendini olduğundan farklı gösterme eğilimini yansıtır. Hep kendini olduğundan iyi ve becerikli gösterme çabası içindedirler. Zengin olmadıkları hâlde zenginmiş gibi, asil olmadıkları hâlde asalet sahibi imişler gibi davranırlar.

Bu bazen sanatkârane üstünlük kabiliyetini de yansıtabilir. Çünkü bir boğumun etli olması, daima o boğumun temsil ettiği alanla ilgili maddi imkânları temsil eder.

SERÇE PARMAĞI (MERKÜR)

Serçe parmağı, meslek, ticaret ve bilim (ilim) parmağıdır.

Karşımızdaki insanın ustalığını, kurnaz olup olmadığını, diplomasi yeteneğini, belagat gücünü, becerisini, sosyal veya asosyal kişiliğini, bilim tutkusunu bu parmaktan anlayabiliriz. Yeter ki parmağı iyi inceleyip diğer parmaklarla dikkatlice karşılaştıralım.

Uzun: Uzun serçe parmağı canlı, uyanık bir şahsiyet ve becerikli bir yapıyı gösterir. Bunlar neyi nasıl yapacaklarını -sanki içgüdüyle- çok iyi bilirler. Hangi meslekte olurlarsa olsunlar başarıya ulaşırlar. Özellikle bilimde ve tıpta arzu ettikleri noktaya kadar varırlar.

Hele hayat çizgisinin ucu, taşıp Jüpiter tepesine ulaşıyorsa bu insanların mesleklerinde tanınır olmamaları hemen hemen imkânsızdır.

Kısa: İlgisiz ve duyarsız bir kişiliği sergiler. Fakat önsezileri güçlüdür. İçgüdüleriyle hareket ederler. Duygularını rahatlıkla gizleyebilirler.

Bu parmak kırılmış da yanlış kaynamış gibi bir yapı arz ediyorsa hakikaten tehlikeli bir fıtrattan haber verir.

Kalın: Bayağılık, yalancılık, özellikle ticarette hilekârlık ve kurnazlık anlamına gelir. Bunlar insanları rahatlıkla kandırabilir ve aldatabilirler.

Müthiş bir ticari zekâları vardır. Eğer bu zekâlarını ticarette veya zanaatta kullanmıyorlarsa muhakkak fırıldak çevirerek iş görürler. Bul karayı al parayı yapanlar, hokkabazlar, el çabukluğuyla işler yapıp insanlardan para alanların büyük bir kısmında serçe parmağı kalın ve küttür.

İnce: İnce serçe parmağı, ruhi zayıflık ve kıskançlık/hasetlik işareti olarak bilinir. Bencildirler. Eğer bu duygularını eğitmemişlerse en küçük bir çıkar için en yakınındaki insanları alet edebilirler. İmkân bulduklarında hile yapmaktan sakınmazlar. (Tabii ki bu yargılar, kendilerini eğitmemiş ince serçe parmaklılar içindir.)

Eğer kendileri eğitmişlerse ve yüreklerinde inanç yerleştirmişlerse idealist bir dost olurlar. İçlerinde hissettikleri o zayıflıktan dolayı sıkı bir dost olurlar ve sevdiklerine delice sarılırlar. İçlerinde duydukları acz ve zafiyet onları güçlü dostluklar ve ittifaklar yapmaya sevk eder. O zaman da arkadaşları için olmadık tehlikeli işlere girerler.

Yumuşak: Yumuşak bir serçe parmağı, sosyal bir kişiliği, nazik ve nezaketli bir yapıyı sergiler. Bunlar ince fikirlidirler ve ticarette başarılıdırlar. Esnaf iseler işlerini düzgün yaptık-

ları gibi lazım olduğunda da çevrelerindeki herkesin yardımı-
na koşarlar. Genelde de 'baba' diye bilinirler.

Gergin: Gergin serçe parmağı kibir, gurur ve dik başlı-
lık belirtisidir. Bunlar birilerine hava atmayı, kendilerini ve
kendilerine ait olan şeyi -isterse en kötü olsun- övmeyi huy
edinmişlerdir.

Boğumlu: Boğumlu (eklemleri kabarık) serçe parmağı
ideal bir tüccar yapısını sergiler. Denilebilir ki bu, ticari de-
hayı gösterir.[37]

Eklemleri kabarık bir serçe parmağı, aynı zamanda bilim-
sel düşünme kabiliyetinin ve bilim için gerekli yeteneklerin
varlığını gösterir. Erken yaşta bunların belirlenip bilimsel ça-
lışmalara kanalize edilmeleri ülke için önemli bir yarar getirir.

Zaten kendilerini daha ilk yaşlarda gösterirler ama bizim
eğitim sistemimiz, yeteneklerin tespitini ön gören bir eğitim
sunmadığı için bu tiplerin çoğu heder olup gider...

Ayrık: Diğer parmaklardan ayrık duran serçe parmağı
bağımsız ve müstakil yaşama arzusunu ve özgün fikirli bir
yapıyı sergiler. Onurlarına da çok düşkündürler. Bu insanlar
kendilerine yapılan kötülük karşısında en delice hareketlere
başvurabilirler.[38]

Parlak: Hızlı kavrayış ve ani sezme gücünü temsil eder.
Bu tipler, istihbarat teşkilatlarında çalıştırılabilecek idealde
bir fotoğrafik zekâya ve sezgiye sahiptir.

Yüzük Parmağına Meyilli: Yüzük parmağına meyil-
li bir serçe parmağı, büyük bir ticaret yeteneği gösterir. Bu
insanlar ticaretleriyle dikkat çekecek, şöhret bulacak çapta
insanlardır. Fakat bu eğim çok fazla ise bu takdirde hırsızlık
istidadı olarak yorumlanır.

---

37   Les Lignes, 33
38   Age, 33

BOĞUMLARI (Kemikleri)

Birinci kemik: Sosyal ilişkiler ve önsezi kabiliyetini,

İkinci kemik: Pratik anlayışı, tefrik etme gücünü, hak ile batılı ayırabilme kabiliyetini,

Üçüncü kemik: İş becerisini ve maddi şansı ifade eder.

BİRİNCİ BOĞUM (Kemik)

Uzun: Serçe parmağının birinci boğumunun uzun olması belagat, hitabet kabiliyetini gösterir. Sahibinin ince fikirli, kibar, nezaketli bir insan olduğunu yansıtır. Bu insanlar, hakikaten hem güzelden hem güzellikten anlayan hem de bunu hisseden sevgi dolu insanlardır. Ve tabii yeterince bilim merakı ve ticari kabiliyetin varlığını da gösterir. Bilimsel bir alanda derinleşmeye ve uzmanlaşmaya olan yeteneği sergiler.

Kısa: Serçe parmağının birinci boğumunun ikinci ve üçüncü boğumlardan daha kısa olması, iş hayatında karşılaşılacak sıkıntıları ve onlar yüzünden uğranacak başarısızlıkları haber verir. Ve tabii hitabet eksikliğini ve belagat yoksunluğunu da... Esasında "zihni tembelliği temsil eder" dersek en isabetli sözü söylemiş oluruz.

Kalın: Birinci boğumu, diğer iki boğumundan daha kalın bir serçe parmağı, namus ve ahlak konusunda larçlığı gösterir. Meşrebi geniş denilen cinsten biridir. Ahlaka ve namus ilkelerine karşı kayıtsızdır. Bedenî hazlarını tatmin etmeyi bedii lezzetlere tercih eder. Eğer iyi bir ahlak eğitimi almamışsa ve inançları da zayıfsa başkalarını namusunu zedelemekte beis görmez. Kalınlık ayrıca değişken ruh hâllerini, sık yaşanan gelgitleri de anlatır.

İnce: Ruhi zayıflık ve kurnazlık işaretidir.

Etli: Bayağı ve kaba bir mizacı, nezaketten yoksun bir yapıyı sergiler.

Kuru: Güzel, tatlı ve etkileyici konuşma kabiliyetini gösterir. Ve tabii hoş bir tabiattan, nazik bir mizaçtan ve ince bir ruhtan da haber verir.

Yassı (meblağı): Yumuşak tenliliği ve ruhi yetenekleri sergiler. Yatak hayatları zengindir. Hipnotizma, büyü, medyumluk ve benzeri gizli ilimlere eğilimlidirler ve bu konularda başarılı olurlar.[39]

Kare: Birinci boğumu kare olan bir serçe parmağı, mantıklı, muhakemeci, münevver bir yapıyı haber verir. Aydın insan parmağıdır bu.[40]

Yuvarlak: Normal kabiliyetlerden haber verir. Ticaret, ilim, araştırma vs konularında başarıların vasat olacağını gösterir.

Konik: Fıtrattan gelen bir hitabet kabiliyetini yansıtır. Bunlar yaradılıştan hatiptirler. İyi bir söz ve kelime ustası oldukları gibi zaman zaman işte de kurnazlık yapabilir, hileye başvurabilirler.

Sivri: Yüksek fakat anlaşılması zor önsezileri yansıtır. Yüksek bir medyumluk kabiliyetleri vardır ama sezgilerini tam olarak ifade edemedikleri için pek anlaşılmazlar. Birçok hadiseyi önceden sezer ve hissederler.

Çengel: Her konuya yatkın, her işi başarabilir bir yeteneği yansıtır.

Kıvrık: Geriye kıvrık birinci boğum başkalarının işine burnunu sokma huyunu gösterir. Her işe karışır ve bu yüzden başı dertten kurtulmaz.[41]

---

39 Les Lignes, 33
40 Age, 33
41 Age, 33

İKİNCİ BOĞUM (Kemik)

Uzun: Bir serçe parmağının ikinci boğumu diğer iki boğumundan uzun ise her işe yetenekli bir yapıyı gösterir.

Bunlar menfaatlerini iyi kollarlar. Başkalarının gözünü kamaştırmayı bilirler. Kendilerini çok başarılıymış gibi gösterirler ve başarırlar. Sağlam bir ahlaki eğitim almamışlarsa hoppa, yılışık ve tam bir züppe tip olabilirler.

Kısa: Son derece dürüst, saf ve temiz bir yaradılışı sergiler. Budala, ahmak denilecek kadar saftırlar. Aynı delikten defalarca ısırıldıkları hâlde, bu kere bir şey olmaz deyip yine insanlara güvenmeyi yeğlerler. Samimi ve saf oldukları için sık ve çok çabuk kandırıldıklarını söylemeye gerek yok. O kadar samimidirler ki âdeta mazlumdurlar. Fakat hilesiz ve saf insanlar oldukları için hemen hemen yöneldikleri tüm alanlarda önünde sonunda istedikleri yere gelirler. Bilhassa politikada, sosyal medyada, ticarette çok taraftarları olur. Saflıktan haz etmeyenler onlardan nefret eder. Ama insanların ekseriyeti onları sever. Yatıştırıcı bir tabiatları vardır çünkü.

Kalın: İkinci boğumu daha kalın olan bir serçe parmağı, maddi manada doygunluğu gösterir. Bunlar hakikaten müstağni insanlardır. Kimsenin elindekine tenezzül etmezler. Onurludurlar. Toplumda saygın bir yer edinmeyi başarırlar.

İnce (zayıf): Cimri, bencil, açgözlü bir yapıdan haber verir.

Kuru: Soğuk bir mizacı yansıtır. Katı tutumlu ve hesapçıdırlar. Kimseye muhtaç olmak istemezler. O yüzden de ellerindekini çok verimli kullanırlar.

Etli: Bağımsızlık arzusunu yansıtır. Zevk-tapar, sadist bir mizaçları vardır. Eğer nefislerini ıslah etmemişlerse ve katı bir ahlak prensibi edinmemişlerse sapık ilişkilere karşı zaaf derecesinde eğilimli olurlar.

ÜÇÜNCÜ BOĞUM (Kemik)

Serçe parmağının üçüncü boğumu insanın iş becerilerini ve maddi şansını temsil eder demiştik. Bu çerçeveden bakıldığında;

Uzun: Uzun bir üçüncü boğum o insanın yüksek iş yapabilme kabiliyetini gösterir, hem de maddi anlamda şanslı olduğunu... Mesela birbiriyle ortaklık yapacak kimselerin ilk bakmaları gereken yerlerden biri de serçe parmağının üçüncü boğumudur. Serçe parmağının üçüncü boğumu uzun olanlar, neye ellerini uzatsalar başarıyla dönerler.

Kısa: Başarısızlık, disiplinsizlik, çabuk bıkma usanma ve işinin hakkını verememe ihtimalini yansıtır. İş hayatında talihsizdirler.

Kalın: Kalın bir üçüncü boğum, ticarette, başarı için olmadık yollara başvurma eğilimini sergiler. Para kazanma hırsları o kadar yüksektir ki en yakın dostunu bile kandırabilir. Kazık atabilir.

İnce: Doğru iş yapmadaki zaafı gösterir. Hileye başvurabilirler. Ama zarif insanlardır da...

Kuru: İzzetli, onurlu, hakperest ve yardımsever bir tabiatı yansıtır. Ticaretin içindeki ana unsurlardır bu insanlar. Kimseyi aldatmazlar, doğru iş yapmak için kendilerine dahi zarar verebilirler.

Etli: Becerikli, zengin, cömert ve rahat bir ticari hayatı gösterir. Normalde cömert de olmaları gerekir ama bazen aşırı mal sevgisi yüzünden cimri davrandıkları görülebilir. Bunlar har daim birkaç aileye bakacak kadar rahat kazanırlar...

GENEL OLARAK EĞRİ PARMAKLAR

Romatizma gibi hastalıklar veya bir kaza sonucu eğrilmiş olmamak şartıyla genel olarak şehadet parmağı eğri ise şerefsizliği gösterir. Orta parmak eğri ise kalıtımla ilgili zekâ geriliklerini temsil eder. Yüzük parmağı eğri ise yeteneklerin yanlış yolda kullanıldığını ifade eder. Serçe parmağı eğri ise samimiyetten yoksunluğu, kendi çıkarı uğruna yanlış yöne sapmayı ve saptırmayı gösterir. Bu tipler iyi eğitim almış veya sağlam bir inanca sahip iseler tabiatlarındaki bu sapmaları rahatlıkla yok ederler.

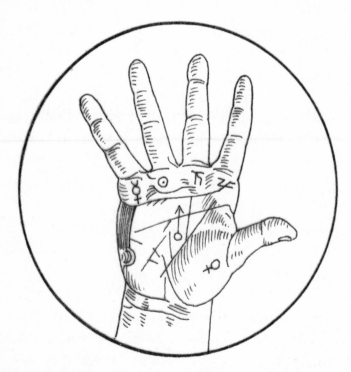

Eski Zamanlardan beri gezegenlere el ayası arasında bir ilişki bulunduğuna inanılır. Orta Çağ Avrupasın'nda çizilmiş avuç içindeki tepelerin hangi gezegenden etkilendiği belirtilmiştir.

İŞARETLER

Avuç çizgileri incelenirken gözden uzak tutulmaması gereken unsurlardan biri de el içerisinde değişik bölgelerdeki işaretlerdir.

Bu işaretler, üzerinde yer aldıkları tepelere veya çizgilere göre ciddi anlamlar ifade ederler. Bunlar hangi derinlikte olursa olsun, çizgilerin izi kopuyor fakat istikametleri değişmiyorsa, her biri bütün hayat boyunca sürüp giden son derece önemli anlamlar ifade ederler.

Bununla birlikte bu işaretlerin bir değer taşıyabilmesi için iyice belirgin olmaları gerekir. Yani bir çizginin devamı veya ana çizgilerin kesişmesiyle meydana gelmiş olmalıdırlar.

Tabii bu işaretlerin, üzerinde bulundukları tepelere göre değişik manalar ifade edeceklerini göz önünde tutmak zorundayız.

Mesela Venüs tepesindeki bir yıldız bahtsız aşklardan haber verdiği hâlde, Jüpiter tepesindeki yıldız, muhteşem başarıların ve büyük bir iktidarın belirtisidir.

Şimdi avucumuzda görülebilecek işaretleri tek tek inceleyelim ve ne anlama geldiklerini aktaralım:

HAÇ (Şekil 19)

Haçın anlamı daha çok yerine ve biçimine bağlıdır. Eğer kolları ve uzunlukları eşitse bu iyiye işarettir; başarı ve şanslılığı simgeler. Şayet kolların biri uzun biri kısa ise o zaman kötüye işarettir ve başarısızlığı temsil eder.

Şekil 19

Bilhassa çizgiler üzerinde daha çok bir çarpı (x) işaretini andıran haç, o çizginin anlamıyla ilgili ciddi bir tehlikeyi haber verir.

YILDIZ (Şekil 20)

Şekil 20

Yıldız en az üç çizginin aynı noktada birbirini kesmesiyle oluşur.

Yıldız, Jüpiter tepesi -işaret parmağının altındaki tepe- hariç, nerede görülürse görülsün can sıkıcı, üzücü, kaba deyişle uğursuz bir hadiseye işaret eder. Başarısızlığı, düzensizliği ve yenilgiyi ifade eder.

Yıldız, aslında beklenmedik olayların işaretidir. Bu işaretin sebep olacağı şeyin şiddetini azaltmak mümkündür.

Mesela; kader çizgisinin bitiminde görülen bir yıldız, şayet ihtiraslar dizgin altına alınmazsa hayatın feci bir sonla noktalanacağını haber verir. Hızlı bir yükselişin ardından gelecek kötü akıbetin de habercisidir.

Hitler'in elinde böyle bir işaretin var olduğu konuyla ilgili bütün kitaplarda yer almıştır.

KARE (Şekil 21)

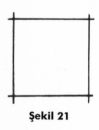

Şekil 21

Kare güzel bir işarettir. Kişinin oluşacak bir tehlikeden korunacağını gösterir. Ama bir elde bu işaretin bulunmaması daha iyidir. Çünkü bir yerde kare görülmüşse, önce o tepe ile ilgili birtakım sıkıntıların gündeme geleceğini fakat o sıkıntıların fazla yara açmadan geçip gideceğini söyler.

Kare bu açıdan çok mühimdir. Elde görülen ve kötü yargılara varmaya neden olacak işaret ve çizgilerin hükmünü iptal eder.

Mesela; Jüpiter (işaret parmağının altı) tepesinde bulunan biçimli bir kare, elde görülebilecek birçok kötü işareti hükümsüz kılar; en azından, o işaretin hayatımızda yapacağı tahribatın ölçüsünü şiddetini azaltır. Kötü sayılabilecek işaretlerin yanında kare yer alıyorsa, o olayı rahat atlatabileceğimizi bize hatırlatır.

Kare dengeleme işaretidir. İhtiyaç duyulduğunda kullanılan bir güç ve enerji kaynağı gibidir elde. Hiç olmaması yahut ona ihtiyaç duyacak hâllerin olmaması daha iyidir ama o var ise sıkıntıların hafif atlatılacağını haber verir.

DİKDÖRTGEN (Şekil 22)

Dikdörtgen hemen hemen kare ile aynı anlamı taşır. Fakat kare biraz daha kesin anlam ifade eder.

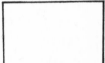

Şekil 22

Avuçta görülen dikdörtgenler, işlerin hep son anda bir şekilde çözülebileceğini haber verir. Bir gün var bir gün yok, işleri bir gün iyi bir gün kötü olanların elinde bu işaret sık görülür.

ÜÇGEN (Şekil 23)

Üçgen son derece güzel bir işarettir. Yalnızca Venüs tepesinde yani, başparmağın üçüncü boğumunu teşkil eden etli kısmında olumsuzluk özelliği taşır. Yoksa üçgen, başarının ve dengenin sembolüdür.

Şekil 23

Bilimsel yeteneğin varlığını sergiler. Zekânın belirtisidir.

Üçgen bir yerde görüldü mü o tepenin veya yerin temsil ettiği konularda işlerin yolunda gideceğini haber verir...

IZGARA (Şekil 24)

Şekil 24

Izgara zafiyetin işaretidir. Bir yerde ızgara şekilleri oluşmaya başladı mı o bölgede ciddi bir güç kaybının yaşanmakta olduğunu gösterir. Elde dikine, yukarıya doğru uzanan çizgiler makbuldür. Parmaklarda da avuç içinde de yukarıya doğru uzanan çizgiler daha makbuldür. Onları kesen çizgiler ise daima bir terslikten, bir sıkıntıdan haber verirler. Çizgileri enine kesen çizgiler genellikle aksaklıklardan, aksiliklerden, sıkıntılardan, zafiyetlerden ve engellerden haber verirler.

Izgara işareti, kesişen çizgilerin bariz şeklidir. Izgara, nerede görülürse, o tepenin veya çizginin ifade ettiği konularda acizliği gösterir. Şayet iyi anlamlı bir işaretin yakınında, çevresinde yer alıyorsa, o iyi anlamı zayıflatacak bir gelişmenin gündemde olduğunu haber verir. Sürekli kansızlık yaşayan, tuhaf korkuları bulunan, özgüven problemi yaşayan insanların elinde çokça ızgara görülür. Bilhassa Venüs tepesinde görülen ızgaralar, güç kaybından, cinsel performans düşüklüğünden haber verir.

ÇİZİKLER (Şekil 25)

Şekil 25

Kısa kısa ve kopuk çizgiler de ızgara türündendirler. Fakat biraz daha zayıf. Yani onların işaret ettiği tehlike, ızgarada görüldüğü kadar güçlü değil. Onlar da başarısızlıkların, tamamlanmayan işlerin, birçok fikir arasında bocalayan bir kişiliğin belirtisidir fakat daha düşük sıkıntıların!

Bir elde ne kadar az bağımsız tâli çizik bulunursa o kadar iyidir. Çünkü bir ana çizgiden çıkıp yukarıya doğru yönelen çizgiler iyidir. Çiziklerden anlamamız gereken, elin şurasında burasında kümelenmiş birbirinden bağımsız karma karışık, kırık kırık çizgilerdir.

Bunlar hakikaten bir güç kaybının varlığını gösterirler. Hastalıkları, sıkıntıları haber verirler.

ÇİZGİLER (Şekil 26)

Çizgiler daha uzun parçacıklardır. Onlar, esasında elin içindeki harflerin nasıl bir hece oluşturacağına işaret eden harekeler gibidir.

Çünkü özgü bir anlamları yoktur. Ancak bir ana çizgiyi kestiklerinde meydana gelen sonuca göre ona iyi veya kötü diye bakılabilir. Yani ne anlama geldikleri, kestikleri ana çizginin, kesişmeden sonraki durumuna göre değişir.

Şekil 26

Mesela, bir çizgi tarafından kesilen kader çizgisi, bu kesişmeden sonra derinliğini kaybediyor veya zayıflıyorsa, bu, şanssızlık ve felaket işareti sayılır. Aksi durumda şanstır. Fakat genellikle bu tür çizgi köstek ve engel olarak karşımıza çıkarlar.

KÖŞE (Şekil 27)

Köşe, yön bildirme işaretidir. Şayet köşenin sivri tarafı parmaklar istikametinde ise yöneldiği tepe ile ilgili başarıları hatırlatır, sivri uç aşağı doğru ise başarısızlık ve talihsizliktir.

Şekil 27

DAL (Şekil 28)

Dalcık olarak da anılır. Aslında bu, daha çok ana çizgiler üzerinde görülür. Bazen de avuçta bağımsız bir şekilde yer alırlar.

Şekil 28

Eğer dalların yönü yukarı doğru ise, -bilek yönü aşağı, parmak ucu yukarı sayılır- hep atılım ve başarılarla geçecek bir hayatı anlatır. Aksi ise başarısızlıklar, yenilgiler, aksilikler ve şanssızlıklar olarak yorumlanır.

ADA (Şekil 29)

Şekil 29

Ada veya adalar hiç de iyi işaret değildir. Bilhassa peş peşe gelen adacıklar, üzerinde yer aldıkları çizginin bütün iyi özelliklerini iptal ederler.

Mesela kalp çizgisi üzerinde görülecek tek ve biçimli bir ada güzel, parlak, unutulmayacak fakat sonu ayrılık olan bir aşkın habercisidir.

Fakat peş peşe gelen ve birbirini takip eden adacıklar, karşı cins ile ilgili meselelerde sürekli hayal kırıklarından haber verir. Bu insan kalbi ilişkileri doğru kuramıyor demektir.

Akıl çizgisi üzerindeki bir ada, beyinsel sıkıntıları veya bir süreliğine, sosyal hayattan kopmayı temsil eder. Hayat çizgisi üzerindeki bir ada hapis, kaza, hastalık, tecrit vs gibi yine insanı sosyal ortamlardan koparacak sıkıntıları haber verir.

Şekil 30

ÇATAL (Şekil 30)

Çatal nispeten iyi sayılan bir işarettir. Yeni gelişmelerin, atılımların habercisidir. Üzerinde bulundukları tepeyle ilgili yeni, güzel gelişmelerin gelmekte olduğunu haber verir.

ZİNCİR (Şekil 31)

Ardışık adacıklardan ibaret olan zincirler, adalardan daha sıkıntılı bir hâli yansıtır.

Bir türlü insanın yakasını bırakmayan talih-
sizliklerin, sıkıntıların işaretidir. Hayat çizgi-
si veya akıl çizgisi bu şekilde olanların başı
dertten kurtulmaz, hiçbir işleri doğru git-
mez. Psikolojik problemlerle boğuşan, aklını
ve iradesini kullanma zafiyeti yaşayan insanla-
rın elinde hemen hemen hep görülmüştür.

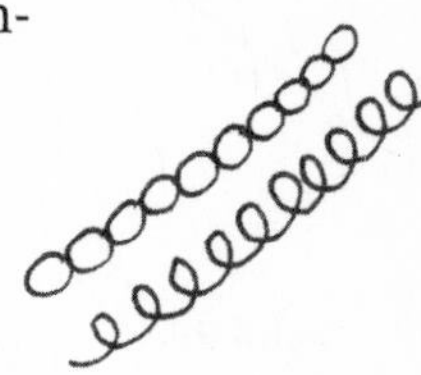

Şekil 31

Zincir büyük felaketlerin değil, insanı sürekli meşgul eden
küçük, fakat ardı arkası kesilmeyen tersliklerin, sıkıntıların
belirtisidir.

ÇEMBER YAYI (Şekil 32)

Yayın uçları yukarı bakıyorsa zafer ve başarı,
aşağı bakıyorsa yenilgi ve başarısızlık olarak
yorumlanır. Elde görülebilen en ilginç yay,
Venüs halkasıdır -ileride detaylı anlatılacak- ki
insanı evlenmekten alıkoyar. Ama uçları yuka-
rı bakıyorsa yine de evlenmeyi başarırlar.

Şekil 32

NOKTA (Şekil 33)

Elde ve yüzde siyah, beyaz ve kırmızı nok-
talara da rastlanır. Beyaz şans, talih ve kıs-
mettir. Kırmızı hastalık, siyah (nerede olursa
olsun) sinirsel bir rahatsızlık belirtisidir.

Şekil 33

Vücutta sonradan ortaya çıkan şuraya bu-
raya serpilmiş küçük siyah noktalar, vücutta aşırı
bir toksin birikimi olduğunu ve tedbir alınmazsa, kanser
türü doku yıkılmalarına yol açacağının habercisidir.

Esasında o tür noktacıkların belirmesini, erken uyarı alar-
mı gibi görmek gerekir. Bir hâl patolojik vaziyet almadan
onu yakalamamızı, fark etmemizi ve tedbir almamızı sağlar.

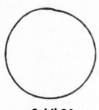

Şekil 34

ÇEMBER (ŞEKİL 34)

Çember nokta ile aynı anlamı taşır. Ancak sonuç itibarıyla biraz daha kötü işarettir. Bir tepe üzerinde yer alıyorsa o tepe ile ilgili aksaklıklara dikkat çeker.

OYUK (Şekil 35)

Şekil 35

Oyuk iyi değildir. Mavi, beyaz, kırmızı ve siyah olabilirler. Renksiz de olabilir.

Noktadan farklı olarak deri, içe doğru çivi ile batırılmış gibi durur. Oyuk mavi renkli ise uzun ve şiddetli hastalıkları; kırmızı ve siyah ölümcül olabilecek ağır hastalıkları; beyaz, sıradan hastalıkları temsil eder.

Kalp çizgisi üzerinde görülecek oyuklar, derin hayal kırıklıklarını, boşanmaları ve oyuğun görüldüğü dönemde insanı hayattan soğutacak birtakım iç kırılmaların yaşanabileceğini gösterir.

HARFLER (Şekil 36)

Şekil 36

Avuç ortasında görülebilecek **B** harfine benzer bir işaret dışında, elde görülecek her türlü harf biçimleri, kötü olayların ve hastalıkların habercisidir.

A şeklinde bir görüntü, cinayet ve ağır hastalıklara, bazen mafya gibi baş edilmesi zor örgüt veya kötü niyetli insanlarla boğuşmaya işarettir. Bunun dışındaki harf belirtileri, genelde insanın o dönemdeki ilişkileriyle ilgili kahramanların adını veya etkili sıfatlarının baş harfini verir...

O şeklinde bir harf, o noktada veya yaşta yaşanacak enerji bloklanmasının, Y şeklindeki bir harf, bulunduğu alanın gücünü zayıflatan bir işlev üstlenir. Mesela çok kabarık bir Jüpiter tepesinde görülen bir Y harfi, o kimsenin hırslarını ve ihtiraslarını kontrol edebileceğini gösterir. Bu işaret o alanda bir zafiyet yaşandığını gösterir çünkü.

V şeklindeki bir harf, güç kaybından haber verir. C şeklinde bir yarım daire, (yarım çember) hesapta olmayan ama aşılabilir sürprizlerden ve sıkıntılardan haber verir. N veya Z harfi, işlerin biraz sarpa saracağını ama sonucun fazla değişmeyeceğini gösterir.

Bu harflerin, zaman zaman ilgi duyulan isimlere, hayatımızda anlam taşıyan kişi ve olaylara işaret ettiğini de gözlemledim.

ELİN TEPELERİ

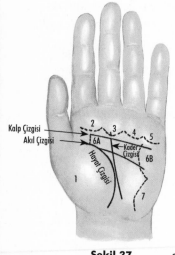

Avuç içindeki çizgilere geçmeden önce ele alınıp incelenmesi gereken önemli verilerden biri de parmak altlarında yer alan ve az çok belirgin bir şişkinlik gösteren tepelerdir. Bu etli çıkıntılara dağ veya tepe denir.

Belli başlı yedi tepe vardır. Eski inanışa göre bu tepelerin her biri bir gezegeni temsil eder ve onun adıyla anılır.

Şekil 37

Bunlar:

1- Venüs Tepesi (İslam literatüründeki adı Zühre Dağı)

2- Jüpiter Tepesi (Müşteri Dağı)

3- Satürn Tepesi (Zühal Dağı)

4- Apollon (Güneş) Tepesi (Güneş Dağı)

5- Merkür Tepesi (Utarid Dağı)

6- Mars Tepesi. İkiye ayrılır:

Olumlu Mars (Mirrih Dağı)

Olumsuz Mars (Mirrih Yaylası)

7- Ay Tepesi (Kamer Dağı)

Doğrudan doğruya insanın burcuyla ve tesirinde kaldığı gezegen ve yıldızlarla alakalı bu tepeler, ileride göreceğimiz gibi bir tür yetenekler membaı ve hayatiyet özünün depoları gibidirler. Hakikaten dağlar ve tepeler, bir coğrafya bir bölge için ne önem taşıyorsa bu tepeler de el için öyle önem taşıyor.

Bu tepelerin belirgin ve kabarık olması canlılığın, zenginliğin ve yeteneklerin belirtisidir. Nasıl ki dağlar ne kadar yüksek ise o kadar menfaatdardırlar aynen öyle de elin içindeki o tepeler ne kadar kabarık, belirgin ve düzgün ise o kadar çok güzellikler ifade eder. Çünkü bir insanın, hayatın nimetlerinden ne kadar yararlanacağını bu tepelerden kestirmek mümkündür...

Eğer tepeler daha az belirgin veya düz ise ismiyle anıldıkları gezegenlerin temsil ettikleri yetenek ve özellikler eksik veya zayıf demektir.

Mesela, Venüs tepesini (başparmağın üçüncü boğumu) ele alalım. (37 nolu şekil) Şayet bu tepe iyi gelişmemiş ise kişi aşk, şehvet ve hazlar bakımından, hırslar ve arzu ettiklerini elde etme gücü bakımından zayıftır demektir. Çünkü Venüs tepesi, aşkı, şehveti, hazları; daha doğrusu insanın libidosunu temsil eder. İleride daha detaylı anlatılacaktır.

Sözgelimi bu tepelerden biri diğerlerinden daha fazla bombeli ise o kişinin, hayatında yapacağı işlerde bu tepenin temsil ettiği mizacın hâkim olacağını rahatlıkla söyleyebiliriz.[42]

Şimdi tepelerin detaylarına bakabiliriz...

TEPELER VE ANLAMLARI

VENÜS TEPESİ (Zühre Dağı)

Bu tepe, başparmağın üçüncü kemiğini de içine alan etli kısımdır. Hayat çizgisiyle çevrelenmiştir. İnsanın motor gücünü gösterir. Aşk, kadın, şehvet, hazlar, kişinin hayattan nasibini

---

42 Gİ, 115

Venüs
Tepesi

Şekil 38

bu tepeden okumak mümkündür. Yaşama gücünün kaynağı ve göstergesidir âdeta. (Şekil 38)

Ahenkli, iyi biçimli ve normal şekilde sıkı etli bir Venüs tepesi, bedenî hazlara olduğu kadar fikri hazlara, müziğe, dans ve sahne sanatlarına, güzelliğe düşkünlüğü ve bu alanlardaki yeteneği gösterir. Bunlar yardımsever ve iyi kalpli kişilerdir.

Zayıf ve yekpare ise şehvet azlığına ve uyuşuk, yorgun bir tabiata işaret eder.

Parlaklık, -çok etle olmamak kaydıyla- bencillik ve ilgisizliğe eğilim olarak yorumlanır.

Çok yayvan ve taşkın bir doluluk, maddi zevkleri kötüye kullanma eğilimini yansıtır. İhtiraslı, şehvetli, ama cömert olurlar...

Oldukça etli ve çok çizgili sert Venüs tepesi, ifrat derecedeki şehveti ifade eder. Bu, beğenilme arzusu ve cinsel isteğin de had safhada olduğunu gösterir. Hele böyle bir durumda başparmak da küt ve birinci boğumu kısa ise kişinin başına felaket açacak şiddetli bir şehvet ve ihtirastan haber verir. Sırf şehevi arzularından kötü yola düşmüş kadın ve erkeklerin büyük çoğunluğunun elinde bu işaretler vardır.

Şayet Venüs tepesini çevreleyen hayat çizgisi de çift ise bu durumda o insanın şehvet arzuları ve ihtiraslarıyla baş etmesi çok zorlaşır.[43] Ama böyle bir insan, eğer kendini kontrol edebilirse insanlığın medar-ı iftiharı olur, olgunlukların zirvesine kadar çıkar.

Esasında bu durum son derece büyük bir imkândır. Çünkü insanın kemali, kontrol ettiği nefsin kudretine göre değişir. Hiçbir talebi olmayan bir yapının kontrol edilmesi zor bir iş değil. Siz bir küçük finoyu zapt edebilirsiniz. Kimse

---

43 Gİ,116

bir finoyu zapt ettiğinizden dolayı size kahraman muamelesi yapmaz. Ama devasa bir canavarı zapt edebiliyorsanız işte o zaman kahraman olursunuz!

Bununla birlikte biçimli, dolgun bir Venüs tepesi sigorta vazifesi görür. Böyle bir Venüs tepesi diğer tepelerde görülebilecek kötü işaretlerin ve olumsuzlukların tesirini yok eder veya azaltır.

Bunun aksine yayvan ve yekpare, kabarık olmayan bir Venüs tepesi, diğer tepelerde görülecek iyi belirtilerin etkilerini azaltıcı bir vazife görür.

Bazen Venüs tepesi belirli bir noktadan sonra bombelik kazanmaya başlar. Hayat çizgisi iyi takip edilerek bu şişkinliğin kaç yaşlarında başladığını tespit etmek mümkün olur.[44]

Halk arasında "kırkından sonra azma" tabiri, sanırım bundan kaynaklanmış olmalı. Çünkü birçok insanda Venüs tepesi, hayat çizgisinin ortalarından itibaren bombelik kazanır ki insan bu yaştan sonra nefsin baskısını daha çok hisseder. Ve sonunda arzularının esiri olarak halk arasında hoş karşılanmayan bir derekeye düşürür kendini.

Bunun bir başka izahı da olumlu bir ruhsal gelişmedir. Yani kişi o yaşlara kadar tembel, gayretsiz olabilir. O yaşlardan sonra kendini düzeltir, tembelliğini atar ve kimseye muhtaç olmayacak bir konuma yükseltir kendini.

Kısacası, Venüs tepesinin belirgin ve güçlü olması motor gücünün göstergesidir. Onun nasıl kullanılacağı ise kişiye kalmıştır.

Diyelim bir aracınız var, yüz beygir gücünde, bir aracınız var 20 bin beygir gücünde. Elbette ki güçlü bir araçla çok şeyler yapılabilir... Bunun gibi...

Şimdi de Venüs tepesinde görülebilecek işaretlerin anlamlarını inceleyelim:

---

44   İleride, yaş ve zaman tahmin çizelgesi verilecek!

Halka (Şekil 39)

Venüs tepesinde halkalar, genellikle başparmağın altını çevreleyen bir zincir şeklinde kendini gösterirler. Bu da zaten Venüs halkası diye anılır. Bu, çok sık iş değişikliği yapacak kişiliği gösterir. Halka bilhassa toplu yaşama isteğini, aile bağlarının sağlamlığını, çocuk ve aileye düşkünlüğü gösterir.

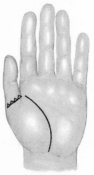

Şekil 39

Zincir (Kudret Yüzüğü) (Şekil 40)

Bu da halkalar gibi başparmağın iç kısmını çevreler. Küçük küçük üçgen veya adacıkların sıralanmasından meydana gelir ve genellikle kişinin mesleğinden, iş hayatının durumundan haber verir.

Ben buna kudret yüzüğü diyorum. Kendi tecrübelerime dayanarak bu zincirin her halkasının yapılan bir mesleği veya işi temsil ettiğini tespit ettim. Bu kişilerin hemen hepsinde de sıcak aile bağları vardı.

Şekil 40

Bu zincirden yukarıya doğru sağa veya sola yay şeklinde çıkan çizgiler ile insanın bırakacağı kalıcı eserleri tespit etmek mümkündür. (Şekil 41)

Çizgiler

Şekil 41

Boylam çizgileri: Venüs tepesi üzerinde bulunan çizgiler özel anlam taşırlar.

Mesela yukarıda geçen zincir veya halkalardan çıkıp hayat çizgisine doğru ilerleyen bazı derin çizgiler vardır. Bunlara "tekvin-i irade" veya "külli irade çizgileri" adını vermeyi uygun buldum. Bu çizgilerin, doğrudan doğruya kaderden kaynaklanan lütuf veya kahırlara işaret ettiğini tespit ettim. Bugüne kadar incelediğim el sayısı beş binin üzerindedir (şimdi kırk bini geçmiştir). Hemen her insanda, bu çizgilerin hayat çizgisine ulaştıkları (veya kestikleri) yaşlarda insanların, başarı veya başarısızlık diyebileceğimiz etkileri kalıcı olaylar yaşadıklarını hayretle gördüm.

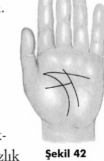

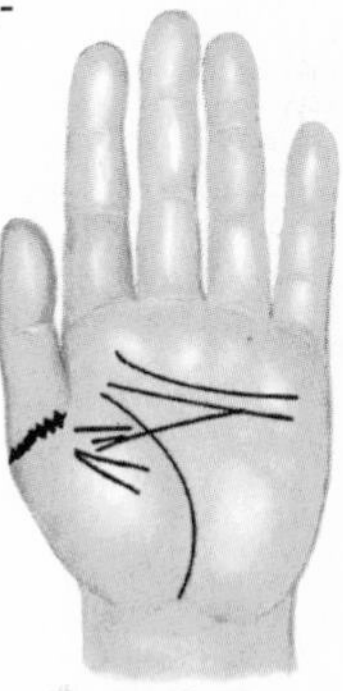

Şekil 42

Tabii bu çizgilerin ne anlama geldiğini, bu çizgilerin yöneldiği tepelere veya hayat çizgisini aştıktan sonra ulaştıkları çizgilere göre tespit etmek gerekir.

Mesela kudret yüzüğünden çıkıp Venüs tepesini boydan boya geçerek akıl çizgisine ulaşan bir çizgi o yaşlardaki bir zihinsel problemi dile getirir. Veya bir akılsızlık sonucu büyük bir işi ıskalayacağı anlamına gelebilir. Veya aksine, o çizginin akıl çizgisine ulaştıktan sonra

Şekil 43

akıl çizgisinde bir güçlenme varsa bu kere de diyebiliriz ki insan çok akıllıca bir iş yaparak hayatına bir değer katacaktır.

Keza kalp çizgisine ulaşıyorsa gönül ilişkisini veya kalp sorununu; hastalık çizgisine ulaşıyorsa sağlıkla ilgili bir problemi, güneş çizgisine ulaşıyorsa bir başarıyı veya başarısızlığı ifade eder. Burada unutulmaması gereken şey, çizginin ulaştığı yerden sonra ana çizginin aldığı vaziyet neticenin ne olduğunu belirler. Bir çizgi bir çizgiyi kestiğinde biri mutlaka güçlenir veya zayıflar. Birbirini kesen çizgilerin birbirine etki yapmaması enderdir. (Şekil 42 - 43)

Şekil 44

Enlem Çizgileri: (Paralel) Enlem çizgiler, Venüs tepesinin avucun dışına bakan kenarında, Venüs halkası (kudret yüzüğü) ile bilek arasında yer alırlar. Bu çizgiler de çocuk sayısından ve cinsiyetinden haber verirler. Çizgilerin çokluğu, aynı zamanda doğurganlık/dölleme kapasitesini gösterir. Nesil çizgisi dediğimiz bu çizgiyi ileride biraz daha ayrıntılı anlatacağız.

Kısa ve ince çizgiler genellikle kız çocuklarına (tabii derin ve kopuksuz olmak şartıyla) işaret eder. Uzun, derin ve kalın çizgiler de oğlan çocuğunu temsil ederler.

Kopuk, cılız, iyi teşekkül etmemiş çizgiler ise düşüklerden ve kürtaj yoluyla giderilecek çocuklardan haber verir. (Şekil 44)

Bazen çizgi iki küçük çizginin ortasından çıkar ve devam eder. Bu durum, ya aşılama yoluyla elde edilecek çocuklara ya da hamileliği zor geçecek çocuklara işaret eder.

Şekil 45

Bitişik gibi duran eşit uzunluktaki iki çizgi ise bazen ikiz anlamına gelebilir. (Şekil 45)

Alelade Çizgiler: Eğer Venüs tepesi hafif çizgili ise bu iyiye işarettir. Çizgiler yumuşak ve kırıksız olmalı. Bu tür çizgiler, uyumlu, sabırlı ve başarılı bir kişiliği sergiler. Şayet çizgiler çok belirgin ise bu; kızgın, öfkeli, sinirli bir yapıyı ortaya koyar. (Şekil 46)

Izgara: Izgara işareti elin neresinde yer alırsa alsın daima sıkıntı, güç kaybı ve baş edilmesi zaman alacak problemdir.

Şekil 46

Venüs tepesinin üzerindeki ızgara ise mühlik derecede şehvet düşkünlüğü, özgür bir cinsellik anlayışını, meşru olmayan yollardan çocuk sahibi olmayı da ifade eder. Bunlar halk arasında "uçkuru gevşek" tabir edilen tipte insanlardır. Tabii bu söylediklerimiz, etli ve sıkı dokulu güçlü bir Venüs tepesi için geçerlidir ve tabii böyle bir yorumda bulunabilmek için elin diğer unsurları da bu yönü destekemelidir.

Şekil 47

Eğer Venüs tepesi yumuşak ve basık ise ve üzerinde de ızgaralar varsa bu, doğrudan güç kaybı, zafiyet, iktidarsızlık, cinsel isteksizlik, vehim, vesvese ve sebepsiz korkulara işaret eder. Bu insanlar belli bir yaştan sonra acze düşecekler demektir. Özellikle cinsel performans kaybına işarettir.[45] (Şekil 47)

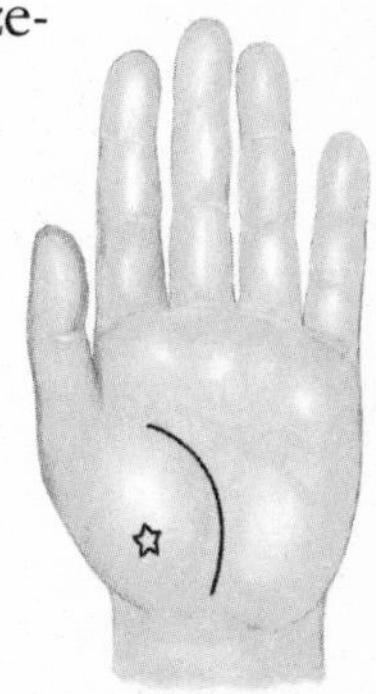

Yıldız: Genelde şans belirtisi olan yıldız, Venüs tepesinde aşkta mutsuzluğu temsil eder. Daha doğrusu sonu ayrılık ve hüzün olan muhteşem aşkları temsil eder. Bahtsız bir evlilik... Bu kişiler âşık olmamaya özen göstermelidirler.

Şekil 48

Venüs tepesindeki yıldız, genital organlarla taşınan hastalıkların (frengi vb.) belirtisi de olabilir. O yüzden dikkatli incelemek gerekir.[46] (Şekil 48)

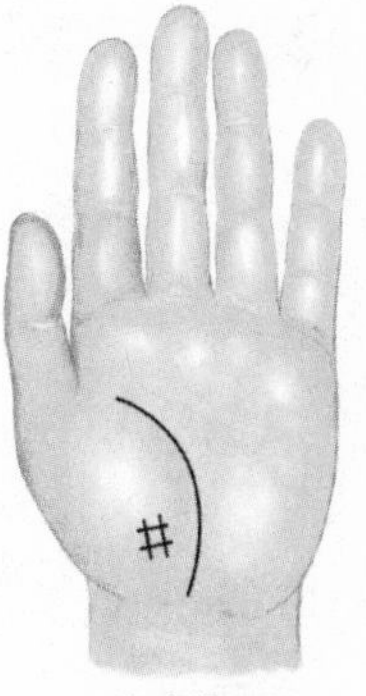

Kare: Venüs tepesinde bir kare, bilhassa hayat çizgisine yakınsa hapis, uzlet ve manastıra kapanma gibi insanlardan uzak, sosyal hayattan kopuk bir dönem yaşanacağını haber verir.

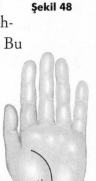

Şekil 49

45   Les Lignes, 46
46   Aga, 47

Daha doğrusu insanın inisiyatifinde olmayan sorunlu bir gelişmeyi gösterir.

Bazen hiç evlenmemiş insanlarda da kare görülür. (Şekil 49)

Üçgen: Venüs tepesinde üçgen iyi değildir. Ya kendisi aşklarında bir hesap peşindedir yahut da öyle hesapları olan biri tarafından kurban seçilebilir.

Şekil 50

Esasında, Venüs tepesinde üçgeni olanların karşı cins ile ilişkilerinde azami dikkatli olmaları gerekir. Çünkü üçgen, bir hile ile karşılaşılacağını haber verir. Doğu kıyafetnameciliğinde bu işaret, kadın ticareti yapanların işareti olarak da verilmiş. Bunlar, kendilerine bağladıkları kadınları kötü yollara düşürmede beis görmezlermiş.[47] (Şekil 50)

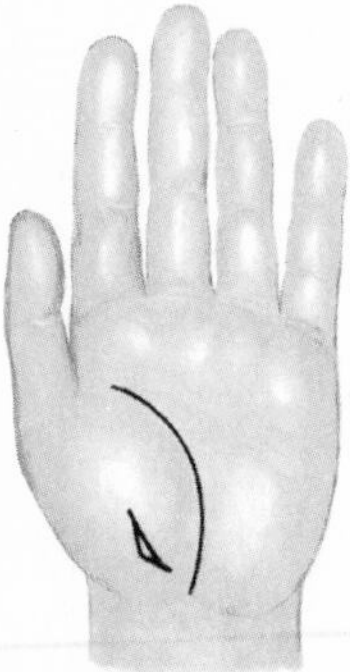

Ada: Venüs tepesinde ada, sevgide ve aşkta sadakatsizlik ve samimiyetsizlik belirtisi olarak yorumlanır. (Şekil 51)

Şekil 51

Benim kendi tecrübeme göre, bazen böyle bir sadakatsizliğe maruz kalmaya da işaret ediyor. Bu işareti taşıyan sadakatsizliğe uğruyor.

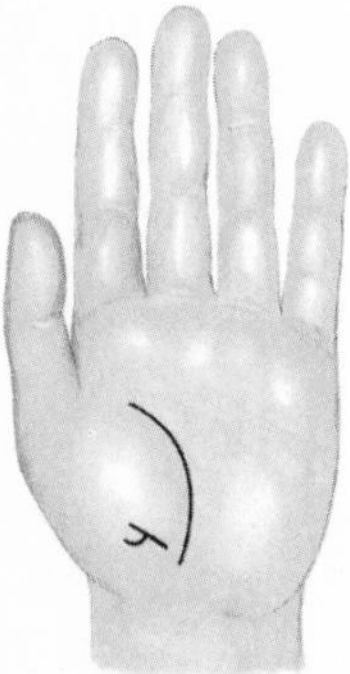

Çatal: Aynı anda birçok kimseye gönül verebilecek bir yapıya işarettir. Bunlar daldan dala konan kelebekler gibi aşkta sebatsızdırlar. Fakat halk arasındaki deyimle 'şeytan tüyü' taşıdıkları için de hiçbir zaman partnersiz kalmazlar. (Şekil 52)

Şekil 52

A harfi: Bu genellikle öldürülme işaretidir. Venüs tepesi üzerinde veya bu tepeye yakın bir yerde bulunan A işareti genellikle o kişinin planlı bir cinayete,

---

47   Gİ, 116

cinsel kaynaklı bir cinayete kurban gidebileceğini haber verir.[48]

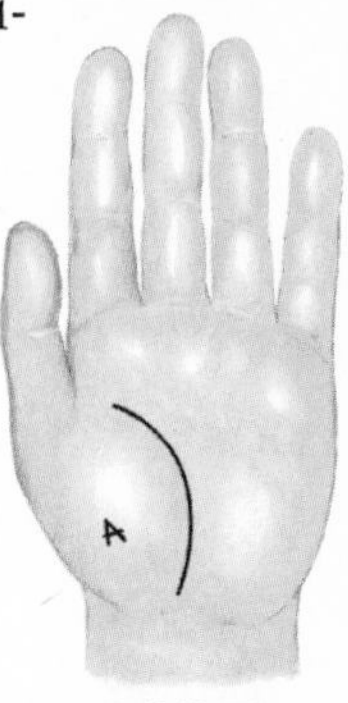

Venüs tepesinde böyle bir işareti bulunan kimsenin sevgide muhakkak sadakati ve toplum tarafından benimsenmiş ilişki tarzlarını benimsemesi gerekir! Ahlaklı yaşamak hakikaten güzeldir ve insanı, kendi nefsinin birçok belasından korur. (Şekil 53)

Merdiven: Kendini eğitmemiş, ahlaki formasyonu oturmamış bir insanın Venüs tepesinde bulunan merdiven şeklindeki işaret, onu kayıtsız ve sorumsuz bir cinselliğe sürükler. Neticesi sefahate kadar varacak bir cinsel ilişki anlayışını yansıtır. Hakikaten eğitilmedikleri takdirde müptezel denilebilecek bir tıynette olurlar. Nefsanî arzularının peşinde iffetsizce ömürlerini tüketebilirler.[49]

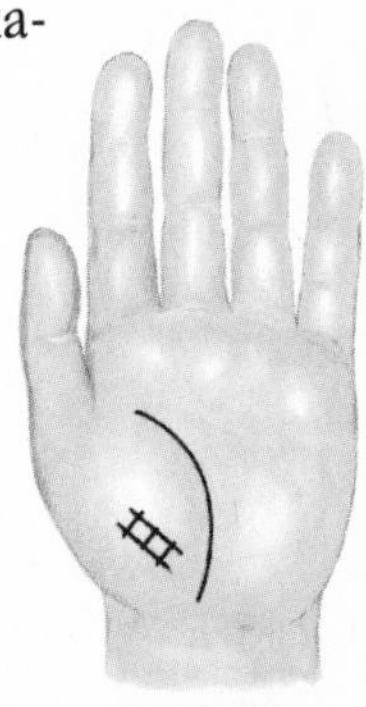

Şekil 53

Tabii ki bu zor bir durum! Şu tür dürtülerle baş etmek hakikaten gayret ve çaba gerektirir. Ama üstesinden gelinmeyecek konular değildir. Belki de kişinin yaradılış hikmetidir, eğer yapabilirse kişinin imtihanı kazanması bu karakterinin üstesinden gelmesiyledir. (Şekil 54)

Şekil 54

Vadi: Venüs tepesi üzerinde bazen dikine derin bir çizgi bulunur. Öyle ki bu, bir vadiyi andırır. Vadi, hırslarını yenebilen, mütevazı ve merhametli bir kişiliği yansıtır. Bu insanlar, en zor anlarında bile fedakârca davranabilirler. Bu yapılarından dolayı onları "kişiliksiz ve silik" zannederiz ama böyle değiller. Onurlu ve fedakâr insanlardır. (Şekil 55)

Şekil 55

48   Les, Lignes, 48
49   Gİ, 116

Şekil 56

Maşa: Genellikle başparmağın ikinci boğumunun hemen altında başlayarak doğrudan hayat çizgisine doğru uzanan, tepeleri bitişik dar açılı çizgilerdir. Çoğu da hayat çizgisine ulaşamazlar veya kesmezler. Bu çizgiler düzgün, temiz bir kökten gelen insanlarda bulunur. Bir gün rahata kavuşulacağını yahut bir şekilde rahat bir hayat yaşanabileceğini gösterir. Bunlar helalinden geçinmeyi prensip edinmiş insanlardır. Zengin olmasalar da maddi açıdan şansız da sayılmazlar. Tabii bu çizgilerin fazla derin olmaması gerekir. (Şekil 56)

JÜPİTER TEPESİ (MÜŞTERİ DAĞI)

İşaret parmağının dibinde yer alan Jüpiter tepesine İslam literatüründe Müşteri Dağı adı verilir. Bu tepe, kişinin iktidar hırsını, ihtirasını, din duygusunu, tutkularını, hükmetme arzusunu, libidinal gücünün boyutlarını (kuvve-i şeheviyenin miktarını), şeref ve haysiyet konusundaki tutumunu gösterir. Otoriteyi simgeler.

Bu tepe aynı zamanda kişinin mizacını ve evlilik hayatı içindeki tutumunu belirler. Eşine karşı müşfik mi, despot mu, adil mi, baskın mı, aciz mi olacağını buradan kestirmek mümkündür.

İyi yapılı, uygun kabarıklıkta bir Jüpiter tepesi, yaşama gücünü ve sevincini gösterir. Bunlar iyi bir evlilik yapma şansına ve bunu sürdürme kabiliyetine sahiptirler.

Jüpiter tepesi aşırı derecede kabarıksa bu büyük bir gurura, kendini beğenmişliğe, yükselmek, en üstte olmak, şöhret elde etmek, emir ve komutayı kendinde toplamak ve tek adam olmak ihtirasına delalet eder.[50]

---

50   Gİ, 117

Hiç olmayacak şeylere de inanırlar. Aşırı derecede "uyanık" ve zeki olmalarına rağmen her türlü hurafeye ve olağanüstülüğe inanmaya hazırdırlar. Yüzde seksen doksan da idareci olurlar, lider olurlar, büyük iş yerleri, şirketler, holdingler, ülkeler yönetirler ama yanı başlarında hep falcıları da bulunur.

Normal bir Jüpiter tepesi neşeli bir mizaç ve mutlu bir evlilik belirtisidir aynı zamanda. Bunların eşlerinin en zor tarafı hep ikinci planda olmalarıdır. Çünkü ya işleri ya oyuncakları birinci sırada gelir. Eş buna tahammül ettiği müddetçe bu insanlar kendisiyle keyifle yaşanası birer partner olurlar...

Zayıf veya hemen yok gibi ise hiçbir tutkusu olmayan, silik, kişiliksiz, liyakatsiz, tembel ve sadece kendi ihtiyaçlarını düşünecek kadar himmeti olan bir kişilikten haber verir. Bunlar zayıf insanlardır. Kimseye ilişmezler ki kimse de onlara ilişmesin! Ve tabii korkaktırlar. Onlara meydan okudunuz mu ellerindeki her şeyi size verirler. Kanunlar tam da bu tür insanların korunması için yapılmıştır sanırım.

Çok yayvan ve kabarık bir Jüpiter tepesi, egemenliğe susamışlığın ve büyük bir ihtirasın habercisidir. Bu, aynı zamanda dinî ilhamın da belirtisidir.

Jüpiter Tepesinde Görülebilecek İşaretler

Haç: Bu tepede en çok görülen işaret haç ve karedir.

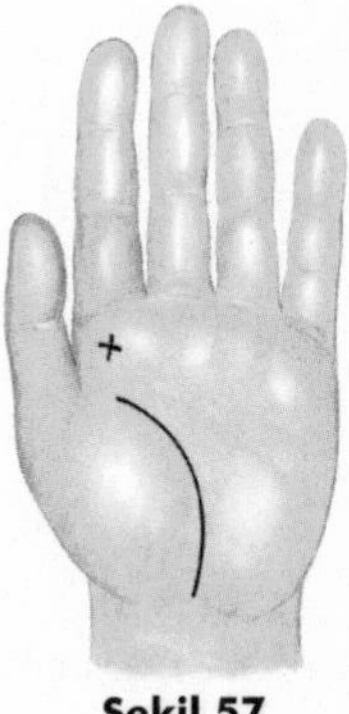

Haç, daima iyiye işarettir ve her konuda şanslılığı gösterir. Belki **şanslılık** yerine şöyle demek daha doğru olur: Geri planda daima işleyip duran bir yenilenme ve tamir faaliyeti var. Sanki birileri bunların iyiliği için dua edip duruyor da onlar da o sayede bela ve musibetlerden korunuyorlar.

Şekil 57

Şekil 58

Parlak aşk evliliği yaptıkları da çok görülmüştür. Yani güzel bir evliliğin de işaretidir Jüpiter tepesindeki bir haç işareti. (Şekil 57)

Yıldız: Jüpiter tepesindeki yıldız, şöhretli ve mutlu bir kaderin işaretidir. İşaret parmağı altında bir yıldızı bulunan önünde sonunda tanınır ve bilinir hâle gelir.[51] Bu tepe üzerindeki yıldız, tatlı özentilere, evlilik ve mutlulukla sonuçlanacak aşka, eksiksiz iyilik duygusuna, alicenaplığa ve meslekte başarıya yorulur. (Şekil 58)

Şekil 59

Izgara: Burada görülen bir ızgara daima bir engeli temsil eder. Herhangi bir işe soyunacak kimse, Jüpiter tepesine mutlaka bakmalı. Eğer orada bir ızgara veya tamamlanmamış bir dörtgen yahut bir tarafı bulunmayan kare görürse o işe soyunmamalı. Çünkü henüz vakti gelmemiştir. Sadece ızgara varsa o işe hiç başlamamalıdır. En azından temkinli olmayı elden bırakmamalıdır. Belirgin bir ızgara, bu tepenin bütün özelliklerini iptal eder ve insandaki bencilliği, boş inançları ve övünme duygusunu öne çıkartır. (Şekil 59)

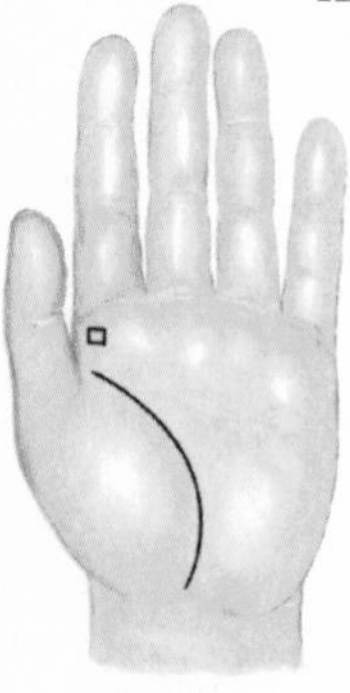

Şekil 60

Kare: Adalet hissini, iyi duyguları, azim ve güçlü bir iradeyi gösterir. Kare her daim birilerinden yardım görecek bir şanslılığı da yansıtır.

Kare, kendini beğenmişliğin ve kibirliliğin de belirtisi olabilir. Jüpiter tepesinde kare bulunan insanlar, yükselme yolunda daima kendilerine yardımcı olacak birilerini bulurlar. (Şekil 60)

51   Les Lignes, 49

Üçgen: Bu tepede bulunan bir üçgen yeni fikirlere açık bir kişiliği ve diplomatik bir yapıyı sergiler.

Bunlar siyasi ilimlerde büyük başarı gösterebilirler. Jüpiter tepesindeki üçgenler, çalışılan sahada verilecek eserle de ilgili olabilir, yaşanacak parlak aşklarla da... Birden fazla üçgen, yaşanacak parlak aşklara işaret sayılmış. Ama ben kendi tecrübemle bu üçgenlerin aynı zamanda yeni pozisyonlar anlamına geldiğini biliyorum. Bir eski aşk kaybolmadan yenisi gelmediğine göre bu aynı zamanda bir dizi ayrılık da demektir doğal olarak.[52] (Şekil 61 A)

Şekil 61 A

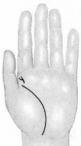

Çatal: Jüpiter tepesindeki çatal, hüzünleri, kalbî ıstırapları, duygusal acıları ve hayal kırıklıklarını simgeler. Bir işe başlamadan önce insan Jüpiter tepesinde böyle bir çatal olup olmadığını kontrol etmeli. Eğer evlenecekse evliliği, eğer iş kuracaksa işi gözden geçirmeli ve pozisyonunu yeniden değerlendirmeli... (Şekil 61 B)

Şekil 61 B

Çizgiler: Ayrılıkların habercisidir. Boşanmaya yatkın, uyuşmaz mizaçları sergiler. (Şekil 62) Çizgiler tepenin ortasında ve dikine ise sıcak aile bağlarını ve evcimen mizacı gösterir. (Şekil 63)

Şekil 62

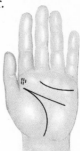

Merdiven: Merdiven işareti, Jüpiter tepesinde gücün kontrolünü, potansiyellerin doğru yönde kullanılacağını haber verir. Yani eğer belirgin bir Jüpiter tepesine sahipseniz ve üzerinde de ızgara işareti varsa, bu, başarılarınızın sizi şımartamayacağını, ihtiraslarınızı kontrol

Şekil 63

edebileceğinizi gösterir. Kısacası, güçlü bir kişilik ve oturmuş bir şahsiyeti sergiler. (Şekil 64)

Noktalar: Kişinin amacından alıkoyacak gelişmeler olabileceğini, azami derecede dikkatli davranmak gerektiğini gösterir. Çünkü bu tepede bir nokta veya oyuk, ciddi bir güç kaybı, zaaf ve çaresizlik belirtisidir.

Şekil 64

SATÜRN TEPESİ (ZÜHAL DAĞI)

Orta parmağın hemen altında yer alır ve onun temsil ettiği yetenek ve imkânları takviye eder veya azaltır.

Parmakla bitişik, dolgun ve çizgisiz bir Satürn tepesi sakin, ne yapmak istediğini bilen ve genelde de başarılı olacak bir tabiata işaret eder.

"Satürn tepesi çoğunlukla üzüntünün ve kötü kaderin habercisidir." diyor **Les Lignes De Le Main** kitabının yazarı **Louis Stanke** -kendisi Fransızların ünlü bir el yorumcusudur-.[53] Fakat ben şahsen kişinin çaresizliğine buradan hükmetmenin doğru olmadığına inanıyorum. Çünkü mal biriktirebilmiş, servet edinmiş insanlarda da bu tepe kabarıktır. Özelikle de toprakla meşgul olanlarda. Belki zor ve zahmetli yollardan servet edinirler demek daha doğru olurdu ama yazar da kendi gözlemlerini böyle aktarıyor. Gerçi Arap kıyafetnameciler de aynı kanaatte... Gizli İlimler Haziresi'nde de "Satürn tepesi kendisine komşu diğer üç tepeden daha kabarık ise bu açık bir şekilde ağır, acı ve ümitsizlikle dolu bir kaderin belirtisidir." deniliyor.[54]

Bunlar suskun, yalnızlığı seven ve aşırı derecede utangaç insanlardır. Şayet Satürn tepesi, Jüpiter tepesine yanaşmamışsa, bu durum bilimsel araştırmalara kabiliyeti gösterir.

53　Les Lignes, 50
54　Gİ, 117

Normal bir Satürn tepesi, ihtiyatlı, tedbirli bir yapıya, namusluluğa, helal yollardan para kazanmaya özen gösteren ve hayattaki başarılar için mücadele veren bir kişilikten haber verir.

Satürn tepesi az şişkin veya hiç yokmuş gibi ise mutsuz ve büyük değişiklikleri olmayan, tek düze devam edecek bir hayatı gösterir. Bu durum, çevre etkisiyle değişen, sık sık huy değişikliği yapan, hiçbir konuda kendine özgü bir tavır belirleyemeyen bir kişiliği de yansıtır.

Satürn tepesi, Güneş tepesine meyilli ise melankoliye yatkınlığı gösterir. Bunlar, daima kederli bir yapı ve karamsar bir sanat anlayışına sahiptirler.

(**Ara Not:** Bence yorumcuların böyle bir yargıya varmalarının sebebi, birçok insanın, karşılarına çıkan sürprizlere mağlup olmalarından kaynaklanıyor. İnsanlar zaten çoğunlukla kadercidirler. Önlerine çıkan maniyi, aşılacak bir engel gibi değil de önünde çaresizce oturulup ağlanacak bir duvar gibi görüyorlar... Hâlbuki bu ilim ve bu veriler, insana "Aşamayacağın şey yoktur. Yeterince dikkat eder ve gayret edersen her maniyi aşarsın." demek için var. Aksi takdirde hem bu ilim hem kader, insanın aleyhine cereyan eden iki unsur olurlar.

Öyle bir şey yok. İnanın yok. İnsan mecbur değildir. Mecburiyet, bildiğimiz değiştirilmez unsurlar için geçerlidir. Onlar da annen, baban, ülken, halkın, dünyaya geldiğin zaman vs. Bunun dışındaki her şey, kendisine karşı tedbir alınabilir ve değiştirilebilir unsurlardır. Hayat bir yapboz oyun hamuru gibidir. Bu malzemenin hamur olması dışında her şey yeniden kurgulanabilinir bu hamurla.

Ancak öyle okunduğu zaman bu bilgileri bilmenin insana bir yararı olur. Aksi takdirde insanı, birtakım dayatmalarla karşı karşıya bulunan çaresiz bir varlık olarak değerlendirmek gerekir. Hâlbuki ki o hakikat böyle değildir. Evet, insanların önüne birtakım badireler, sıkıntılar, zahmetler çıkar. Ama bunlar o insanı çökertmek için değil, pazularını güçlendirmek içindir. Allah insana, **"Taşıyamayacağın yükü sana yüklemedik."** buyurarak teorik olarak insanın, önüne çıkan; kaderinin içine giren her olayın üstesinden gelebileceğini haber vermiş oldu. Hakikatin kendisi de budur. İnsan başına gelecek her sıkıntıyı kaldırabilir, tolere edebilir ve aşabilir nitelikte donatılmıştır. Aşamamışsa bu insanın kendi kusurudur. Öyleyse kötü, baş edilmez kader yoktur. Sadece güçlerini doğru ve yeterli kullanmamaktan doğan ağır sonuçlar vardır. Ölüm dışında her bir şeyin çaresi vardır. Ölüm dahi çoğu kere vaktinden önce gelip bizi bulur, hatalarımızdan dolayı…)

Küçük Bir Okuma Parçası

Bediuzzaman anlatıyor:

"Birinci Harb-i Umumî'nin (dünya savaşının) birinci senesinde, Erzurum'da mübarek bir zat müthiş bir hastalığa giriftar olmuştu. Yanına gittim, bana dedi:

-Yüz gecedir ben başımı yastığa koyup yatamadım, diye acı bir şikâyet etti. Ben çok acıdım. Birden hatırıma geldi ve dedim:

-Kardeşim, geçmiş sıkıntılı yüz günün şimdi sürurlu (acıları geçtiği için sevinçli) yüz gün hükmündedir. Onları düşünüp şekva etme; onlara bakıp (düşün ki o günler geçmiş ve sen hâlâ ayaktasın) şükret… Gelecek günler ise, madem daha gelmemişler. Rabbin olan Rahmanurrahîm'in (kuluna daima merhamet eden Rabbinin) rahmetine itimad edip güven. Daha dövülmeden ağlama, hiçten korkma, ademe (olmayan gelmeyen bir şeye) vücut rengi verme. Bu saati düşün; sendeki sabır kuvveti bu saate kâfi gelir. Divane bir kumandan gibi yapma ki: Sol cenah düşman kuvveti onun sağ cenahına iltihak edip ona taze bir kuvvet olduğu hâlde, sol cenahındaki düşmanın sağ cenahı daha gelmediği vakitte, o tutar, merkez kuvvetini sağa sola dağıtıp merkezi zayıf bırakır. Düşman edna (küçük) bir kuvvet ile merkezi harab eder."

Dedim: "Kardeşim, sen bunun gibi yapma, bütün kuvvetini bu saate karşı tahşid et, şu andaki acıları savuşturmaya bak. Rahmet-i İlahiyeyi ve mükâfat-ı uhreviyeyi ve fâni ve kısa ömrünü, uzun ve bâki bir surete çevirdiğini düşün. Bu acı şekva yerinde ferahlı bir şükret." O da tamamıyla bir ferah alarak: "Elhamdülillah, hastalığım ondan bire indi." dedi. Lemalar, 2. Lema, Dördüncü Nükte, (mealen))

Satürn Tepesinde Görülecek İşaretlerine Gelince

Haç: Bu tepede görülecek haç, kişinin belirleyici vasıfları üzerinde Satürn tepesinin kuvvetli bir etkisi bulunduğunu ifade eder. Haç, kuvvetli bir mistik eğilim olarak tesirini gösterir. Bazen insanı yataklara düşürebilecek herhangi bir hastalığın işareti de sayılabilir.[55] (Şekil 65)

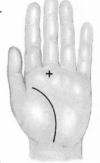

Şekil 65

Yıldız: Satürn tepesindeki yıldız iyi bir işaret değildir. İnsanı iradesini, aklını ve imkânlarını doğru yönde kullanmayacağını, bunun da talihsiz olayların gelip ona çatmasına yol açacağını gösterir.

Çünkü burada görülebilecek bir yıldız maddi/manevi sıkıntılardan, talihsizliklerden haber verir. Allah da zalim olmadığına ve hiçbir kuluna zulmen bir şey dayatmadığına göre diyebiliriz ki bu neticeler, insanın kendi imkânlarını doğru kullanamamaktan dolayı başına gelebilecek badireleri temsil eder. Yani kişinin hayatıyla ilgili tehlikelerin ve suça yatkınlığın habercisidir.

Şekil 66

İslam kaynaklarında Satürn tepesindeki yıldız ağır hastalıkların (felç vb), ıstıraplı bir ölümün, cinayetin veya cinayete kurban gitmenin işareti de sayılmıştır. [56](Şekil 66)

Kare: Beklenmedik veya çok kritik olaylarda her şeyin bittiği sanılan noktada ortaya çıkan mucizevî yardımcılardan ve yardımlardan haber verir. Satürn tepesinde bu işareti taşıyan insan, sözge-

Şekil 67

55 Les Lignes, 52
56 Gİ, 118; Les Lignes, 52

limi üzerine çevrilmiş bir tabancanın patlamadığını dahi hayretle görebilir.[57] (Şekil 67)

Üçgen: Gizli ilimlere ilgiyi ve bu alanda başarıyı -özellikle kötüye kullanmada- gösterir. (Şekil 68)

Çatal: Büyük ve hayati tehlikelerin habercisidir. (Şekil 69)

Şekil 68

GÜNEŞ TEPESİ (APOLLON DAĞI)

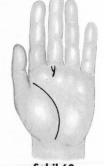

Yüzük parmağının altında yer alan tepedir. Şan, şeref ve şöhrete eğilimi gösterir. Para, aşk ve sanatı temsil eder.

Bu tepe belirgin, orantılı ve tam parmağın altında yer alıyorsa üstün bir zekâyı, büyük sanat aşkını, sanatsal eser üretimini, yüksek fikirleri haber verir. Başarıyı, şöhreti ve parlama arzusunu simgeler.

Şekil 69

Güneş tepesi, dışa dönük, şen, açık yürekli, lüksü, şatafatı ve gösterişi seven insanların tepesidir.

İfrat derecede şişkin bir Güneş tepesi, arzu ve kabiliyetlerin, adi amaçlar için de kullanılabileceğine işaret ettiği gibi aşırı yeteneklerin ve savurganlık derecesindeki cömertliğin de belirtisidir. Bunlarda gurur, övüngenlik olarak kendini açığa vurur.

Tepe zayıf veya hiç yokmuş gibiyse yukarıda sayılan hususlarda yeteneksizliği ortaya koyar. Bu insanlar küçük maddi kazançlarla avunabilen, idealsiz yaşamaya meyilli tiplerdir. Bunlarda kalp hastalıklarına da sıklıkla rastlanır.[58]

Bu tepede görülecek işaretlerin yorumuna gelince...

Haç: Bu tepede haç uğursuzluk işaretidir. Sanatla ilgili başarılarda veya şanslı bir tırmanışta karşılaşılacak ciddi

---

57   Les Lignes, 52
58   Les lignes, 54; Gi, 117

bir engeli ifade eder. Para konularında düş kırıklığını temsil eder.

Belirgin bir Güneş tepesi üzerindeki haç, bazen tasarlanmış bir zaferin de işareti sayılabilir. Literatür bu işareti iyi bulmasa da ben bu işareti böyle yorumlamanın daha isabetli olduğuna inanıyorum. (Şekil 70)

Şekil 70

Yıldız: Haçtan daha uğursuz bir işarettir. Güneş tepesi üzerinde yıldız bulunan insanlardan her türlü ihanet beklenebilir. Kendi başarıları için başkalarının omzuna basmaktan zerre kadar tereddüt göstermezler, hatta zevk alırlar. Elde ettikleri şan, şeref ve şöhreti sadist zevkleri için kullanabilirler. Bu, aynı zamanda "kötüye kabiliyetlilik" işaretidir. Kötüye kullanılacak bir talih ve zafer belirtisi de...[59] (Şekil 71)

Şekil 71

Izgara: Kuvvet yetmezliği, beceriksizlik, güçsüzlük işaretidir. Güç kullanımında zafiyet veya tembellik demektir. Bunlar aciz görünümlü insanlardır. Başarıya susadıkları için sık sık başarı hikâyeleri de uydururlar. Geveze liğe ve dedikoduya meyyaldirler. (Şekil 72)

Şekil 72

Kare: Kare, daima güvenin, dışarıdan görülebilecek yardımların ve normalin üstündeki başarıların habercisidir. Üzerinde bulundukları tepenin anlamını güçlendirirler. Kare, aynı zamanda iyi duyguları açığa çıkaran bir belirtidir. Güneş tepesinde karesi bulunan bir insan, özelikle sanatsal çalışmalarında kendisine yardımcı olacak birilerini daima bulur. (Şekil 73)

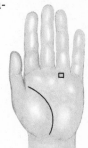

Şekil 73

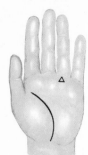

Şekil 74

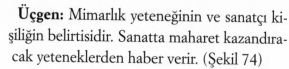

Üçgen: Mimarlık yeteneğinin ve sanatçı kişiliğin belirtisidir. Sanatta maharet kazandıracak yeteneklerden haber verir. (Şekil 74)

Çatal: Sanatçı, ancak kendisine özgü orijinalliği bulunmayan bir sanatçı kişilikten haber verir. Sanatıyla geçinir ama özgün değildir. Kendilerine has bir metotları yoktur. Çatal, dağınık başarıların işaretidir. Yahut mevki kaybını gösterir. (Şekil 75)

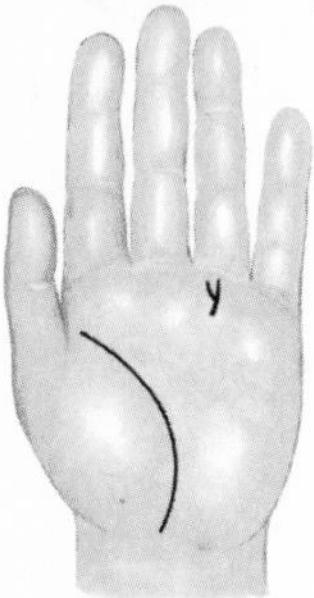

Şekil 75

Çizgiler: Güneş tepesinde yer alacak intizamsız çizgiler taşkınlık ve hoppalık alametidir. Yukarı doğru uzanan çizgiler şan, şöhret, sanat ve para kazanmadaki mahareti gösterir. Yatay çizgiler güçlü bir mücadele kabiliyetini sergiler. Yani mücadele etmek gerektirecek gelişmelerden haber verir. (Şekil 76)

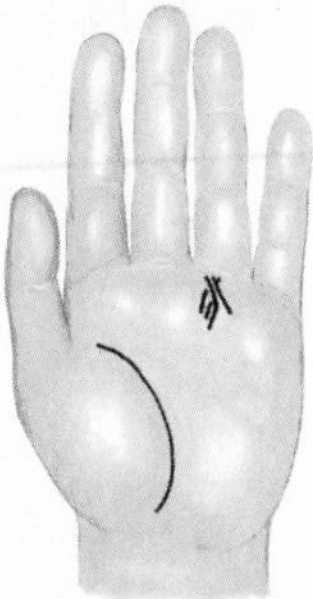

Şekil 76

Merdiven: Aslı olmayan şöhreti ve övünme merakını yansıtır. Bunlar aslında aciz ve kudretsiz insanlardır ama kendilerini başarılı göstermek isterler. (Şekil 77)

Çukur: Güneş tepesi üzerinde tabii bir çukur bulunması damar hastalıklarına yatkınlığı gösterir. Bu bazen, büyük bir şöhreti yakaladıktan sonra itibar kaybı olabileceğine de dikkat çeker![60]

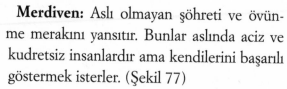

MERKÜR TEPESİ (UTARİD DAĞI)

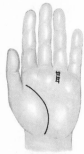

Şekil 77

Serçe parmağının altında yer alan tepedir. Zekâ, maharet, hitabet, tıp, ticaret ve ilmî araştırmaya kabiliyetleri temsil eder. Bu tepenin

---

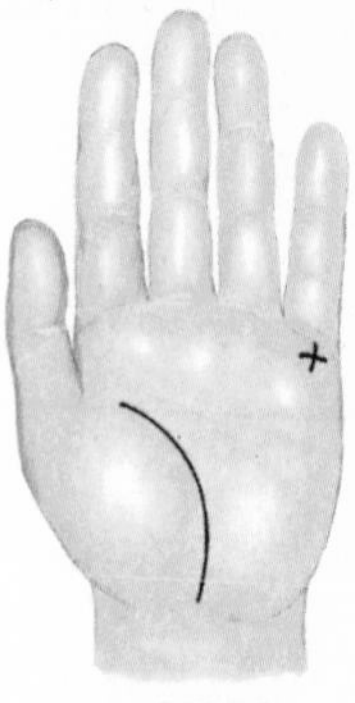

kabarıklığı fevkalade önemlidir ve gereklidir. Başarılacak işlerin membaıdır!

Normal ve muvazeneli, dolgun bir Merkür tepesi iyilik ve itidal işaretidir. Bilgiye susamışlığı, pratik ve süratli bir zekâyı, kibarlığı ve üstün bir yeteneği gösterir.

Ayrıca kişinin, ticaret ve bilim alanında çalışması durumunda iyi neticeler alabileceğini gösterir. Her ortama kolaylıkla uyum sağlama becerisini sergiler. Bu insanlarda tam bir dayanışma anlayışı mevcuttur.

Şekil 78

Ancak Merkür tepesi, diğer tepelerden en çok etkilenen tepedir. Şayet avuçtaki diğer işaretler de destekliyorsa, dolgun bir Merkür tepesi, eşsiz bir diplomasi ve güçlü bir hitabet yeteneğinden haber verir.

Merkür tepesi eğer çok bombeli ise işlerinde en kestirme yoldan sonuca ulaşma eğilimine sahip biriyle karşı karşıyayız demektir. Bunlar hırsızlığa, hilekârlığa, yalana, şüpheli kazanca, suiistimale, inatçı bir cehalete, namussuzluğa eğilimli olurlar. Asabi, alıngan, daima işin kurnazlığını düşünen bir zihni yapıya işaret eder.[61]

Eğer zayıf veya hiç yoksa bu tam bir kabiliyetsizlik, ağır bir mizaç ve aciz bir kişilik olarak yorumlanır. Kendi, çabalarıyla bir yere varmaları zordur. O yüzden de başkalarının yardımını istemekte beis görmemeliler.

Merkür tepesi, Güneş tepesine meyilli ise ilim ve hitabetle uyumlu sanatkârane bir yapıyı sergiler.

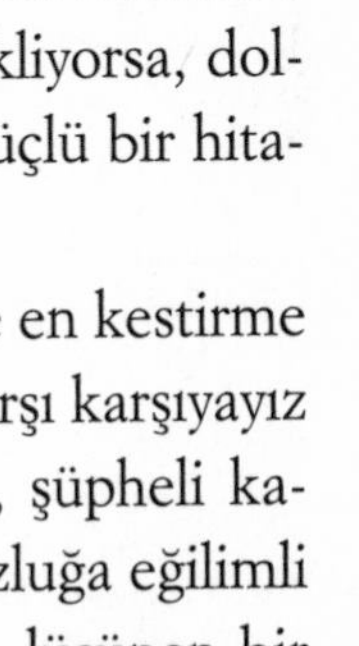

Merkür tepesi üzerindeki işaretlere gelince...

Şekil 79

---

61   Les Lignes, 57; Gİ, 119

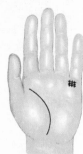

Şekil 80

Şekil 81

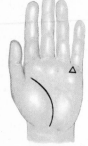

Şekil 82

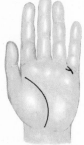

Şekil 83

Haç: Bu işaret kuvvetli bir kötülük yapma yeteneğini gösterir. Hırsızlığı, dolandırıcılığı ve yalancılığı meslek olarak kullanma ihtimali... Kleptomaniyi (zevk için hırsızlık yapma) eğilimini yansıtır. (Şekil 78)

Yıldız: Daima kötü bir kehanettir. Kalleşlik, dolandırıcılık, hırsızlık, edepsizlik, uslanmazlık işaretidir. Ticaret ehli ve iş adamlarının elindeki böyle bir işaret, yakın olan bir iflası haber verir. (Şekil 79)

Izgara: Başarısızlıkların, iflasların, dalaverelerin, hırsızlığa yatkınlığın ve şarlatanlığın işaretidir. (Şekil 80)

Kare: Ticarette başarının ve şanslılığın işaretidir. Yeni bir işe başlarken Merkür tepesinde bulunan kare en sağlam güvence ve hesapta olmayan bir yardımın habercisidir, denilebilir. (Şekil 81)

Üçgen: Bu tepe üzerindeki bir üçgen diplomasi yeteneğinin en açık delilidir. Bu insanlarda ayrıca gizli ilimlere yetenek ve kuvvetli bir önsezi mevcuttur. İyi devlet adamı olurlar. (Şekil 82)

Çatal: Hileli iflasa varan iş başarısızlıklarını gösterir. Bu işaret evlilik için tehlike sayılır. Mutsuz bir evliliği haber verir. Aynı zamanda müsrif bir tabiatın belirtisidir. (Şekil 83)

Çizgi: Bu tepe üzerinde bulunan dikine çizgiler ticarette ve özellikle tıbbî ilimlerin tatbikatında büyük maharete işarettir. Büyük tabiplerin ve hemşirelerin ellerinde çoğunlukla bu çizgi mevcuttur. Yatay çizgilerse bu maharetin vasat olduğunu gösterir.

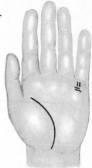

Bu tepe üzerinde fakat avucun kenarından başlayan yatay çizgi veya çizgiler gönül bağlantılarını ve nikâhı (ilişkiyi) temsil ederler. Bu çizgilerin sayıları miktarınca gönül ilişkilerinden veya nikâhlardan bahsedilebilir. Bu çizgi ileride "Evlilik Çizgisi" başlığı altında ayrıca detaylıca incelenecektir. (Şekil 84)

Şekil 84

MARS TEPESİ (MİRRİH DAĞI)

Mars, elin ayasının iki tarafına yerleşmiş iki tepeden meydana gelmiştir. (Bkz. Şekil 37) Biri olumlu, biri olumsuz anlamda yorumlanır. Olumlu olan Mars tepesi hayat çizgisinin en uç kısmında Jüpiter tepesinin altında yer alır.

Negatif olan ikinci (Mirrih yaylası) akıl çizgisinin bitiş noktası ile kalp çizgisinin başlangıcı arasında yer alır. Daha doğrusu bu yedi tepenin arasında bulunur.

Birincisi fizikî özelliklerle, ikincisi zihnî kabiliyetlerle alakalıdır.

MARS TEPESİ

Bu tepenin en temel fonksiyonu, hayat içinde insanın karşılaşacağı tehlike, tehdit, korku, zorluklar ve meşakkatler karşısında nasıl bir yol takip edeceğini göstermesidir. Olaylar karşısında metanetli mi davranacak metanetsiz mi, tehlikelerle karşılaşınca haklarını savunacak mı vaz mı geçecek işte bu tür insani davranışların membaı bu tepedir. Çizgilerden bir insanın cesur mu korkak mı olduğu anlaşılmaz. Ama bu tepe iyi incelendiğinde anlaşılır.

Mars tepesi, fiili cesaretleri gösterir Mars yaylası ise düşünce ve fikir hayatındaki cesareti temsil eder.

İş hayatındaki mücadelelerde kişinin nasıl bir yol izleyeceği, başa gelen sıkıntılar karşısında hemen pes mi edeceği yoksa direnç mi göstereceği Mirrih tepesinden ölçülebilir. Kişinin fikir namusu ve yazdıklarının, söylediklerinin arkasında durup duramayacağı da Mirrih yaylasından anlaşılabilir.

Mars gezegeni zaten insanı sınava zorlayan, sıkıntılara karşı direncimizi göstermeye zorlayan bir gezegendir. Savaşçıdır. Kişinin savaşçı özelliklerinin ortaya çıkmasını sağlayacak olayların karşısına çıkmasına sebep olur. Tabii ki gerçek müsebbib Allah'tır. Güneş yıldızı nasıl bizim hayatımızın olmazsa olmazı olan hararet ve aydınlığın kaynağıdır. Mars da insandaki direncin açığa çıkmasına etki eden bir gezegendir. İşte bu tepe, onun, önümüze nasıl sınavlar çıkaracağını gösterir.

Bu tepe cesaret ve metanetle alakalıdır. Kişinin, şef veya lider olmaya can atıp atmadığını; istediği bir şeyi elde etmek için ne kadar fedakârlık yapacağını veya neleri göze alabileceğini bu tepenin durumundan kestirebiliriz. Bu tepe ihtiras ve cesaret deposudur. Kısacası mücadele, sabır, sebat ve metanet hislerini temsil eder.

Bu tepe çok belirgin ise cesareti, tehlike anında soğukkanlılığı ve kararlılığı gösterir. Bu durumda karşımızdakinin iyi bir komutan, iyi bir şef veya lider olduğunu söyleyebiliriz.

Aşırı derecede kabarık ve başparmak da bu özelliği destekleyecek nitelikte güçlü ise bu son derece iyi bir işarettir. Bu, sağlam ve sarsılmaz bir iradeyi temsil eder çünkü. Mars yaylası kabarık ve aynı zamanda yekpare ise başarılı, şerefli ve saygın bir gelecekten haber verir.

Zayıf veya hiç yoksa korkaklık belirtisidir. Bu insanlar hemen öfkeye kapılır ve kızarlar. O yüzden de çabuk alt edilirler. Bu aynı zamanda şanssız, yoksul ve mutsuz bir hayatın habercisidir. Bunlar şayet erkekse tam bir kılıbık olurlar. Toplumda belirgin bir yerleri olmaz.[62]

MARS YAYLASI

Bu tepe büyük zihnî cesareti, hür teşebbüs kabiliyetini, medeni cesareti ve daha çok manevi gücü açıklar.

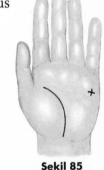

Şekil 85

Bu tepenin belirginliği, o kişinin kaba kuvvetten nefret ettiğini, fakat fikrî mücadele ve münazaraya bayıldığını gösterir. Bunlar tartışmayı en son noktaya kadar götürür. Fakat onu kaba kuvvete dönüştürmezler.

Bu tepenin yokluğu fikirde sebatsızlığı, dirençsizliği ve en ufak bir karşı savunmada pes etme eğilimini açığa vurur. Bu tepe üzerinde görülecek işaretlerin her iki tepede de aynı anlama geldiklerini belirtelim.

Haç: Kötü ve kavgacı bir mizacı gösterir. Gereksiz yere gereksiz şekilde öne atılıp kavga çıkaran, sonra da geri çekilen bir karakterden haber verir.

Haç bu tepede, bazen durum değişikliklerinin de habercisidir. Haçın ilk çizgisinin üst kısmı biraz daha kısa ise ifrat derecede hırstan haber verir. (Şekil 85)

Yıldız: Yıldız haçtan daha kötü bir işarettir. Bu da hiç yere başlatılan bir kavga neticesinde hayatını kaybetme ihtimalini gündeme getirir. Aşırı dikkatli olmaya sevk eder.

Bir zaman ünlü bir muhabir gazetecimizin elinde böyle bir işaret görmüştüm. Ona, "Bu günlerde biri gelip sana hakaret etse, küfür etse bile sen karşılık verme, ses çıkarma. Adamın elinde ne olursa olsun sen eline, ona saldırmak babından bir

Şekil 86

çay kaşığı bile alma. Bırak gelecek bela seni götürmeden geçsin." demiştim.

Bu arkadaş, fikirlerime itimat ederdi. Uyarımı dikkate alacağını söyledi. Her daim yanında silah bulundururdu. Bir gün birileri, bir haberi münasebetiyle onu tehdit etmiş. Tehditle de yetinmeyip, onu öldürmek kastıyla odasına kadar girmiş. Adamın elinde silah varmış, kendisi de tam silahını çekmeceden çıkaracakken uyarımı hatırlamış ve karşısındakine şöyle demiş: "Senin derdini bilemiyorum. Ben haberimi sana zarar vermek niyetiyle yapmadım, doğruları yazdım. Sen de sana zarar verdiğimi söylüyor ve beni tehdit ediyorsun. Şimdi de silahla gelip odama girdin. Ben sana karşılık vermeyeceğim. Aha buyur karşındayım!"

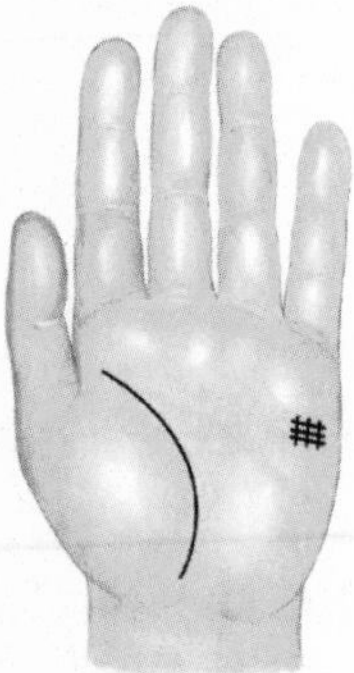

Şekil 87

Adam bunun üzerine daha da öfkeleniyor ve ısrarla kendisine karşılık vermesini istiyor, o ise vermiyor. Adam, sonunda öfkesini yumruklarından alıyor tabancanın kabzasıyla muhabirimizin omzuna, başına birkaç kere vurduktan sonra, "Sen öldürülmeye bile değmezmişsin!" deyip odasından çıkıp gidiyor. O hâlde iken beni arayıp durumu anlatmıştı. Allah selamet versin, yaşıyor hâlâ...

Mars tepesinde görülen yıldız ile bizim böyle bir maceramız oldu. Eğer o gün o arkadaşımız sinirlerine hâkim olmasaydı, belki de o gün hiç yere hayatını kaybedecekti. En azından yaralanacaktı. Bu işaret de zaten en hafif bir ifade ile ağır bir kaza veya yaralanma olarak da yorumlanıyor.[63] (Şekil 86)

Şekil 88

---

63 Les Lignes, 61

Izgara: Nevrasteni, delilik veya feci bir ölüm habercisidir. Yine araya gireceğim ve diyeceğim ki, bu işaretler, hiç tedbir alınmadığında, akıl ve iman kullanılmadığında karşılaşılacak şeylerdir; mutlak kader değildir. Sadece yatkınlığı yansıtır. İcraası ise kişinin kendi tercihleriyle ilgilidir. (Şekil 87)

Üçgen: Askerî ilimlere ve bu tür alanlara karşı güçlü yetenek bulunur. Bu alanda elde edilecek başarılardan haber verir. Bu alanlarda şan ve şeref kazanılacağını gösterir. (Şekil 88)

Şekil 89

Çatal: Mars tepesinde çatal, iki şekilde yorumlanır. Ya hayal gücünün yokluğunu haber verir yahut pratik hayatla ilgisini kestirecek düzeyde hayalciliği yansıtır. (Şekil 89)

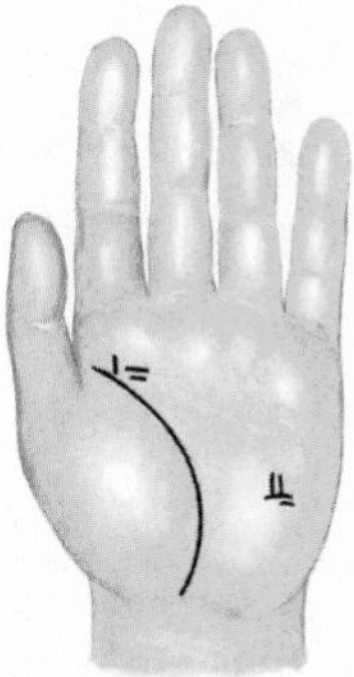

A Harfi: Bu tepe üzerinde görülecek A işareti, silahla öldürülmeyi ifade eder, denilmiş.[64] Ama bunun her daim böyle olmadığını biliyorum. (Şekil 90)

Şekil 90

Çizgiler: Bu tepe üzerinde görülecek kısa kısa çizgiler şiddetli ve öfkeli bir mizacı ve özellikle bünyenin bronşit, astım gibi solunum sistemi ile ilgili hastalıklara yatkın olduğunu gösterir. (Şekil 91)

AY TEPESİ

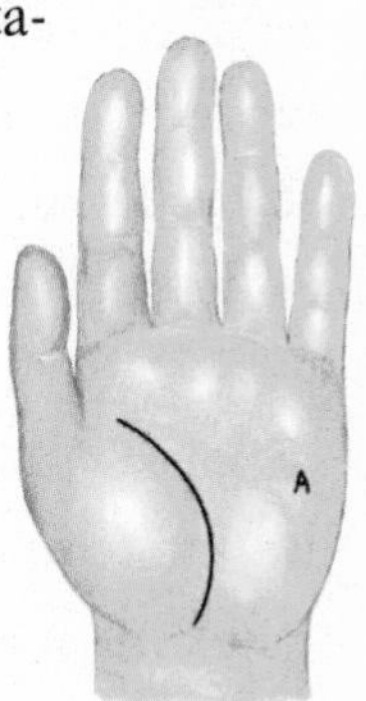

Elin ayasının en alt dış köşesinde yer alır. Çoğu insanda akıl çizgisinin son bulduğu tepedir.

Bu tepe sanat yeteneklerini, hayal gücünü (roman ve öykü yazmaya yetecek kadar), şiir ve

Şekil 91

seyahat zevkini, yazarlığı, ruhçuluk, medyumluk gibi parapsikolojik ve psişik ilimlere kabiliyeti ifade eder.

Kabarık ve düzgün bir Ay tepesi, bütün teşebbüslerinde, bütün eserlerinde yeni ve özgün fikirler verebilen velut ve büyük bir yeteneğin habercisidir.

Çok belirgin bir Ay tepesi, sahibine borsada, para piyasalarında, finans alanlarında başarılı bir kariyer vaad eder. Yaratıcı özellikleri olan insanlarda bu tepe oldukça belirgindir. Büyük maliyecilerin, şöhretli sinema ve sahne sanatçılarının, büyük müzisyen ve kompozitörlerin Ay tepeleri son derece kabarıktır.

Bu tepenin az kabarık olduğu insanlara Ay'ın verebileceği bir şey yoktur. Bunlar, şiire ve sanata ilgisiz, fikirleri dar, sevdiklerine hemen kırılacak alıngan insanlardır.

Normal bir Ay tepesi tatlı, melankolik ve şairane bir hayal gücünü, güzel bir ahenk ve estetik anlayışını sergiler; deruni bir sükûta ve esrarengiz bir tabiata işaret eder.

Çok çok kabarık olması ise sürekli yalnızlıklardan kaynaklanan şüpheci bir korkuya, vehim ve vesveseye, devamlı yer değiştirme arzusuna, keder ve karamsarlığa, sonu gelmeyen baş ağrılarına işarettir.

Zayıf ve buruşuk bir Ay tepesi ise kahredici bir merak ve araştırma hissini simgeler. Ama bunlar üretken değillerdir. Hayalleri çoktur, otursalar roman yazacaklarını sanırlar ama arkası gelmez.

Yumuşak Ay tepesi manyaklık, isteri, marjinal bir hayat anlayışı, coşkunluk ve taşkınlık ile garip konulara ve zevklere tutkunluğu ifade eder.

Ay'ın normal tesirini alan insanlar (yani Ay tepesi, avuçtaki diğer tepelerle uyumlu ise) iyi kalpli, çevresindekileri seven, yardımsever, dost canlısı ve sadıktırlar.

Ay tepesinin üzerindeki işaretlere gelince...

Haç: Çıkarına göre tavır değiştirme ve hileye başvurma eğilimini yansıtır. Louis Stanke, Ay tepesinde görülen haç işaretini, başka hiçbir şeye yormadan, "Bu, yüksek bir hırsızlık kabiliyetini yansıtır." diyor. Büyük soyguncuların elinde böyle işaretler olduğunu ima ediyor.[65] (Şekil 92)

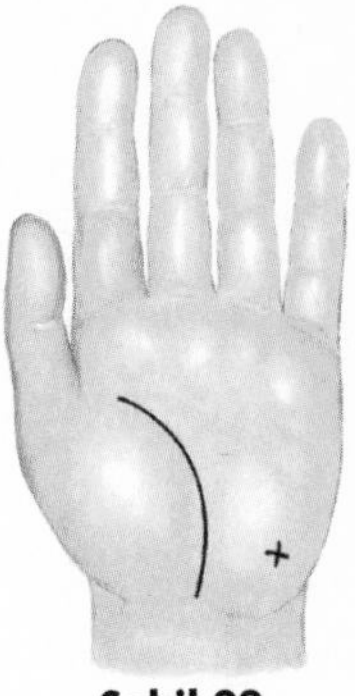

Yıldız: Hoş olmayan, iyiye yorulmayan bir işarettir. Kıyafetnameciler bunu, ikiyüzlülüğe, ihanete, sürekli üzüntüye, karamsarlığa ve bazen de kederli bir hayatın yaşanacağına işaret saymışlardır. "Bu işaret, kederli geçecek bir ömrü haber verir." demişlerdir.

Şekil 92

Ben şahsen kendi izlenimlerimden bu işaretin daha çok sağlığı ilgilendirdiğini ve ameliyat gerektiren hastalıklara işaret ettiğini tecrübe edindim. Yıldızlar ve çarpı işaretleri, eğer o bölgede hafif morluk ve sarımtıraklık da varsa, ameliyat gerektirecek hastalıkların ön habercisidir. Tabii kalıcı hasar bırakmayan kazalara da işarettir denilebilir. (Şekil 93)

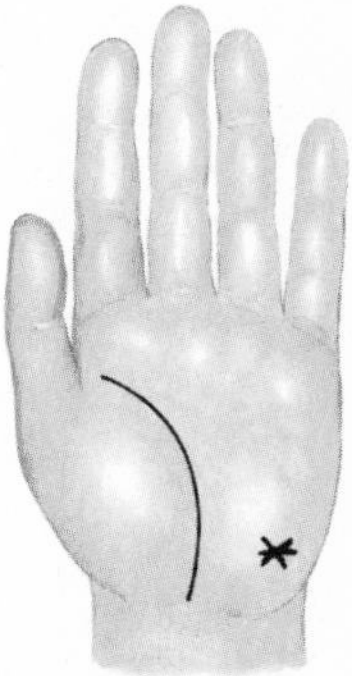

Şekil 93

Kare: Güçlü ve müspet bir hayal gücüne, disiplinli düşünce yapısına, olumlu ve mantıklı bir kişiliğe işarettir. (Şekil 94)

Hasta bir insanın Ay tepesinde kare görülmesi, hastalığın şifa bulacağına yorulabilir. Ölümcül kaza geçirenlerin Ay tepesine de bakmakta yarar var. Hayat çizgisi kopuk değil ve akıl çizgisi sıkıntılı değilse kare, hastanın iyileşeceğini haber verir...

Şekil 94

65   Las Lignes, 63

Şekil 95

Üçgen: Pratik akla ve bilimlere, felsefeye, mistisizme ve bazen de mal ve mülke işaret sayılır. Bunlar iyi birer denizci ve deniz araştırmacısı olurlar. (Şekil 95)

Çatal: Zihni dengesizlik, tuhaflık, tutarsızlık ve mutsuz beraberliklere işarettir. Orada görülen çatal, kalbi yakınlıkların dağılmaya başladığını ve eşler arasında bir uzaklaşmanın söz konusu olduğunu gösterir. Bunu elinde gören insanlar, hemen o gidişatı durduracak tedbirleri almalılar.

Şekil 96

Çatal, hastalık ve ciddi güç kaybı belirtisi olarak da yorumlanır. (Şekil 96) Eğer çatalın ucu yukarıya bakıyorsa güç kaybına sebep olan organ göbeğin üstündedir. Alta bakıyorsa göbeğin altındaki bölgelerle ve daha çok üreme organlarıyla ilgilidir.

Izgara: Bütün işlerde mübalağaya, yalancı fikirlere, hastalık derecesinde işkilliğe, düşüncesizliğe ve huzursuzluğa işarettir.

Şekil 97

Bu işareti taşıyanlar, kendilerini kolay kolay zihinlerinde oluşan karamsarlıktan kurtaramazlar. Biraz da abarttıkları için sonunda hastalık hastası olurlar. Sürekli kızgın ve neşesizdirler. Sanki herkes tüm yemiş onlar parça... (Şekil 97)

Merdiven: Kederli, yalnız ve gamlı bir mizacın belirtisidir. Endişe ve aşırı heyecan içerisinde ömürlerini tüketirler.

Sık sık vurguluyorum, burada da temas edeyim. Elin işaretlerinden okunan potansiyel bu karakter özellikleri bir yazgı değil. Bu işaretleri taşıyanlar mutlaka öyle olmak zorunda değil. Bu belirtileri şöyle değerlendirmeli: Bu insanlarda bu tür dürtüler güçlüdür. Eğer kendilerini o dürtülerin insafına bırakır ve öylesine yaşarlarsa bu potansiyel hayata geçer. Ama insan kendisiyle ve kendisinde bulunan arızalar ve hastalıklarla nasıl mücadele ediyorsa bu sıfatlarıyla da öylece mücadele edebilir ve onların etkisinden kendisini kurtarabilir...

Şekil 98

Kadınlarda merdiven, duygusal ilişkilerde ve duygusal davranışlarda özensizliğe, başına iş açacak serbestliğe işarettir. Bu kadınlar çoğu kere çok basit şeylerle -fakat istemeden-kötü yola düşerler.[66] (Şekil 98)

Çizgi: Ay tepesindeki çizgiler kuvvetli önsezilere korkulu rüyalara, kâbuslara, hayali hislere, halüsinasyonlara, gaybdan ses duymalara açık bir bünyeyi yansıtır. Bu insanlar kendilerinde gördükleri birtakım hâlleri hemen en kötü hâliyle değerlendirmesinler ve o korkulara karşı mücadele versinler. Gerekirse uzmanlarından destek ve yardım alsınlar.

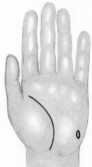

Şekil 99

Ay tepesinden çıkıp hayat çizgisine ulaşan uzun çizgi veya çizgiler, uzun, belki de gidilip dönülmeyecek seyahatlere de işaret ederler.

Ada: Ada veya adacık uyurgezerliğe işaret sayıldığı gibi büyük bir tutkuyla dinî düşüncelere bağlılığı da gösterir. (Şekil 99) Manastır hayatı gibi şeylerin de işaretidir Ay tepesinde ada.

Şekil 100

---

66   Gİ, 121

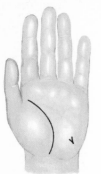

Çapraz: Çapraz çizgiler (haç ve yıldız değil) bü-yük bir hayalperestliğe ve sürekli seyahat merakı-na işaret ederler. (Şekil 100)

Ay tepesinin hayat çizgisine yakın kena-rında bulunan çaprazlar, çoğu kere ameliyat, boğulma tehlikesi ve deniz kazası gibi olayla-ra işaret sayılır.

Açı: Boğulma tehlikesi işaretidir. Bu kim-seler deniz seyahatlerinden ve boğulma tehlikesi olabilecek yerlerden kaçınmak zorundadırlar. Çünkü yüz-mek, gerçekten onlar için oldukça risklidir.[67] (Şekil 101)

Şekil 101

DÜNYA DÜZLÜĞÜ (AYA)

Bu düzlük Venüs, Jüpiter, Satürn, Güneş, Merkür, Mars (tepesi ve yaylası) ve Ay tepesi ortasında yer alır. Yani avucun tam ortasıdır. Elin bu bölgesi düz veya çukur olabilir.

Dünya düzlüğü bütün çizgilerin buluşma ve kesişme yeridir. Başlı başına çok büyük an-lamlar ifade etmese bile bir çizginin bu düzlükten geçerken kırılmış veya başka bir çizgiyle kesilmiş olması bü-yük önem taşır. Burada görülecek her arıza, maddi hayata doğrudan yansır.

Şekil 102

Dünya düzlüğü; hayat çizgisi, kalp çizgisi, Mars yaylası ve Ay tepesi tarafından çevrelenmiştir. İnsanın ömrünü, menfaatlerini, başarılarını temsil eden akıl çizgisi, bu sa-hadan geçerek Ay tepesine ulaşır. Yahut bu düzlükte son bularak denize ulaşamayan bir nehir gibi bir kapalı havza meydana getirir. Bu sahada görülecek işaretler fevkalade önemlidir.

---

67 Les Lignes, 65

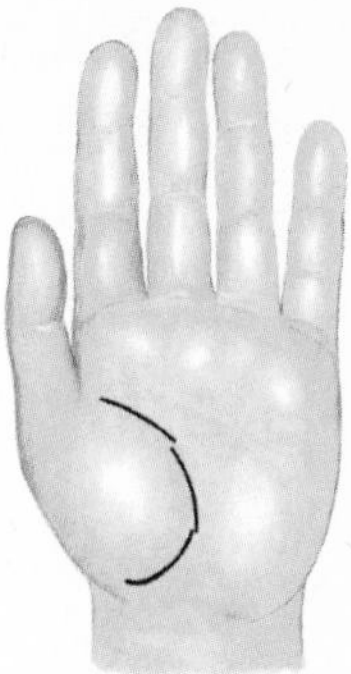

Dünya düzlüğünde sıhhat, akıl ve kader çiz-
gilerinin kesişmesinden meydana gelen bir
üçgen mevcutsa, o kişinin önünde sonunda
maddi açıdan rahata kavuşacağı; en azından
kendisine yetecek miktarda maddi birikim
yapacağı söylenebilir. (Şekil 102)

Burada görülecek bir haç, yıldız veya
çapraz; kazalara, ameliyatlara işaret eder. Bu
düzlüğün en olumsuz şekli buruşuk, gevşek ve
çok çizgili olmasıdır. Bir kişinin ayası, birbirini kesen in-
tizamsız çizgilerle dopdolu ve buruşuk ise o insan ne kadar
kabiliyetli de olsa işleri hep başarısızlıkla sonuçlanır.

Şekil 103

Hayat çizgisinin bu düzlüğe yakın yerde bir kopukluk
meydana getirmesi kaçınılmaz kazalara, hayat akışında ciddi
değişmelere veya sosyal hayat ile ilişkiyi azaltacak birtakım
fonksiyon eksilmelerine işaret eder. Şu veya bu şekilde sü-
rekli bir özürlülük hâli oluşmuş insanların büyük ekseriyetin-
de bu kopukluğa rastlanmıştır.

Tabii ki hayat çizgisi üzerindeki her kopukluk illa da sa-
katlık anlamına gelmez. Büyük bir kısmı da ruhi depresyon-
lara ve psikolojik sıkıntılara işaret edebiliyor. Benim şahsi
izlenimim, hayat düzlüğü üzerinde görülen kopukluklar ka-
zalara, hayatın başlangıcında yaşanan kopukluklar ise psiko-
lojik bunalımlara işaret ediyor. (Şekil 103)

Bu düzlük hayat ağacının kök saldığı bir arazi mesabe-
sindedir. Diğer tepe ve çizgilerde görülecek başarılar, kökü
düzlükte yer alan hayat ağacının meyveleridir. Kökü sağlam
olmayan bir ağacın kendisi de sağlam olmaz.

Bu düzlüğün tam anlamıyla düz olması, kişinin maddi ve
pratik kuvvetlerden çok, ruhi ve psişik güçlere sahip olduğu-
nu gösterir. Gördüğüm üç medyumun, beş ruh çağırıcısının

ve iki hipnozcunun 'Dünya düzlüğü', pürüzsüz denecek kadar düz ve soğuktu. Burada, kırmızımtırak kılcal damarların görülmesi, o tür kabiliyetleri ve güçleri daha da artırır.

EL AYASI (Genel olarak avuç)

Avuç içindeki çizgilere geçmeden önce el ayasının biçimi üzerinde de durmak gerekir. Çünkü bir insanın içgüdüleriyle mi yoksa aklıyla mı hareket ettiğini anlamanın en kestirme yolu el ayasından anlaşılır.

Uzun el ayası: (Parmaklardan daha uzun) İçgüdüleri akılcılığından üstün olan bir insanı haber verir. Bunlar pratik mizaçlıdırlar, fakat hafızaları güçlü değildir.

Kısa el ayası: Maddi içgüdüleri daha aktif olan bir yapıyı yansıtır. Bunların hafızası da güçlüdür. Dedikleri hep gerçekleşen, bazen düşüncelerini patavatsızca dile getiren ama yine de sevimli kalmayı başaran insanlardır.

Orta el ayası: (Parmaklarla eşit uzunlukta) Bunlar ifrat ve tefritten uzak, rahatlıkla senteze varabilen analizci bir yapıya sahiptirler. Zekâları ile maddi içgüdüleri arasında tam bir uyum mevcuttur.

Büyük el ayası: Çözümleyici (analitik) bir yapıyı açığa vurur. Eskilerin "halli'l-müşkilat" yani "her girift konuyu çözen" dedikleri türden kimselerdir bunlar.

Geniş el ayası: Açıkgözlülüğün, marifetliliğin, "el çabukluğu"nun en belirgin işaretidir.

Sert el ayası: Kanlı, canlı, oldukça sıhhatli bir bünyeyi haber verir. Bunlar genellikle gürbüz, dirençli ve atılgan insanlardır.

Gevşek el ayası: Büyük bir uyuşukluk ve tembellik belirtisidir. Bunlar çoğunlukla hiçbir iş yapmadan kendilerini koyuveren, yumuşak mizaçlı kimselerdir.

Düz el ayası: Aşırı denecek bir hassasiyete işarettir. Önsezileri güçlüdür ve içgüdüleriyle hareket ederler ve içgüdüleri nerede ise akıllarından daha isabetlidir. Büyük bir kısmı karanlıktan ve sudan korkarlar. Daima sıcak bir güven duygusuna ve güvenlik duvarı yüksek ortamlara ihtiyaçları vardır. Sık sık sebepsiz korkulara kapılırlar. Çünkü radar sistemleri o kadar hassastır ki başkalarının hissetmediklerini hissederler ve o hislerinden de korkarlar. Medyumların elidir.

Sıcak el ayası: Duygusal, hoş ve sevimli bir yapıyı sergiler. Sıhhatli ve çevik olurlar.

Soğuk el ayası: Müthiş bir iradeyi ve nefis üzerinde tavizsiz bir kontrol gücünün varlığını gösterir. Bunlar, en heyecanlı ve korkulu anlarda bile kendilerine hâkim olmayı becerirler. Öfkeye kapılmazlar, soğukkanlıdırlar. Usta birer kriz yöneticisidirler...

Soğuk ve kuru el ayası: Sinir hastalıklarının habercisidir.

Soğuk ve nemli el ayası: Karaciğer hastalıklarının habercisidir.

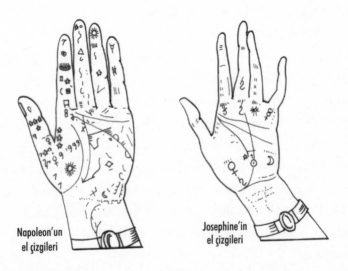

Napoleon'un
el çizgileri

Josephine'in
el çizgileri

AVUÇ ÇİZGİLERİ

A) GİRİŞ

Bu ana kadar anlattıklarımızın hepsi, aslında bu başlık altında inceleyeceğimiz çizgilerin anlam ve ifadeleri yanında bir "önsöz" durumunda kalır.

Ellerin, parmakların, tırnakların yapısı, biçimleri hep birer malzeme ve potansiyel güç gibidir. İnsanların bu potansiyellerini nasıl, ne zaman kullanılacaklarını avuç içindeki çizgilerden anlayabiliriz.

Sözgelimi, güçlü bir başparmağın, Jüpiter tepesindeki bir A işaretinin, hayatın hangi noktasında, kaç yaşında fonksiyonunu icra edeceğini, ancak avuç çizgileriyle birlikte değerlendirerek tahmin edebiliriz. Avuç çizgileri incelenmeyecek olursa elin diğer unsurlarıyla ilgili bilgiler, kelime oluşturmada, cümle içerisinde kullanılmayan harfler misali boşlukta kalır, mekân ve zaman ile ilintilendirilemez.

Mesela, uzun güçlü bir başparmak, mantıklı bir muhakeme ve güçlü bir irade kudretinin varlığını gösterir. Ama bunun gerçekten kullanılıp kullanılmadığını ancak diğer çizgilerle birlikte inceleyerek anlayabiliriz. Çünkü bir şeyin varlığı ile onun uygun zaman ve biçimde kullanılması ayrı şeylerdir. Potansiyel vardır kullanılmaz yahut yanlış yerde kullanılır. Mevcuttur ama kişinin içinde bulunduğu şartlardan dolayı hiç kullanılmama ihtimali de vardır. Yahut hiç de dikkat çekmeyen bir unsurun veya melekenin öne çıkarıldığını da görebiliriz.

Kısacası, el çizgilerini yorumlama ilminin "alfabesi" ve "dört işlem kitabı" avuç içindeki çizgilerdir. Bunların kesişmelerinden, bitiş ve başlangıç noktalarından, bu çizgilerin dalları olan tâli çizgilerden ve onların yönünden hareketle, zaman boyutunu da içine alan bir hayat grafiği çizmek mümkündür. Bu eğri, düz, dik veya inişli çıkışlı grafiğin (elin diğer unsurlarından kaynaklanan) odak noktalarını da belirledik mi, üç aşağı beş yukarı bir insanın hayat hikâyesini, karakterini, ilgi duyduğu alanları tahmin edebiliriz.

Avuç içi, iyi okuyabilen için bir insanın (tek bir düşünce ve hareketinin bile hariç olmadığı) bütün kimliğini, kabiliyetlerini, yaşama azmini gözler önüne seren bir kitaptır, bir panodur. Öyle ki bu panoda, başlangıç ve bitiş noktaları ile bunların "nasıllık ve niceliği" de mevcuttur.

Mesela, bir insanın doğum anında başlayarak her saat başı, bir kare fotoğrafını alalım. -Tabii bunu daha sıkı periyotlara da indirebiliriz.- Bu resimler, üç hatta dört boyutlu olsun; fotoğrafını çektiğimiz insanın, o anda ne yaptığını gösterdiği gibi, aklından geçenleri, tereddüt ve heyecanını, acılarını da veriyor olsun.

Doğduğu anda çekilen kare, en üste gelecek biçimde bütün bu film karelerini üst üste monte ettiğimizi düşünelim.

Ne görülür?

Hiçbir şey. Biz görebildiğimizi farz edelim! Karşımıza irili ufaklı, saçlı sakallı, ihtiyar ve bebek şekillerinin iç içe girmesiyle meydana gelmiş bulanık bir nebula çıkar.

İşte bu, her şeyin ilk hâlidir. Sonra her bir kare vakti geldikçe ekrana yansır ve o zaman yaşanır, görülür bir hâl olur.

Her ömür ve o ömrün her merhalesi Allah'ın bilgisinin içindedir. O dünü de yarını da olmayan "an"dır. Zaman bizim içindir. Geçmiş ve gelecek de... Filme alınmış hayat hikâyelerimiz, zaman makinesinin dönmesiyle varlık sahnesine yansıyor. Bu "kader" ve "takdir" değil, "bilme" hadisesidir. Yani Allah, ezeli ve ebedî ilmiyle "bize göre gelecek olan bir zaman içinde neler yapacağımızı, bize verdiği akıl ve iradeyi hangi yönde kullanacağımızı" bildiği ve gördüğü için onu -benzetmekte hata olmasın- bütün boyutlarıyla filme kaydetmiştir ve bu "hareketli kutucuk"un indeksini üstüne (yüz), altına (el) kaydetmiştir. Bunlar, kaçınılması mümkün olmayan komutlar ve emirler değil, "iradeyi doğru yönde harekete sevk edecek" uyarılardır.

Yani der ki: "Ey filan, gittiğin şu yolun şu noktasında yer alan köprü çürüktür, kırılabilir, tedbirini al, öyle geç." "Ey filan, git ve şu köprüden düş." demez. Yahut, "Sen bu köprüden düşmek zorundasın!" demez.

Elimiz bize der ki, "Aman şu köprüden dikkatli geç çünkü yıkılma ihtimali var. Çünkü senin ağırlığına dayanamayabilir!"

O zaman ne yapmak lazım? Ya yolu değiştirip o köprüden geçmemek gerekiyor ya da ağırlığı azaltmak... İşte bu ilmin size kazandıracağı en büyük özellik budur, bu olmalıdır.

BİR UYARI

Her insanın artı sonsuzdan eksi sonsuza uzanan "iyilik" ve "kötülük" yetenekleri vardır.

Her insan, insani olgunlukların zirvesine çıkaracak güzel huylarla, hayvandan daha aşağı "esfel"lere düşürecek huyları aynı anda tabiatında barındırır. İnsan aklın, imanın, terbiyenin, çevrenin ve kültürün etkisi altında tercihini yaparak iki yoldan birini tutar ve Allah'ın ona bahşettiği yetenek potansiyelini kullanır. İşte bu "kullanım serbestliği", -ki biz ona cüzî irade diyoruz- insanın Cenab-ı Hakk huzurundaki mesuliyetini netice verir.

Yani Allah hiçbir insanı sapık, katil, hırsız veya namussuz yaratmaz. Burada Peygamberimizin, "Her çocuk İslam fıtratı üzerine doğar (yani tabiatında hayrı kabule mani bir hâl yoktur, kendisine yüklenilecek programlara karşı korunaklı değildir. Ona hangi işletim sistemini yüklerseniz, onun altında çalışır), sonra onu ebeveyni Yahudi, Hristiyan veya Mecusi yapar." hadisini hatırlayalım.

Dolayısıyla en iyi insanlarda bile bu iyi ve kötü yetenek ve eğilimler mevcuttur. Kişi kendi hür iradesiyle bu yeteneklerin ortaya çıkmasına veya bastırılmasına sebep olur ve artık onunla anılır. Allah da verdiği yetenekleri doğru yolda kullanmayan kulunu; onları kullanmamanın neticesi olan hâllerle yüzleştirir! Böylelikle kulunu doğru hareket etmeye, fıtratındaki yeteneklerini kullanmaya zorlar. Biz ise bunu bela ve musibet olarak algılarız. "Allah bize dert, bela, sıkıntı verdi." deriz. Hâlbuki biz kendi aletlerimizi ve yeteneklerimizi doğru kullanmamanın sonuçlarıyla karşılaşmış olduk aslında...

Ben, elinde sapıklık çizgisi görüldüğü hâlde namuslu, yalancılık belirtileri görüldüğü hâlde dürüst, hastalık emareleri görüldüğü hâlde sağlıklı yaşayan binlerce insan gördüm. Nasıl ki her hastalıklı gen illa da hastalığa yol açmıyor. Onun ortaya çıkmasına sebep olan şartların oluşmasına biraz da biz yardımcı oluruz yanlışlarımızla. Bu işaretler de aynen böyle yorumlanmalı! Hayatını aklın ve iradenin ışığında iman ile tanzim eden insan, o kötü baskıların hemen hemen hepsini işlevsiz bırakabilir. En azından şiddetini en aza indirebilir.

Özet olarak insan, iradesini yanlış kullanmakla, bunların ortaya çıkmasına zemin hazırlar.

Hiçbir insan, yüzde yüz kötü veya iyi değildir. Aklın ve iradenin kötü kullanılması hadisesi vardır. Allah'ın bunu bilmesi de kaderdir. Kader, mutlak manada uymak zorunda olduğumuz bir program değil, serbest iradenin kullanılmasıyla ortaya çıkan olaylar zincirinin, ilmine sınır olmayan Allah tarafından bilinmesidir.

Alnındaki kader yazısı ve avuçlardaki hayat hikâyesinin nihai şeklinin tespiti, yanlışlarınızı düzeltmek içindir. Ön uyarılar gibidir, zorlamak için değil. Elbette ki programın iptali veya değiştirilmesi, Allah'ın takdiri ve gücü dâhilindedir. Kader bahsinde 'ata' kanunu vardır ki ata, verilmiş hükmün infazının iptal edilmesi anlamına gelir. Ancak konumuz dışı olduğu için burada bu kadarı ile yetinelim.

B) GENEL OLARAK ÇİZGİLER

Tarihçesi

Türeyiş Destanı

"Dünyamız Yakutlarca sekiz köşeli imiş
Yerin ortası ise sarı göbekli imiş
Dünyamızın göbeğinde bir de ağaç var imiş
Bu ağaç büyük imiş göklere çıkar imiş
Bu ağacın her yanı Tanrı'dan süslü imiş

....

....

Ağacın budakları ta göklere uzanmış
Gören sanmış sanki dokuz kollu şamdanmış"[68] diye başlar.

Bu aslında Türklerin o günkü astronomi bilgilerini sergiliyor. Avuç içindeki tepelerin, doğrudan doğruya burçlarla alakalı görülmesi geleneği en eski zamanlardan beri kabul edilmiştir.

---

68   Bahattin Ögel, Türk Mitolojisi, C. I, s. 100

Elin tepeleri bahsine bakarsanız (bilhassa Dünya düzlüğü) bu parçanın konumuzla alakası daha iyi anlaşılır.

Türklerin el çizgileri ve ilm-i sima konusunda çok şey bildiklerini Oğuz Destanı'ndan anlamak da mümkün.

"Oğuz'un gözleri ışık doluydu" (yani kıvılcımlıydı). İlm-i sima bahsinde göreceğimiz gibi "gözlerdeki parıltı-kıvılcım" yüksek bir enerjinin işaretidir.

"Kıpkırmızıydı dudakları, ateş gibiydi benzi" ifadesi de canlılık ve her an mücadeleye hazır bir kişiliğin ifadesidir.

Oğuz'un göğün kızıyla evlenmesi bahsinde kızın, alnında parlayan bir "ben"den söz edilir. Alın üzerindeki ben, mevki ve iktidar alametidir. (Bkz. Benler)

Yine Oğuz Destanı'ndan:

"Olgundu ermişliği dökülürdü sözünden/Onun her yüceliği okunurdu yüzünden"

Bu beyit yoruma ihtiyaç bırakmıyor. Kişinin kabiliyetlerini yüzünden okumanın insanlığın tarihi kadar eski olduğu bilinmektedir.

"Onu bir gün babası görünce aşka geldi" ve yüzündeki işaretlere bakarak:

"Onun bütün hayatı büyük ünle dolacak" dedi.[69]

Evet, daha birçok örnek verilebilir.

Anlaşılıyor ki en eski zamanlardan beri ilm-i sima ve el okuma sanatı biliniyordu. Türkler de bunu en eski zamanlardan beri kullanıyorlardı. Ancak bugün var olan kaynakların bize söylediğine göre bu işin sistematiğini kuran ve onu ilk defa pratik olarak kullanan milletler Çinliler, Mısırlılar ve İranlılardır. Ayrı ayrı medeniyet ruhuna sahip bu memleketler el okuma sanatını, insanı tanıma ve yönlendirme konusunda uygulamışlardır.

---

69 Bahattin Ögel, Türk Mitolojisi, C. I, s. 158

El okuma sanatı, bilhassa Eski Yunan'da çok yaygındı ve çok itibarlı bir işti. Aristo, Eflatun bu işin üstatları arasında bulunuyordu. Ancak Greklere de bu sanatın Doğu milletlerinden geldiği bilinmektedir.

Bugün Batıda el çizgilerini yorumlama sanatına ve ilmine Şiromansi denilmektedir. Bu kelime Yunanca el demek olan Khcinos'tan gelmektedir.[70]

Romalılarda ise bu sanat öyle yaygınlık kazanmıştı ki komutanlar girişecekleri savaşlardan önce ellerinin durumunu değerlendirirlerdi.

Mahiyeti

Normal çizgiler net, berrak, kâfi derecede derin ve düzenli olmalıdır. Böyle bir çizginin anlamı açıktır. Üzerinde görülecek işaretler de kesinlik kazanır.

Çizgilerin pembe veya kırmızı olması sıcakkanlı, aktif, huysuz ve öfkeli bir mizacı sergiler.

Çizgilerin soluk olması hantal bir mizaç ve sıhhat bozukluğuna işaret sayıldığı gibi sakin bir yapının da ifadesidir.

Çizgiler sarı iseler kötümser, üzgün ve neşesiz bir yapıdan haber verir.

Koyu morumtrak çizgiler -gebelik dönemindeki kadınlarda görülenler hariç- daima organlarda var olan bir bozukluğa, sistemdeki bir düzensizliğe veya kindar bir tabiata işaret eder. Bilhassa parmaklar da bu nitelikleri teyit ediyorsa bu hüküm kesinlik kazanır.

Normal ve iyi yapılı bir elde mor çizgiler ağır sorumlulukları dile getirir. Bu insanlar başkalarının problemiyle uğraşmaktan kendi başlarının çaresine bakamazlar. Kader onları sürekli yeni meselelerle meşgul eder.

---

70   Les Lignes, 71

Koyu mavi çizgiler kindar ve maddeci bir yapıyı sergiler. Yeterli çizgiler belirli yeteneklerin, her işte iyi sonuç alma kabiliyetinin varlığını gösterir. Bir elde çok çizgi bulunması iyi bir işaret değildir. Çok çizgi, müspet yetenekleri yok eden, teşebbüs kabiliyetini kıran, tereddütlerin ve kararsızlıkların hâkim olduğu bir yapıyı gösterir. Ardışık sıkıntılardan haber verir. Bu kişilerin sinirli yapıda, sürekli kendilerini kötü hisseden, acizliği benimsemiş kimseler olduğunu gözlemleyebilirsiniz. Düşünceleri karışık ve zihinleri sürekli boş şeylerle meşguldür.

Çoğu kere çizgiler, önce derin ve geniş başlar ve giderek derinliğini kaybeder. Bu, normal yaşlılıkla gelecek bedeni ve maddi zaafları gösterir. Bir de bunun tersi vardır; çizgiler ince ve zayıf başlar, sonra belirginlik ve derinlik kazanır. Bu insanlar da zorluklar içinde başlayacakları hayat mücadelelerini başarı ve ünle tamamlayacaklar demektir.

Çizgilerin genişliği sadakati, açık yürekliliği iyi bir mizacı yansıtır. Ayrıca ağır bir uyum ve ağır hareket özelliğini de gösterir. Bunlar hayatlarını güçlükle kazanırlar.

İncelik ise kurnazlığı ve çabuk uyum sağlayacak bir yapıyı sergiler. El çizgileri ince ve çoksa bu, sinirli fakat cevval bir yapıyı gösterir. İncelik, çoğu kere, maddi rahatın sağlanmasında çok ciddi zorluklar karşılaşılmayacağını gösterir. Çizgiler belli belirsiz bir görünümde iseler, bu insanlar, büyük heyecanlara itibar etmeyen, sükûneti seven bir yapıdadırlar.

Pembe derin çizgiler hastalıklara karşı dayanıklılığı ve güçlü bir yapıyı gösterir. Bunlar en zor şartlarda bile büyük bir sebat gösterirler. Dinamizmi yüksek, yetenekleri güçlü, gerilimsiz, cıva gibi hareketli bir yapıdan haber verir.

Kırık ve kesik çizgiler duraklama, değişim ve tehlikeleri gösterir. Hangi çizgi üzerinde ise o çizgiyi ilgilendiren konuda gelecek bir darbeyi, kaza, bela ve kaybı haber verir. Akıl ve hayat çizgisi üzerinde böyle bir kırık, kaza ile gelebilecek bir ölüm işareti olarak da yorumlanır.

Bir elde mutlaka üç çizgi mevcuttur.

Bunlar **hayat, akıl** ve **kalp çizgileridir.** Çok nadir olarak akıl ve kalp çizgisi birleşir ve tek çizgi olurlar. Şimdiye kadar yalnız üç insanda böyle çizgileri gördüm. Her üçü de menfaatlerini bilmeyen, dostluk ve arkadaşlık uğruna sürekli sömürülmüş, çok kazandıkları hâlde borçtan bir türlü kurtulamamış insanlardı. Bunlar tamamen duyguları altında hareket edebilecekleri gibi duygudan mahrum, katı kuralcı da olabilirler. Bu özelliklerin ortaya çıkması, akıl veya kalp çizgisinden birinin özelliklerinin ağır basmasıyla mümkündür.

Evet, her elde bu üç çizgi mutlaka bulunur. Bunlardan sonra ikinci derecede çizgiler gelir:

Kader (şans), **Güneş, Sıhhat** ve **İlham** çizgisi.

Bunlara ek olarak **Venüs hilali, Nikâh çizgisi, Nesil çizgisi** ve halkalardan da söz etmek gerekir.

Bir tek **Les Lignes de La Main**'de temas edilen, bazılarında da yanlışlıkla **Kader** çizgisi diye adlandırılan bir diğer çizgiden bahsedeceğim. **Samanyolu** çizgisi denilen bu çizgiye, kaynaklandığı tepeden dolayı **Ay** çizgisi demek daha doğru olur.

Bu çizgiyi, hepsi de şiir yazmaya kabiliyetli ve aynı zamanda karşılarındakini cezbedecek kadar güzel konuşan, hassas dört insanda tespit ettim. Dördü hayatlarını yazmakla geçiren insanlardı. Ve dördünün de elinde çok güçlü kader çizgileri mevcuttu. (Şekil 104)

ÇİZGİLER VE ANLAMLARI

Önce çizgilerin dökümünü yapalım:

1) **Hayat çizgisi**
2) **Akıl çizgisi**
3) **Kalp çizgisi**
4) **Kader** (Şans veya Satürn) **çizgisi**
5) **Güneş çizgisi**
6) **Sıhhat çizgisi**
7) **İlham çizgisi**
8) **Ay çizgisi** (Samanyolu çizgisi)
9) **Evlilik çizgisi**
10) **Venüs halkası**
11) **Halkalar**
12) **Nesil çizgileri**

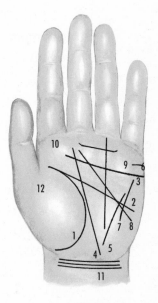

Şekil 104

HAYAT ÇİZGİSİ

Hayat çizgisi, başparmağın dibindeki Venüs tepesinin etrafını çevreleyen yay biçimindeki çizgidir. Canlılık çizgisi diye de anılır.

Hayatımızın kuvvet ve kudret derecesini ve yapımızın kalıtsal özelliklerini aktarma kabiliyetini gösterdiği için çok önemlidir. Hatta avuçtaki en önemli çizgidir denilebilir. Çünkü kişinin fizikî durumunu, ömrünün uzunluğunu veya kısalığını, bütün hayatı süresince başına gelecek müspet ve

menfi olayları, hastalık ve kazaları, canlılık ve hayatiyet derecesini bu çizgi yansıtır.

Bu çizgi el ayası geçidi diye adlandırılan geniş bir kan damarının üzerinde yer alır. Hayatiyet gücünü karşılayan bu kan damarı kalbi doğrudan doğruya mideye ve diğer can alıcı organlara bağlar. Dolayısıyla bu çizginin olmaması mümkün değildir. Çok çok nadir durumlar hariç, bu çizgi daima mevcuttur. Olmaması, her a n ölümle burun buruna bir hayatı gösterir.

Şekil 105

Bu çizgi üzerinde görülebilecek en basit işaret bile, insan hayatında büyük sonuçlar doğurur. O yüzden dikkatli incelenmelidir. (Şekil 105)

Hatırlatma

El çizgilerini yorumlayanlar, genellikle hayat çizgisinin kısalığına veya uzunluğuna bakarak ömür tayin ederler. Bu yanlıştır. Yani kısa bir hayat çizgisi, ömrün de kısalığını göstermez. Ömür süresi başka türlü hesaplanır. Ölüm, bütün hayati fonksiyonların sonu olduğu için, bu neticeyi, diğer çizgilerde de görmek gerekir. İlla da bir çizgiye bakarak ömür tayin edilecekse, akıl çizgisini incelemek daha isabetlidir. Fakat bu da insanı

Şekil 106

yanıltır. Ömür süresini, belli başlı çizgileri inceledikten sonra, ortalama yaşı hesaplayarak elde edebiliriz. İleride bu konu biraz daha geniş anlatılacaktır. (Şekil 106)

Renkler

Renkler, doğrudan mizacımızla alakalıdır. Belli başlı renkler şunlardır:

Beyaz: Hantallığı, kayıtsızlığı ve ağırcanlılığı temsil eder. Balgamî mizacı yansıtır ve akciğer ile ilintisi vardır. Ya solunum sisteminin ya kan dolaşımının ya da her ikisinin sıkıntılı olduğunu haber verir. Bunların yaşaması gereken iklim kuru iklimdir.

Sarı: Karaciğer ve safra hastalıklarını gösterir. Safravî mizacı temsil eder. Sindirim sistemiyle ilgili sıkıntıları yansıtır. Yaşayabileceği iklim ılıman iklimdir.

Açık sarı: Sinirlilik ve asabiyeti temsil eder. Mide sindirim ve solunum problemlerine işaret eder. Mai mizacı temsil eder. Bunlar toprağa yakın olmalılardır; toprakla haşır neşir olmaları onları yatıştırır.

Kırmızı: Aktif, kanlı, canlı bir mizacı yansıtır. Demevî mizacı temsil eder. Sık sık kan vermeleri (hacamat yaptırmaları) sağlıklı olmaları için yeter. Etoburdurlar.

Uzun hayat çizgisi: Uzun hayat çizgisi, hastalıklara karşı dirençli, bağışıklık sistemi gelişmiş, gürbüz bir bünyeyi temsil eder. Bu insanlar ihtiyarlıklarında da dinç olurlar. Sevimli ve cömert olurlar. Ortalamanın üstünde yetenekleri olur. Şayet hayat çizgisi uzun ve ince ise asabi bir kişilikten, zayıf bir bünyeden ama uzun sürecek bir hayattan haber verir. (Şekil 107)

Şekil 107

Kısa hayat çizgisi: Kaygıya düşülecek ciddi bir hastalık veya sürekli bir sakatlık ihtimalini haber verir. İki elde de hayat çizgisi kısa ve akıl çizgisi de hem kısa hem arızalı ise kısa bir ömrü gösterir. Bir elde kısa, diğerinde uzun ise bu tehlikeli fakat atlatılacak bir hastalık veya kazayı akla getirir.

Derin, kopuksuz, kısa bir hayat çizgisi, dolu dolu geçecek enerjik bir hayatı ifade eder.

Şekil 108

Geniş hayat çizgisi: Hayat çizgisi geniş insanlar, ölünceye kadar fiziki güçlerini muhafaza edebilir ve dinç kalabilirler. Ne var ki bu özellik, kişinin taşkınlıklarına kapılıp kendini yıpratmasını da beraberinde getirir. Bunlar, öfkelerini kontrol edebilseler ve kaba mizaçlarını dizginleyebilseler uzun ve keyifli yaşarlar. (Şekil 108)

Geniş ve aynı zamanda derin hayat çizgisi ise hayvani güç ve kabalığı, güçlü yetenekleri, büyük bir enerjiyi ve dayanıklı, sağlam ve hareketli bir yapıyı ifade eder. Bunlar bencil ve despotturlar. Son derece güçlü mizaçları vardır. (Şekil 109)

Şekil 109

İnce ve zayıf hayat çizgisi: Hayat suyunun boş yere harcanacağını gösterir. Sinirlidirler. Nazik, fakat hastalıklara karşı dirençli bir bünyeleri vardır. İçe dönük ve ihtiyatlı bir mizaç sergilerler. Bunlarda görülebilecek hastalıklar sindirim ve sinir sistemiyle alakalı olabilir. (Şekil 110)

Şekil 110

Daralmış yay: Venüs tepesinin sahasını daraltan hayat çizgisi erkeklerde kadınsı bir tabiata, kadınlarda zor doğumlara işaret eder. Bunlar aşkta soğukturlar. Kibar, ancak cazibesiz ve soğuk tabiatları vardır. Dar canlıdırlar ve dünyadan nasipleri de azdır. Azla yetinmeyi bilirler. Zaten de başka imkânları yok gibidir. (Şekil 111)

Şekil 111

Düzensiz çizgi: Değişken bir canlılık, sürekli hâl ve fikir değiştiren belirsiz bir mizacı gösterir. Ne zaman ne yapacakları belli olmaz. Vefasızdırlar. Bunlarda kansızlık görülebilir. Sinirsel depresyonlara müsaittirler. Hayatlarının ilk döneminde depresyona girmezlerse orta yaşlardan itibaren nispeten daha rahat bir hayat sürebilirler ama büyük ihtimalle ruh ve sinir hastalıklarıyla boğuşmak zorunda kalırlar. (Şekil 112)

Şekil 112

Zincir: Nazik bünye, sinirli mizaç, sindirim sisteminde problem ve cansızlık işaretidir. Bunlar bir kere düştü mü artık zor toparlanırlar. Hakikaten azami derecede hassasiyet isteyen bir yapıdır bu. Hayat âdeta onları önüne katıp götürür. Atadan babadan bir imkân kalmamışsa yaşam için gerekli imkânı zor var ederler. Ama genelde o imkân ile doğarlar. Zengin ve varlıklı ailelerin çocuklarında sık görülür. (Şekil 113)

Şekil 113

Dalgalı: Sevgilerde ve zevklerde tutarsızlığı yansıtır. İşte kararsızlığı verir. Eserlerinde üslup bütünlüğü görülmez. Bir istikrar tutturamazlar. Yapıları değişkendir ve değişkenlik süreklidir. Hayat dengesi kurmak için ciddi bir disiplin kazanmaları şarttır. (Şekil 114)

Belirsiz: (Dağınık) Pek iyi olmayan, sık sık bozulan sıhhate işarettir. Değişken bir mizaç, tembellik, kan dolaşımı yetmezliği, korkaklık ve kararsızlık alametidir. Bunlar işlerinde de düzensizdirler. (Şekil 115)

Şekil 114

Kopuk: Kopuk; iki parça olmuş hayat çizgisi, dramatik olayları gösterir. Kopukluk, ağır hastalık, kalıcı etki bırakacak kaza, ağrılı veya acılı bir olay yahut sürekli sakatlık işaretidir.

Şekil 115

Şekil 116

Şekil 117

Şekil 118

Şekil 119

Bu kopukluk her iki elde de mevcutsa bu ihtimal daha da güçlenir. (Şekil 116) Ancak bu kopuk çizginin parçaları, kopma yerinde birbirlerine geçmişlerse, hüküm hafifler. Yani başa gelecek hadise az bir zararla atlatılacak demektir. Bu insanlar kopuğun tekabül ettiği dönemde hayatlarını yavaşlatsalar veya biraz disiplin altına alsalar, o dönemi rahatlıkla atlatabilirler. Bunun birkaç örneğini biliyorum. Onlara, "Şu yaşta şunu yapmayın." veya "Şöyle olaylardan uzak durun." demişimdir, onlar da bu uyarıyı dikkate almışlardır. Sonra o tür hadiseler etraflarında görülmüştür ama isabet etmemiştir. (Şekil 117)

Çok sevdiğim bir hemşehrim vardı. Ona böyle bir çizgisinden dolayı, "Şu yaşı geçmeden araç alma ve kullanma." dedim. O da o yaşın geçmesine bir-bir buçuk ay kala, son derece uygun bir araba düşürdü ve aldı. Sonra onunla kaza yaptı ve 20 güne yakın komada kaldı. Uyanınca kaza anını ve ondan önceki birkaç yılı hatırlamıyordu. Sonra yavaş yavaş kendine geldi ve hayata devam etti. Ama o döneme ait birkaç yıl hafızasından silindi.

Başlangıçta kopmuş çizgi: Çocuklukta ağır hastalıkları gösterir. Çocuk felci geçirmiş bir insanda bunu müşahede ettim. Bir de ruhi depresyona giren gençlerin hemen hemen tamamına yakınında başlangıcı problemli hayat çizgileri olduğunu hayretle izledim. (Şekil 118)

Aniden bitiş: Hayatın başında karşılaşılacak bir sıkıntıya işaret eder. Organ kaybına neden olan kazalara da işaret sayılabilir. Ancak böyle olduğu hâlde bu söylenen olayları yaşamamış örnekler de biliyorum. (Şekil 119)

Sonuna doğru ince ve dışa yönelen: Sona doğru incelip avucun dışına doğru yönelen hayat çizgisi, yabancı bir memlekete göç ve orada yerleşmeyi ifade eder. Veya gurbet diyarında ölüm anlamına da gelir. (Şekil 120)

Şekil 120

Sonu çatal: Sonu bir çatalla biten hayat çizgisi, sürekli durum değiştirme ihtiyacında olan bir mizacı gösterir. Bu bazen, hayatın sonuna doğru yaşama sevincini kaybetme, yalnız kalma ve yaşam enerjisini erken tüketme anlamına da gelir. Cinsel yaşamın erken sona ereceği şeklinde de yorumlanabilir.

Çatal ne kadar erken başlıyorsa bu belirtiler o kadar erken gerçekleşir. Sonu çatal ile biten hayat çizgisinin, kişinin hayatının son döneminde farklı kaynaklardan gelirleri olacağı anlamı da vardır. (Şekil 121)

Şekil 121

Çatal küçükse bu, pek ağır olmayan sıhhat bozukluklarını gösterir. (Şekil 122)

Birbirini izleyen adalar: Bağışıklık sisteminin çok zayıf olduğunu, hayat enerjisinin doğru kullanılmadığını ve bünyenin bir zafiyet içinde bulunduğunu gösterir.

Şekil 122

Bir tek ada kuvvet kaybına, kansızlığa, uzun nekahet devresine (sosyal hayattan uzak kalma), sıhhatin bozukluğuna işaret eder. Peş peşe gelen adacıklar kötü bir sağlık belirtisidir ve kalıcı hastalıkların bünyede karar kılabi-

Şekil 123

Şekil 124

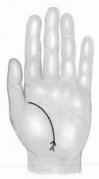

Şekil 125

leceğini gösterir. Bu insanların temiz ve sağlıklı yaşamaya özen göstermeleri gerekir. Bilhassa doğru nefes almayı öğrenmeleri önemlidir. (Şekil 123)

İnce biten: İncelerek biten hayat çizgisi dirençsizliği gösterir. Bu, ömrün sonundaki sıhhat kaybına işarettir. Ve bu güç kaybının, incelmenin başladığı dönemde bağlayacağına hükmedilebilir. (Şekil 124)

Saçaklı biten: Saçaklı biten hayat çizgisi sürekli korunma isteyen bir sıhhate işarettir. Bu gibilerin sıhhatliliğine "yalancı sıhhat" olarak bakılmalı. Bu durum, aynı zamanda büyük ruhi bunalımların da habercisi sayılabilir.

Ahir ömürde Parkinson, Alzheimer ve benzeri gibi, vücudun kullanılmasında yaşanacak zaaflardan da haber verir. Bu aşırı güç kaybıdır. Veya uzun sürecek zafiyet dönemlerine işaret eder. Yaşlılık zafiyeti... (Şekil 125)

Bir ara not: Hayat çizgisi böyle biten bir insanın, gençliğinden itibaren sağlıklı beslenmesi; daha doğrusu kendi mizacına uygun beslenmesi ve hayat kuvvetini (suyunu) israf etmemesi gerekir. Çünkü bu kadar yüksek oranda güç kaybı ya bedenin potansiyellerinin gençlik yıllarından itibaren kötü kullanılmasıyla olur ya da vücutta intolerans oluşturan gıdaların çokça tüketilmesiyle...

Ben tecrübelerimden, insanların dikkat ettikleri takdirde, vücutlarının potansiyellerini düzeltebildiklerini, ellerinde böyle işaretler taşıdıkları hâlde, ömürlerinin sonuna kadar dinç kalabildiklerini gördüm. Her şeyin başı, yapınıza uygun gıdaları almak ve zarar verenlerden uzak durmakla başlıyor.

Tabii ki insanın düşünce yapısı ve hayat algısı da önemli-dir. Ama insanların çoğu, 'Efendim babam da böyleydi, anam da şöyleydi.' diyerek tedbir arayacaklarına, kader diye bir bahanenin arkasına gizleniyorlar. Kendilerine neyin zarar verdiğine dikkat etmiyorlar ve vücut sarayını kendi elleriyle ateşe veriyorlar. O da vaktinden önce havlu atıyor ve insan, ahir ömrünü çaresizlik ve acz içinde geçiriyor.

İşte hayat çizgisinin sonundaki saçakları böyle bir akıbetin uyarısı olarak algılamak lazım! Ne yaparsan yap değişmeyecek bir sonuç olarak değil! Tedbir alındığında önüne geçilebilecek bir sıkıntı diye bakmak gerekir. Biz bu durumu geleceğimiz adına bir ikaz bilsek ve gençlik yıllarından itibaren hayatı düzgün kullansak, o hâllerle ya karşılaşmayız ya da etkilerini en aza düşürürüz. Bu, her bir 'kötü' diye tanımlanan akıbet ve işaret için geçerlidir.

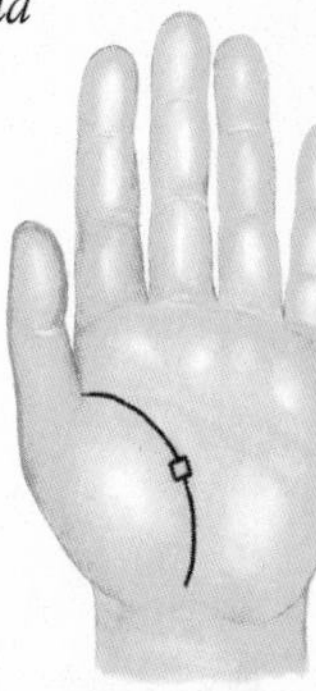

Kare: Hayat çizgisi üzerinde bulunan kare, büyük bir belayı ucuz atlatacağınıza işaret eder. Çünkü kare, daima koruyucu katkının varlığını sembolize eder. (Şekil 126)

Haç: Ağır hastalık demektir. İki elde de (ve aynı yerde) mevcutsa bu beklenmedik bir ölüm olarak da yorumlanır. Sakatlık ve ağır yaralanma belirtisi de sayılır. (Şekil 127)

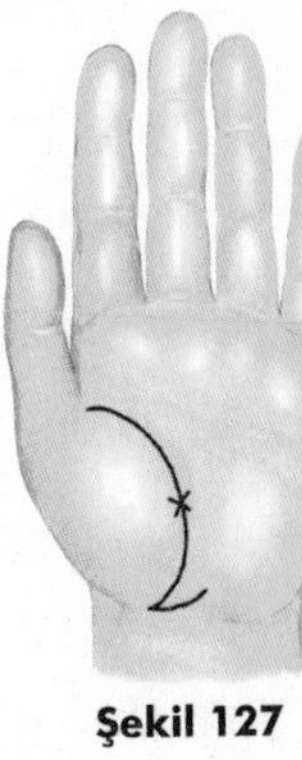

Şekil 126

"Beklenmedik" ifadesini özellikle kullandım. Çünkü çoğu insan beklenmedik şekilde veya daha ömür dakikaları tükenmeden ölüyorlar. Ben vaktine ulaşmış ve kendisi için tayin edilmiş miadı doldurarak vefat etmiş çok az insan gördüm. Bunlar da son derece titiz ve düzgün yaşayan insanlardı.

Şekil 127

(Şu hususta anlaşalım; hiçbir bela, musibet, kaza, hastalık veya hayatımızı tehdit edecek bir unsur, keyfî, canı çekti diye gelip yakamıza yapışmaz. Bir sonuç gelip bizi bulmuşsa, muhakkak biz onu birtakım hatalar ve yanlışlarla davet etmişizdir. Meselelere böyle bakıldığında, Allah'ın -haşa- sadist, zalim olmadığını, kullarına hastalık vermek için can atmadığını görürüz, anlarız. Allah yüce kitabında sık sık "kuluna zulmü murad etmediğini" bize bildiriyor. "Başınıza gelenler, kaderin dayatması değildir." demeye getiriyor. Peki, hastalıkları Allah vermiyor mu?

Tabii ki Allah veriyor, O yaratıyor. Ama O sana o hastalıkları sen yanlışta ısrar ettiğin için, seni o yanlış gidişattan alıkoymak için veriyor. Bir anlamda lütfediyor. Yaptığın hataların seni ölmeye götürdüğünü bildiği için o sonuca ulaşmadan önce hatalarını hastalık olarak sana dayatıyor ki belki vazgeçersin. Ama biz onları da kaderin dayatması bilerek tedbir almıyoruz. Maalesef hakikat böyle..)

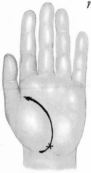

Hayat çizgisi haç ile başlıyorsa müşkülatlı bir hayatı temsil eder. Eğer sonu haçla bitiyorsa ömrün sonuna kadar mutlu mesut yaşayacağını, arzularını tatmin etmiş olarak öleceğini haber verir. (Şekil 128)

Şekil 128

Üçgen: Hayatın o noktasındaki bir enerji taşmasından, birdenbire parlayıp meşhur olmaktan, bir buluş yapmaktan haber verir. Cinsel gücün artması, iktidarsızlığın ortadan kalkması, canlılığın kuvvetle fışkırması demektir.

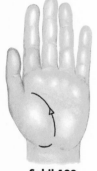

Üçgen, yeniden doğmayı sağlayacak bir şok enerji takviyesidir. (Hayat çizgisi üzerinde görülecek en iyi işarettir.) (Şekil 129)

Yıldız: İyi bir işaret değildir. İki elde de mevcutsa ölümlü bir kaza veya ağır bir hastalık

Şekil 129

belirtisi sayılmalıdır. En azından sakatlık veya fonksiyon kaybıyla neticelenecek kaza ve hastalıkları işaret eder.

Şayet **yıldız, uzun bir hayat çizgisinin sonunda yer alıyorsa** bu çok parlak bir hayat ve müreffeh bir yaşamı temsil eder.

Eğer hayat çizgisi bir yıldızla başlıyorsa bu, son derece başarılı, şaşaalı, fakat sonu idam veya suikast olabilecek bir zaferden, çarpıcı bir hayat hikâyesinden de haber veriyor olabilir. Saddam'ın, Kaddafi'nin hayat çizgileri öyle miydi bilmiyorum ama Hitler'in hayat çizgisinin bir yıldızla başladığı bilinmektedir. (Şekil 130-131)

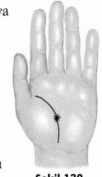

Şekil 130

ÇİZGİLER

Küçük küçük çizgiler tarafından kesilen bir hayat çizgisi can sıkıntısı ve başarısızlıklarla dolu bir hayatı gösterir. Bunlar, değişik aralıklarla tekrarlanan acıları, sıkıntıları ve başarısızlıkları temsil eder. Ancak hayatı sekteye uğratacak güçte değillerdir.

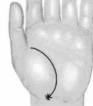

Şekil 131

Bu çizgiler, kişinin, aklını ve iradesini doğru ve yeterli kullanmadığının da işaretidir. (Şekil 132)

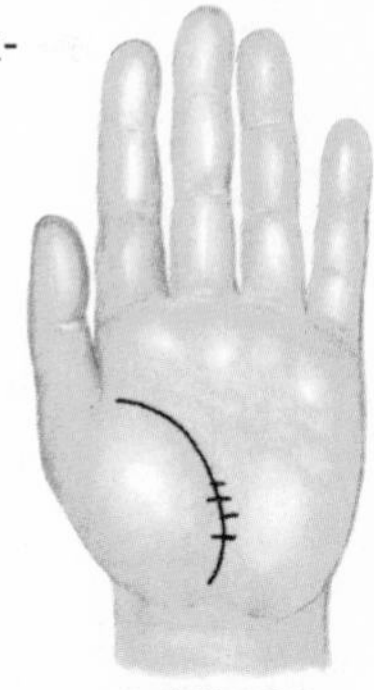

Hayat çizgisinin başlangıcında yer alan ve hayat çizgisinin kesip kırıklı hâle getiren dikine küçük çizgiler, haylazlık ve tembellik yüzünden gelecek üzüntülere, başarısızlıklara ve dikkat dağınıklığına işarettir. Ders çalışmak istemeyen, dikkat bozukluğu yaşayan

Şekil 132

Şekil 133

çocukların tamamının elinde bu çizgileri gördüm. O yaşta yapılacak ihmaller ve tembellikler, hayatın sonuna kadar etki yapacak sonuçlara sebebiyet verdikleri için dikkate alınmalılar. Çocuğa, kesin bir dille eğer o dönemi, tembellikle geçirirse hayatının akışına ciddi zarar vereceğini hissettirmek gerekiyor. Bu çok önemli. (Şekil 133)

Orta parmağa yönelmiş, fakat hayat çizgisini kesmeyen küçük çizgiler, aklın yerinde ve düzgün kullanılmamasından kaynaklanan tutarsızlıkları gösterir. Bunlar çabuk öfkelenen asabi ve tedirgin insanlardır. (Şekil 134)

Şekil 134

El ayasının üstüne doğru yönelen fakat hayat çizgisiyle tam bitişmiş olmayan küçük bir çizgi tasarlanmamış bir başarıyı ve -âdeta- kendi gelen ama aslında yaşamını doğru kurgulamanın hediyesi olan bir zaferi açığa vurur. Düzgün yaşamayı amaç edinmiş insanlara kaderin bir armağanıdır bu! İyi bir işarettir. Elinde böyle çizgileri taşıyıp da üne kavuşmamış; ismi, yaşadığı ortamının dışına taşmamış hiçbir insan görmedim. Kadın erkek fark etmez. Sanki **hayat** çizgisi, **akıl** çizgisini aşıp Jüpiter tepesine uzanıyormuş gibi bir intiba verir. Bu insanlar ya mesleğinde ya işinde veya bir şekilde dâhil olduğu bir işte başarı sağlar ve insanların dikkatini çeker, sevgilerini kazanır. (Şekil 135)

Şekil 135

Hayat çizgisiyle bitişik ve işaret parmağına yönelmiş bir dal enerji dolu bir mizacı, yüksek mevkilere gelme şansını ve kâfi bir ihtirası temsil eder. Bunlar daima ihtiraslarını tatmin

Şekil 136

edecek imkânı bulurlar. Bu çizgi, şekil 135'tekinden çok çok daha güçlü bir başarı ve şöhrete kavuşma işaretidir. (Şekil 136)

Orta parmağa yönelmiş düzensiz bir çizgi ise büyük aldanışları temsil eder. Bunlar hayatta hep aldandıklarını görüp kahrolurlar. (Şekil 137)

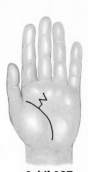

Orta parmağa yönelen hayat çizgisi üzerinde bir adacık bulunuyorsa, bu daha da kötü bir işarettir. Düzensiz, dengesiz bir yapıyı, hastalıklı, zayıf bir bünyeyi ve büyük hayal kırıklıklarını temsil eder. (Şekil 138)

Şekil 137

Yönleri aşağı fakat uçları yukarı kıvrılan dallar, sonuç vermeyen ciddi gayretleri gösterir. Dalların hayat çizgisinden ayrılıp o şekilde ilerledikleri yaşlarda sergilenecek bir emeğin sonuçsuz kalabileceğini gösterirler. Bazen sıhhatini yeniden kazanmak için bir mücadele vermek gerektiğini de anlatırlar. Fakat daha çok, hazmedilemeyen bir yenilgiden haber verirler.

Şekil 138

Ama bunlar aynı zamanda çok güçlü bir mücadele azmini yansıtırlar. Çünkü aşağı yönelen çizgiler, bir şeylerin ters gittiğini gösterirler. Ama uçlarının yukarıya yönelmesi, kişinin o kötü gidişatı durdurmak için mücadele verdiğini, vereceğini sergiler. Ben bu insanları takdir etmekten kendimi alamıyorum. Bu tür dallar ve çizgiler, hakikaten mücadele azmi yüksek bir insan profilini yansıtır. Bunlar çabuk çabuk pes etmeyi bilmezler. Enerjiktirler. **"Allah mücadelelerini sonuçsuz bırakmasın inşallah!"** diye onlara dua etmeli... (Şekil 139)

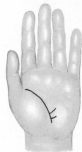

Şekil 139

Şekil 140

Hayat çizgisinin bitiminde yer alan ve birkaç çizgiden oluşan dallar ve çizgiler takatten düşmeyi, canlılığı yitirmeyi veya aşağı karın bölgesinde görülebilecek hastalıkları haber verirler. **Saçaklı biten hayat çizgisi** bahsini de okuyun! (Şekil 140)

Hayat çizgisinden ayrılıp Venüs tepesine uzanan çizgi, hüzünlü bir olaydan

Şekil 141

sonra gelecek duygusal şokları temsil eder. Aşk ve evlilik hayatında karşılaşacak acı olayları ve bunlardan doğacak kalbi üzüntüleri dile getirir. (Şekil 141)

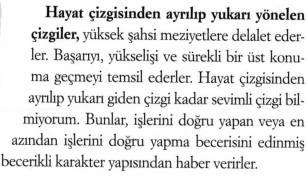

Hayat çizgisinden ayrılıp yukarı yönelen çizgiler, yüksek şahsi meziyetlere delalet ederler. Başarıyı, yükselişi ve sürekli bir üst konuma geçmeyi temsil ederler. Hayat çizgisinden ayrılıp yukarı giden çizgi kadar sevimli çizgi bilmiyorum. Bunlar, işlerini doğru yapan veya en

Şekil 142

azından işlerini doğru yapma becerisini edinmiş becerikli karakter yapısından haber verirler.

Ben bir patron olsam, özellikle işimi idare edecek olanların elinde böyle çizgiler olup olmadığına bakardım. Tabii bir de başparmağı iyi incelemek gerekir, o ayrı bir bahis. (Şekil 142)

Venüs tepesinden çıkıp hayat çizgisini geçtikten sonra kalp çizgisine ulaşan çizgiler, unutulmaz, unutulmayacak aşkları ifade ederler. Ömrünün sonuna kadar etkisi

Şekil 143

hissedilecek ama ayrılıkla bitecek bir aşk! Zaten ayrılıkla bitmese o kadar etkisi de olmaz. Hangi kavuşmuş âşıklar ömürlerinin sonuna kadar o aşkı taşıyabildi ki? Bunun hangi yaşta gerçekleşeceğini tespit edebilmek için o çizginin kalp çizgisine ulaştığı noktayı belirlemek gerekir. (Şekil 143)

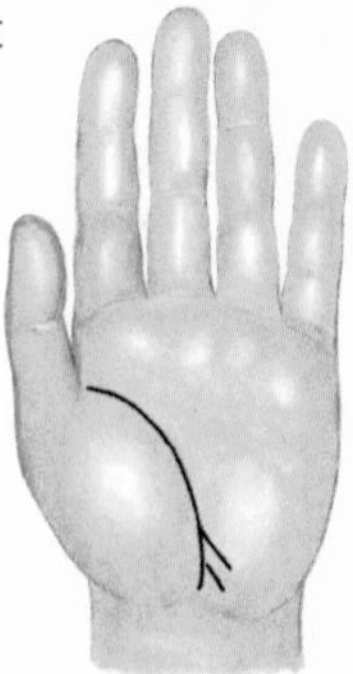

Hayat çizgisinden ayrılıp aşağı doğru yönelen çizgiler maddi kayıpları ve o dönemlerde geçim sıkıntısına düşüleceğini haber verir. Bazen sürekli fakr u zaruretin işareti de olabiliyorlar. (Şekil 144)

Çift hayat çizgileri: Büyük bir canlılık, yüksek performans, nefse güven, zorluklara karşı güçlü bir mukavemet, hamaratlık ve uzun ömür işaretidir. Bu insanlar aynı zamanda dıştan gelecek etkilere açıktırlar; çabuk inanır, çabuk güvenirler.

Şekil 144

Kendilerinde çok yüksek bir yaşam enerjisi hissettikleri için insanlara karşı güvenlik kalkanı oluşturmazlar. Varsa bile kolay geçilebilir bir kalkandır. İnsanlara kolay inanır ve güvenirler. Bu onlarda zaman zaman kandırılmaya yol açsa da bu güven onları başarıya da götürür. Tabii eğer başka yönlerde itimatlarının sarsıldığını gösteren işaretler yoksa... (Şekil 145)

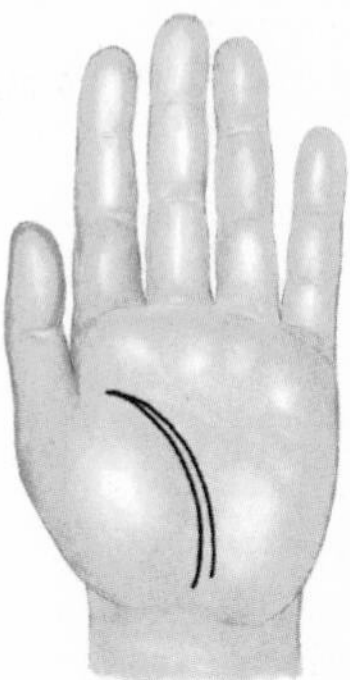

Şekil 145

Bitişik başlayıp sonra ayrılan çift hayat çizgisi, dayanıksız bir bünyeyi ve durum değişmelerine yol açacak hastalık ve olayları temsil eder. Bu insanlar bir iftira ile bir hastalık ile zor elde ettikleri bir mevkii kaybedebilirler. Fakat bu bir daha ayağa kalkamayacaklar anlamına gelmez. O çift hayat çizgisi onları hep ayakta tutar. Bu işareti, ihanete uğrayabileceği şeklinde anlamalı ve değerlendirmeli. (Şekil 146)

Şekil 146

Şekil 147

Bu iki hayat çizgisinden ayrılıp el parmak altındaki tepelere yönelen bir çizgi veya dal, güçlü bir hayat enerjisini, dinamik ve ateşli bir tabiatı, hayatta başarı ve arzularını tatmin etme kabiliyetini açığa vurur. Joker gibi destek verici bir çizgidir. Eğer o dal, iç hayat çizgisinden çıkıyorsa bu çok daha güçlü bir işarettir. (Şekil 147)

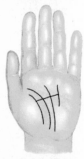

Şekil 148

İç hayat çizgiden başlayıp dışta kalan hayat çizgisini geçtikten sonra kader ve güneş çizgilerini kesen bir çizgi, eğer bu son iki çizgide sektelere sebep olmuyorsa büyük bir enerji ve kabiliyeti gösterir. Şayet kader ve güneş çizgisi bu çizgiyle buluştukları noktadan itibaren zayıflıyorlarsa meslekte ve hayatta sürekli engellemelerle karşı karşıya kalınabileceğini haber verir. Bu çizgi, işlerimizin neden ve nasıl bozulacağını göstermek açısından gerçekten ciddi bir raportördür. Aynı zamanda duygusal tepkimelerden haber verir çünkü. (Şekil 148)

Şekil 149

İkinci (içerde kalan) hayat çizgisi üzerinde noktalar, ailevi üzüntüleri dile getirir. (Şekil 149)

Hayat çizgisi Jüpiter tepesinden başlıyorsa bu, mutlaka amacına ulaşacak bir hayat mücadelesini gösterir. Toplum tarafından da tanınır ve bilinirler. Bir işle temayüz edip toplumun dikkatini çekmeyi başarırlar. (Şekil 150)

Şekil 150

Hayat çizgisinden çıkıp akıl çizgisine ulaşan fakat onu kesmeyen küçük çizgiler, zenginliğe ve başarıya işaret eder. (Şekil 151)

Dünya düzlüğüne uzanan çizgiler: Hayat çizgisinden çıkıp dünya düzlüğünde kader, akıl ve sıhhat çizgilerinin kesişmesiyle meydana gelen üçgene ulaşan bir çizgi, bir gün muhakkak zengin ve varlıklı bir insan olunacağının işaretidir. Tabi illa da çok zengin olması gerekmiyor. Kendilerini rahat geçindirecekleri imkânlara kavuşurlar demektir.[71] (Şekil 152)

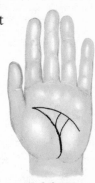

Şekil 151

Akıl çizgisiyle müşterek başlangıç: Hayat çizgisi akıl çizgisiyle müşterek başlıyorsa bu son derece dengeli ve itidalli bir yapıyı sergiler. Bunlar ihtiyatlı hareket etmeyi bilen insanlardır. Ancak bu birliktelik ne kadar az sürüyorsa o kadar iyidir. Çünkü akıl çizgisi ile hayat çizgisinin uzun süre birlikte devam etmeleri, inisiyatif kullanma becerisini bloklar. (Şekil 153)

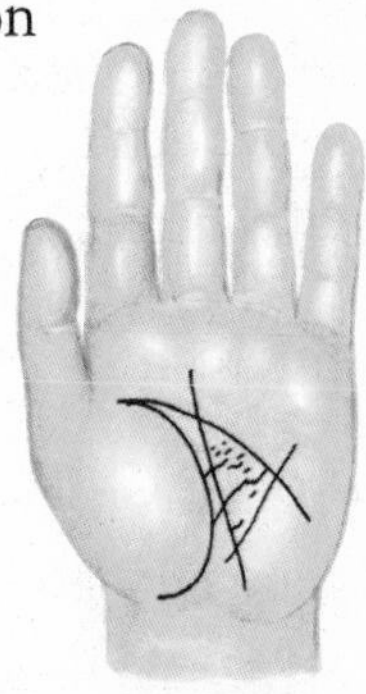

Nokta: Hayat çizgisi üzerindeki noktalar, renklerine, büyüklüklerine ve derinliklerine göre az veya çok tehlikeli fiziksel hastalıkları haber verirler.

Şekil 152

Beyaz noktalar göz hastalıkları ve sıhhat bozukluğundan; noktalar küçükse mide rahatsızlıklarından haber verirler.

Kırmızı noktalar dolaşım bozukluğunu ve karışık bir mizacı dile getirir.

Mavi veya siyah noktalar ağır ve sürekli hastalıkların habercisidir.

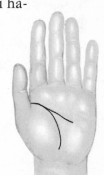

Şekil 153

Çukur nokta kaza veya hastalıkların işareti sayılır.

---

71 Gİ, 125

Derin nokta ağır sinir hastalıklarının, vehim ve vesveselerin belirtisidir.

YAŞ NASIL HESAPLANIR?

Bir olayın hangi yaşta vuku bulacağını kestirmek çok önemlidir. Eğer bunu yapmayı başaramazsak, bildiklerimiz, birbirleriyle alakası bulunmayan bir yığın malumattan ileri gitmez. Bu yüzden yaş belirlenmesini çok iyi öğrenmek gerekir.

Ancak bu o kadar kolay değil. Çünkü her çizginin kendisine göre bir yaş cetveli mevcuttur. Toplam yaşın hesabı ise tüm bu göstergelerin bir arada doğru yorumlanması ile mümkündür. Bir de çizginin başlangıcını iyi tespit etmek lazım.

Mesela;

Hayat çizgisi, başparmakla işaret parmağı arasında başlar. Yani sıfır yaş bu noktadadır.

Buna karşı **kader çizgisi** bilekten başlar.

Akıl çizgisi, hayat çizgisiyle aynı kaynaktan çıkar.

Güneş çizgisi yüzük parmağının dibinden başlayıp aşağı iner.

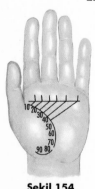

Kalp çizgisi serçe parmağının altında ve avucun dış kenarından başlar.

Sıhhat çizgisi yine bilek kısmında fakat Venüs dağına yakın bir yerden başlar.

Ay çizgisi Ay tepesinden başlar.

Başlangıç noktalarını iyi tespit edersek yapacağımız tarihleme de isabetli olur.

İşte size hayat çizgisinin yaş tespit şeması ve bazı bilgiler: (Şekil 154)

Şekil 154

Hayat çizgisinin üzerinde yaşı ve olayların tarihini yaklaşık olarak tahmin edebiliriz. İnsanların ömrü eşit olmadığı için her zaman isabetli tahmin yapabileceğimizi iddia etmek güç olur. Hatta yaşı kesin olarak belirlemek asla mümkün değildir. Çünkü biz izafi (göreli) bir ömür takdir eder ve ona göre hesap yaparız.

Bununla birlikte ömrün kimi evrelerini belirlemek için elimizde bazı ipuçları mevcuttur.

Mesela **şehadet parmağının tam ortasından düşey bir doğru indirdiğimizde**, bu doğrunun hayat çizgisini kestiği nokta **on yaşıdır.**

Veya serçe parmağının kökünün dış kenarından, başparmağın ikinci kemiğinin dış dibine çizilen bir doğru, hayat çizgisini kestiği noktada **35 yaşını** buluruz.

Ama yine de tam isabet olmayabilir.

Şimdi parmakların altına düz (paralel) bir çizgi çizelim. Ve her parmağın köklerinin tam ortasından bu paralele dik inen çizgiler çizelim. Bu dik çizgilerin paralel yatay çizgiyi kestikleri noktadan avucumuzun başparmakla şehadet parmağı arasındaki kenarına paralel olacak şekilde çizgiler inelim.

Böylece 10, 20, 30, 40, 50 ve 60 yaşlarını buluruz. Geri kalan bölümleri de farazi paralellerle tespit edebiliriz. Fakat yazık ki bu paralelliği de her zaman sağlayamayabiliyoruz.

Bu çizimlerden en isabetlisi, bizce, serçe parmağı kökünün dış kenarından başparmağın ikinci kemiğinin dış kenarına çizilen çizgidir ve bu 35 yaşını verir. Böylece hayat çizgisini iki parçaya böleriz. O noktadan yukarıya doğru kalan kısmı beş beş bölerek yaşı net tahmin edebiliriz. Yine de bazen iki sene bazen üç sene fark yapılabiliyor. İşte hayat çizgisi üzerinde görülecek işaretlerin hangi yaşlara denk geldiğini buna göre hesaplanır ve tahmin edilir!

AKIL ÇİZGİSİ

Bu çizgi, hayat çizgisi ile aynı noktadan doğar ve aksi yöne uzanmak üzere ondan ayrılır. Ya el ayası düzlüğünden geçerek **Ay tepesine** doğru kıvrılır veya el ayası düzlüğünü aşağıda bırakarak, dosdoğru **Merkür dağı** altında yer alan **Merih yaylasının** alt eteklerine doğru uzanır.

Akıl çizgisi, hayat çizgisinden sonraki en önemli çizgidir. İnsanın beyin gücünü, hafızasını, zihni kapasitesini, zekâsını, görüş kabiliyetini, cesaretini, nefsi üzerindeki kontrol gücünü, hayat nimetinden ne kadar yararlanacağını, (hayat çizgisinden daha isabetli olarak) kişinin ne kadar yaşayacağını bu çizgiden anlarız. Çünkü gerçek anlamda ölüm, beyin motorunun stop etmesiyle gerçekleşir. (Şekil 155)

Şimdi akıl çizgisinin değişik biçimleri üzerinde durabiliriz...

Olmayan veya az görülen akıl çizgisi: Zihni kuvvetin hiç olmaması, ihtirassızlık ve teşebbüs kabiliyetinden yoksunluk anlamını ifade eder. Akıl çizgisi olmayan bir insan için yaşadığı her gün ekstradan verilmiş bir nimet, bir avantaj gibidir. Bazen bu, derin korkulara ve depresyonlara da işaret olabiliyor. İç huzursuzluk yaşayan, huzursuz, vehim ve vesvese içinde bocalayan insanların -büyük çoğunlukla- arızalı veya silik bir akıl çizgisine sahip olduklarını gördüm! Esasında bu daha çok kalıtsal bir durum ve benim kendi kanaatime göre bu manevi bir kalıtımdır. Ekşi elma yemiş dedenin torununun, dişlerinin kamaşması gibi. (Şekil 156)

Normal: Normal bir akıl çizgisi; net, belirgin, uzun, ince, doğru ve hafifçe yokuşlu olmalıdır. Bu iyi bir hafızayı, pratikliği ve büyük zihni yetenekleri temsil eder. (Şekil 157)

Şekil 155

İnce ve net: Kavrayış kolaylığı, kavramada cin gibi kurnaz, ince politik bir zekâ alametidir. Net olmak şartıyla çizgi ne kadar ince ise zekâ ve anlama kabiliyeti o derece yüksektir. (Şekil 158)

Derin: Derin akıl çizgisi, yüksek zekâ, kuvvetli zihnî yetenek, büyük ve yoğun kullanılabilecek kabiliyetleri ve güçlü bir konsantrasyon melekesini haber verir. Bu insanlar zeki olmaktan çok akıllıdırlar. (Şekil 159)

Şekil 156

Geniş: Ağır kavrayış, yoğunlaşamama, değişken ve kaypak bir mizaç belirtisidir. Akıllarını düzgün kullanamamaktan dolayı sık hata yaparlar; bu da onları öfkeli kılar. O yüzden bu tür akıl çizgisi öfkeliliğin de alametidir. (Şekil 160)

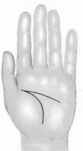

Şekil 157

Hayat çizgisiyle karışmış: Kısa bir mesafe hayat çizgisiyle devam eden akıl çizgisi, ihtiyatlılık ve utangaçlık işaretidir. Bunlar içine kapanık, hantal ve soğukkanlıdırlar. Hayat mücadelesine atılma cesaretleri geç oluşur. Çoğu kere başkalarına bağımlıdırlar. Bitişiklik ne kadar uzunsa bağımlılık da o kadar uzun sürecek demektir. (Şekil 161)

Şekil 158

Hayat çizgisinden ayrı: Hayat çizgisinden hafifçe ayrı başlayan bir akıl çizgisi düşünce özgürlüğü ve nefse güven duygularını yansıtır. Yüksek bir teşebbüs kabiliyetinden haber verir. Fakat ihtiyatsızdırlar. Özgüven yüksek olduğu için önce adım atar, sonra düşünürler. Bu da sık sık hata etmelerine sebep olur.

Şekil 159

Şekil 160

Esasında bu insanlar sıhhatli ve kaygısız insanlardır. Ama yazık ki teşebbüsteki ihtiyatsızlık konuşmalarında da vardır, o yüzden sık sık patavatsızlık yaparlar. Ama patavatsız değillerdir. Sadece aceleci ve tartıp biçmeden harekete geçme özelliklerinden dolayı hata yaparlar. Ani çıkışları gibi ani parlamaları da o yüzdendir. Böyle hayat çizgisinden bağımsız başlayan bir akıl çizgisi erken yaşta kendi işini kuranların en belirgin çizgisidir. Tabii eğer şansları varsa... Çünkü ihtiyatsız başlanmış bir iş her zaman isabet etmez! (Şekil 162)

Şekil 161

Eğer hayat çizgisiyle akıl çizgisi arasındaki açıklık fazla ise gözü kara, uyumsuz, neticeyi düşünmeden ileriye atılan disiplinsiz bir mizaçtan haber verir. Bunlar aynı zamanda dikkatsiz ve yoğunlaşamayan kimselerdir. İtaatsiz, azgın ve tedbirsizlerdir. Böyle bir çocuğu terbiye etmek çok güçtür. Düşüncesizce, cahilce cüret gösterirler. Daima içgüdüleriyle hareket ederler. (Şekil 163)

Şekil 162

Kısa: Kısa akıl çizgisi, zeki fakat kontrolsüz bir yapıyı sergiler. Bunlar bariz bir seciye sahibi olamazlar. (Şekil 164)

Uzun: Bilimsel yeteneğin, doğru ve yerinde bir sağduyunun, başarılı ve istikametli bir hayatın belirgin işaretidir.

Bu insanlar aynı zamanda inandıklarında ısrarlı, gerçekçilik duygusuna sahip, yaratıcı hayal kurma kabiliyetleri güçlü, saygın olmayı her şeyden çok isteyen, son derece dik kafalı

Şekil 163

-ben daha iyi bilirim anlamında- kimselerdir.
(Şekil 165)

**Akıl çizgisi eğimli değil de düz ve avu-
cun kenarına kadar uzanan doğru bir çiz-
gi ise**, bu insanlar son derece pratik ve işleri
çarçabuk kotaran tiplerdir. İşlerin tavsama-
sı karşısında agresifleşirler. İşlerin ne yöne
akacağını, nereye varacağını hemen kestirirler.
Müthiş bir muhakeme güçleri vardır. Tabii ki ken-
dilerini öncelerler.

Şekil 164

Esasında bencil değildirler. Çok da cömert olurlar. Hatta
bazen -eğer yeterince paraları olduğuna inanıyorlarsa- müsrif
denecek kadar eşine dostuna karşı vericidirler. Ama paranın
onların elinde olması şartıyla...

Rahatlıkla yönlendirilebilirler. Son derece zeki ve kurnaz
oldukları hâlde rahatlıkla da kandırılabilirler. Birine güven-
diler mi onun için yapmayacakları şey yoktur. Ama paragöz-
dürler. Esasında para onlar için olmazsa olmaz bir şeydir.
Ona sahip olmak için kanunen yasaklı işleri yapmakta bile
sakınca görmezler. Kazandıklarını da dağıtırlar. Çünkü elle-
rinde para durmaz. Bu tiplerin kazancını en yakınlarından
birileri mutlaka tarassut etmelidir.

Aşırı denecek kadar şanslıdırlar. Özellikle
iş hayatında pireden yağ çıkarırlar. Para ka-
zanmak söz konusu olduğunda idealizm,
sempati, hepsi uçup gider. Bazen yeterin-
ce üçkâğıtçı da olabilirler. Ali'nin külahını
Veli'ye, Veli'nin külahını Ali'ye giydirerek
kendilerine kazanç sağlarlar. Cömert, bon-
kör fakat borcuna sadık tipler değildirler.

Şekil 165

Şekil 166A

Şekil 166B

Şekil 167

Şekil 168

Maddi ve müspet şeylere çok önem verirler. Her şeyde bir hesapları vardır. Mutlaka başarmak isterler. Her şeylerini hesap ve kitaba uyduran, kendilerine çok önem veren kimselerdir. (Şekil 166A)

Şayet böyle bir akıl çizgisinin ucu serçe parmağına doğru hafif bir kıvrılma gösteriyorsa veya bir dal ayrılıp Merkür tepesine doğru gidiyorsa, bunlar hem ticarette hem bilimsel çalışmalarda önünde sonunda istedikleri başarıyı yakalarlar. Çünkü bu durum, iki dağın imkânlarından da istifade etmeyi temsil eder.

Son derece serinkanlıdırlar. Sempatik değildirler. Vakur, belki asık denilecek bir yüzleri olur. Amaçlarına ulaşmak için her türlü imkâna ve yeterli hırsa sahiptirler. Bunu da yeterince kullanırlar.

Aşırı derecede nesneldirler ve maddiyatçıdırlar. Her şeyi milimi milimine hesap ederler. Ama bilimsel çalışmalarda özgün değildirler. İyi kopyacıdırlar. Bilimsel çalışmalarında imkân bulsalar, intihalden sakınmazlar. Diğerlerinin bulduğu icat ve buluşları aşırıp kullanabilirler. Çünkü aynı zamanda pragmatiktirler.

Eğer eğitilmemiş ve sıkı bir ahlak disiplini edinmemişlerse bu tipler tam bir dolandırıcı ve ayaküstü insanları kandırıp ellerindeki imkânları alan bir tipe dönüşebilirler. (Şekli 166B)

Eğer çizgi Ay tepesini boydan boya aşıyorsa bu, sadeliğe, garip ilimlere, aşka, cin ve ruh çağırmaya merak ve yetenek bulunduğunu gösterir.[72] (Şekil **167**)

Ay tepesine meyilli: Böyle bir akıl çizgisi, hayalseverliğe, şiir ve edebiyata düşkünlüğü simgeler. Ütopiktirler. Bu insanlar kitap yazmaya ve araştırmaya meraklı insanlardır. Sürekli gerçek aşkın peşinde koşarlar. Büyük hayallere gebe insanlardır. (Şekil 168)

Çok uzun: Çok uzun ve Ay tepesine doğru eğimli akıl çizgisi büyük bir beyin gücünü sergiler. Bunlar çok titiz ve olumlu bir yapıya sahiptirler. Hesaplıdırlar. Bencilliğe eğilimlidirler. Kendilerine duydukları güvenden dolayı çevrelerine soğuk davranırlar. Kafaları sürekli meşguldür ve her an yeni fikirler üretirler. **(Şekil 169)**

Şekil 169

El ayasının altına yönelme: Akıl çizgisi el ayasının dip kısmına doğru yöneliyorsa derin bir hassasiyeti, büyük bir hayal gücünü, şiir zevkini ve sanata düşkünlüğü simgeler. Bunlar, bir önceki maddeye göre daha duyarlıdırlar. Ama hayalcilikleri, onları kitap yazmaktan çok, zevki tatmaya yöneltir. Hayalci mizaçları doğurgan değildir. (Şekil 170)

Şekil 170

Bileğe giden akıl çizgisi: Neredeyse hayat çizgisine paralel olacak şekilde bileğe doğru uzanan akıl çizgisi, melankoliye, kaprisli bir yapıya, histeri derecesindeki tutkulara işaret eder. Bunlar meftunluk derecesinde hayal içinde yaşarlar. Aşırı duyarlılıktan dolayı asabidirler. Kendileri sık sık kütü hissederler, sesler duyarlar. Hassasiyetleri onları yorar. Kötümser düşünme işaretidir. (Şekil 171)

Şekil 171

Aniden kalp çizgisine yönelirse: Akıl çizgisi meyilli bir şekilde devam eder ve son kısım-

Şekil 172

Şekil 173

Şekil 174

Şekil 175

Şekil 176

da aniden kalp çizgisine yönelirse bu, işlerinde becerikli bir kişiliği yansıtır. Bunlar sağduyu sahibi, son derece kararlı ve kurnaz kişilerdir. Oldukça da maharetlidirler. (Şekil 172)

Bir kavisle yön değiştiriyorsa: Bir kararda durmayan, kararsız, sık sık taraf ve görüş değiştiren kendine ait bir görüşü de olmayan bir yapıyı yansıtır. Sürekli zihniyet ve tavır değişikliği... Fikirlerine olduğu gibi kararlarına da itimat edilmez. (Şekil 173)

Kalp çizgisine doğru eğik: Bu tür bir akıl çizgisi, davranışlarda duygu hâkimiyetini gösterir. Bu bazen talihsizlik olarak da yorumlanır. Çünkü bunlar çok sık bir şekilde ilişkilerine duygularını karıştırırlar. Bir tartışmayı, şahsileştirmeden sürdüremezler. (Şekil 174)

Hafifçe çukurlaşmış: Böyle bir akıl çizgisi pek sevimli bir çizgi değildir. Kaza ihtimallerini ve talihsizlikleri ifade eder. (Şekil 175)

Kalp çizgisine doğru bükülen: Bu akıl çizgisi içtenliğe, duygusallığa ve entelektüelliğe eğilimi gösterir. Ancak pek şanslı olmazlar. Sürekli bir yalnızlık hissi ve kimsesizlik duygusu içinde bocalarlar. (Şekil 176)

Belirsiz: Böyle bir akıl çizgisi kötü, zayıf bir hafızayı temsil eder. Bunlar beyin gücünü gerektiren işleri yapamazlar. Dalgındırlar ve sık sık baş ağrısı çekerler. (Şekil 177) Kopmuş parçalar hâlindeki bir akıl çizgisi de bu hükme girer.

Zincir: Zincir şeklindeki akıl çizgisi, zihinsel yorgunluklara, fikri teksif kabiliyetinden yoksunluğa, karışık düşüncelere ve düzensiz bir mizaca işaret eder. Bunlar da zekâ gerektiren işlerde zorlanırlar. Ancak birinin tarif ettiği işleri yapabilirler. (Şekil 178)

Dalgalı: Bu tip bir akıl çizgisi değişken ve çabuk etkilenebilen bir mizacı sergiler. Bağımlılıklara karşı açıktırlar. Kolaylıkla kandırılıp oraya buraya çekilebilirler. Büyük bir kısmı da zaten kendi hareketlerini gerçekleştirmede başkalarının yardımına muhtaç olurlar. Cimrilik ve hırsızlığa meyilli olurlar. Çünkü bundaki kötülüğü idrak edemezler. (Şekil 179)

Şekil 177

Hayat çizgisini kesen: Venüs tepesinin içinde başlayıp hayat çizgisini keserek dışarı çıkan bir akıl çizgisi pısırık, aciz, sinirlerini kontrol edemeyen, çabucak tepki veren, çabuk öfkelenen bir yapıyı gösterir. Bunlarda beklenmedik asabi saldırganlıklar da görülebilir. Aynı zamanda maymun iştahlıdırlar. (Şekil 180)

Şekil 178

Küçük bir çizgi demetiyle son bulan akıl çizgisi: Kötü, dağınık bir hafızaya, beyin yorgunluğuna, müşkülpesentliğe ve memnuniyetsizliğe işarettir. Bunlar fikirleri arasında bir seçim yapmakta zorlanırlar. Zaten düşünce yapıları da karışıktır. Nedeni tespit edilemeyen baş ağrılarına da işaret eder. (Şekil 181)

Şekil 179

Orta parmak hizasında ansızın biten: Bu akıl çizgisi kuvvetli bir kaza ihtimalini, kararsızlığı ve düşünmeden davranma, düşüncesiz hareket etme özelliğini yansıtır. (Şe-

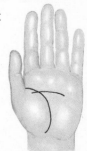

Şekil 180

Şekil 181

Şekil 182

Şekil 183

Şekil 184

kil 182) Böyle düşüncesizce yapılmış bir hareketin belki de sebep olacağı bir erken ölüm habercisi de sayılabilir.

Başlangıçta kırık veya kesik: Beklenmedik kazaları ve ağır hastalıkları, ruhsal ve asabi bozukluklara açık bir yapıyı haber verir. (Şekil 183)

Ortadan kırık ve uçları birbirinden uzaklaşmış bir akıl çizgisi ağır hastalıklar, ciddi maddi veya manevi sıkıntıların işaretidir. Kalıcı sonuçlar bırakan kazalar işaret ettiği de ifade edilmiştir. Dilsiz ve sağır insanlarda da buna benzer çizgiler görülmüştür. Fakat son dönemlerde yaptığım gözlemler, akıl çizgisi üzerindeki bu tür kırılmaların daha çok aile içi huzursuzluklara; boşanmalara, aile içi şiddetli geçimsizliklere, eşlerin bırakıp gitmesine işaret ettiğine muttali oldum. (Şekil 184) İslam kıyafetnamecileri bu çizgiyi zihni bir travma veya atlatılabilecek bir felç olarak da değerlendirmişler. Eğer çizgi tam orta parmak altında kırılmışsa bu insanların hiç yere bir kazaya kurban gidebileceklerine hükmetmişler[73] ama ben bu kadar şiddetli ve kesin olmadığı kanaatindeyim. Çünkü böyle çok insan gördüm. Evet, sıkıntıları var, işleri ve huzurları o dönemlerde bozulmuş fakat o tür ağır neticeler yaşamamışlardı.

Çatal: Bu akıl çizgisi, kıvrak zekâya, ince diplomasi yeteneğine, ruhi duygu güzelliğine, beceriklilik ve açıkgözlülüğe işarettir Çatal bazen çok fikirliliğe de işarettir. Aynı anda gelen ve birbiriyle çelişen fikirler... Aralarında tercih yapmanın zor olduğu fikirler... Bu, ikircikliğe de sebep olan bir hâldir. Bu insanların her şeyi çift gelir. Sıkıntılar da nimetler de çift çift gelir. Kişi hep bir tercih yapmakla karşı karşıya kalır. (Şekil 185A)

Saçakla biten akıl çizgisi: Sonu ikiden fazla çatal ile biten akıl çizgisi çok yönlü bir tabiata işaret eder. On parmağında on marifet denilecek cinsten bir yapı. (Şekil 185B)

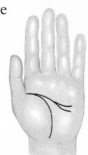

Şekil 185A

Aşağı inen çatal: Akıl çizgisinin çatallarından biri Ay tepesine yöneliyorsa çatallar eşit olmak şartıyla büyük bir inanç ve din duygusunu yansıtır. Bu insanlarda da ikircikli hâller görülebilir. Değişken mizaçlıdırlar. Kendilerine güvenleri da azdır. Görünmez bir el tarafından sevk ediliyormuş gibi fazla çaba harcamadan başarıya ulaşırlar. Başarırlar ama bunun gayretleriyle gerçekleşmediğini kendileri de bilirler. İllüzyon yapmaya, sihir ve büyü işlerine yeteneklidirler. Duyargaları insan dışı varlıklara irtibat kurabilecek kadar açıktır, gayptan ses duyuyorum deseler doğrudur. (Şekil 186)

Şekil 185B

Şayet çatallardan alttaki daha uzun ve Ay tepesinin içine doğru uzanıyorsa büyük bir senaryo yazma kabiliyetini ifşa eder. Bunlar çok inandırıcı yalan söylerler. Yüksek bir taklit kabiliyetleri vardır. Ünlü avukatlarda, aktörlerde ve "iş bitiricilikle" tanınmış işgüzarlarda bu çizgiye rastlanır.[74]

Şekil 186

Şekil 187

Şekil 188

Yukarı çıkan çatal: Akıl çizgisi bir çatalla bitip de çatallardan biri yukarıya yöneliyorsa tıp, ticaret ve ilmî araştırmalar konusunda yetenekliliği gösterir. İş duyguları yüksektir. Marifet ve beceri sahibidirler. Açıkgözdürler ve çok iyi tüccar olurlar. Büyük muhasebe yetenekleri de vardır. (Şekil 187)

Şekil 189

Sonu iki dala ayrılan ve dallardan biri Merkür'e diğeri de Ay tepesine giden akıl çizgisi yükselme duygusunu ve başarma hırsını simgeler. Bunlar gerçekten de her türlü iyiliği nefislerinde toplamak isterler. Geldikleri yerlere yetenekleri ve liyakatleri ile ulaşırlar. Zihinleri hep meşguldür. Her iki tepenin de imkânlarından yararlanarak kendilerine toplumda saygın bir yer edinirler. (Şekil 188)

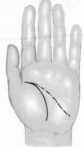

Şekil 190

Kare: Üzerinde kare bulunan bir akıl çizgisi, atlatılacak hastalıkları yahut hayatın akışını değiştirebilecek hadiselerle karşılanacağını ancak bunların üstesinden gelineceğini haber verir. (Şekil 189)

Noktalar: Akıl çizgisi üzerindeki noktalar baş ağrılarını, beyin fonksiyonlarında bozulmaları ve migrene yatkınlığı gösterir. (Şekil 190)

Şekil 191

Çizgiler arasındaki noktalar: Bunlar hazımsızlık ve sindirim bozukluklarından kaynaklanan baş ağrılarına işaret eder. (Şekil 191)

Tek nokta: Akıl çizgisi üzerindeki tek nokta, sinirsel bozukluğu ve noktanın çizgi üzerinde yer aldığı yaşlarda geçici bir süre insanlardan kopuk veya uzak bir dönem geçirileceğini haber verir. (Şekil 192)

Ortasında haç: Ortasında haç bulunan akıl çizgisi ağır bir kaza tehlikesini, beyin sarsıntısını, zihinsel bozukluğu haber verir. (Şekil 193)

Sonunda haç: Sonunda haç bulunan akıl çizgisi parlak bir zekâ ve pratik bir algılama kabiliyetini yansıtır. (Şekil 194)

Şekil 192

Çevresinde haçlar: Akıl çizgisinin çevresinde haçlar bulunuyorsa küçük kazalar ve geçici hastalıkları dile getirir. (Şekil 195)

Akıl ve hayat çizgisi arasındaki haç: Hafif kazalar ve geçici küçük sakatlıklar demektir. Bazen bu işaret, tatmin edilmeyecek bir arzuyu, kavuşulamayacak bir hasreti de dile getirir. (Şekil 196)

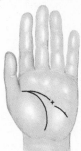

Şekil 193

Yıldız: Her yerde olduğu gibi yıldız burada da hoş bir işaret değil. Ağır bir kaza veya bir süreliğine hafıza kaybına sebep olacak bir olaya işaret eder. (Şekil 197)

Çizginin sonundaki yıldız: Deliliğe kadar götürebilecek tehlikeli zihin bozukluklarını haber verir. Bu insanlar en küçük sanrılarını ve rahatsızlıklarını psikiyatrlarla paylaşmalı veya tam ve samimi bir iman elde etmeliler. Çünkü Batı literatüründe de Doğu kıyafetnameciliğinde de bu işaret, şizofreni ve nevrasteni gibi zihinsel bozukluklara işaret sayılmış. Yıldız evet hoş bir işaret değil akıl çizgisi üzerinde.

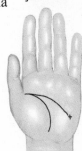

Şekil 194

Elinde böyle bir akıl çizgisi bulanan kimse, öncelikle sağlıklı beslenmeyi öğrenmeli.

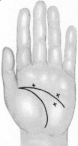

Şekil 195

Şekil 196

İkinci olarak da zihnini rahatsız edecek, paradokslara sebep olacak olayları kafasını takmaması gerekir. Bunlara en çok lazım olan, samimi bir iman ve teslimiyettir. Tecrübelerimle de biliyorum ki, zihnin, insanı şu sonuçla sürükleyen kuraldışı faaliyetlerini susturmak veya durdurmak ancak kuvvetli antidepresanlarla bir de iman ile mümkündür. Şu tür hadiseleri sorunsuz atlatabilmenin en kestirme ve kalıcı yolu, evet, sağlam bir iman ve Allah'a güvendir. Yaratıcı hakkında tereddüt veya teslimiyetsiz bir hayat onları önünde sonunda kendi iç seslerine çeker ve onları zihnin ve bilinçaltının karanlık dehlizlerinde yok eder. (Şekil 198A)

Şekil 197

Çatalla başlayan akıl çizgisi: Gayrimeşru yaşamdan kaynaklanan/kaynaklanacak frengi vb. gibi süfli hastalıkları temsil eder. Düşmekten hâsıl olan baş yaralanmalarını da ifade eder.[75] (Şekil 198B)

Şekil 198A

Yüzük parmağının hizasında biten: Böyle bir akıl çizgisi, nefsinin arzularına karşı dirençsizliği temsil eder. Bu insanlar karşı cinsin davetine zor hayır diyebilirler. Doğu literatüründe bu işaret kadınlar için kötü yola düşme emaresi olarak aktarılmış. Erkeklerde ise sadakatsizlik göstergesi olarak ifade edilmiş.

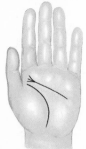

Şekil 198B

(Küçük Bir Not: Yine bir müdahale etme ihtiyacı duyuyorum. Zira insanların, 'Ay benim kaderim buymuş.' diyerek zaten direnemedikleri nefislerine karşı bütün bütün koyvermemeleri için bir iki şey söylemek gerekir.

Israrla ve defaatle söylüyorum ki bu tür işaretler eğilimleri, yatkınlıkları gösterir. Zorunlulukları değil. Böyle bir akıl çizgisi olan ve nefsinde arzularına karşı dirençsizlik hisseden bir insan, Allah korkusunu kullanmalı imdat freni olarak. Bunu, "Ben de öyle mi olacağım?" diye aklına takacağına, "Ben bunun üstesinden gelebilirim." diyerek direncini arttırmalı.) (Şekil 199)

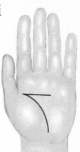

Şekil 199

Orta parmağın hizasında başlayan: Bu akıl çizgisi zekânın ve aklın gelişimine mani olmuş uzvi/fizyolojik bir problem, bir hastalık bulunduğunu haber verir. Küçük yaşta aşılarla zedelenmiş birkaç çocukta bunu müşahede ettim. (Şekil 200)

Şekil 200

Çift akıl çizgisi: Nadir olarak görülen çift akıl çizgisi, büyük bir servetin müjdecisidir. Mantık ve muhakeme bu insanlarda tam anlamıyla hâkimdir. (Şekil 201)

Ucu hayat çizgisine doğru eğilmiş: Şen ve mutlu bir tabiatı simgeler. (Şekil 202A)

Şekil 201

Karmakarışık, biçimsiz: Karışık, biçimsiz, zayıf ve kırıklı akıl çizgisi bazen karaciğer hastalıkları ve kan problemine de işaret sayılır. İrade zafiyeti ve iradeyi yerinde kullanamama belirtisidir. Bu durum evham, cinnet, marazi bir halet-i ruhiye ve yalancılık belirtisidir. (Şekil 202B)

Şekil 202A

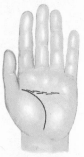

Şekil 202B

Kalp çizgisiyle bitişik: Kalp çizgisiyle bitişik akıl çizgisi menfaatini bilememe ve tamamen içgüdüleriyle hareket etme belirtisidir. Bu nadir görülür. Kalp ve akıl çizgisi bir tek çizgi hâlindedir. Bu insanlar borçtan kurtulamazlar, genellikle vasatın üstünde bir yaşantıları vardır, entelektüel ve sohbet ehlidirler. Çok çabuk etki altında kalırlar, sık sık aldanırlar. Hemen dost oluverirler, istediklerini almayı başarırlar ama başarılı olamazlar.

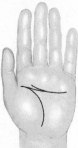

Şekil 203

Aşırı derecede cömerttirler. Öyle ki kendi ihtiyaçları için aldıkları borç parayı, tereddütsüz bir şekilde başkalarına verebilir. (Ayrıca bkz: Şekil 166 ve açıklaması) (Şekil 203)

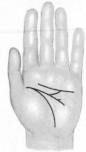

Şekil 204

Akıl çizgisinden kalp çizgisine uzanan dal: Kalbin akıl üzerindeki hâkimiyetini gösterir. Bunlar her hareketinde duygularının tesiri altındadırlar. Çok sık karar değiştirirler. Çoğu kere yaptıkları bir işten sonra pişmanlık duyarlar. (Şekil 204)

Kalp çizgisinde son bulan akıl çizgisi: Hislerine yenik düşen bir yapıyı gösterir. Menfaatlerini bilmezler. Yalnızdırlar ve ne zaman ne yapacakları belli olmaz. Dengesiz ve tutarsızdırlar. Bir kararda kalamazlar. Sevgi ve ilgi alanları sık sık değişir. (Şekil 205)

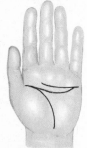

Şekil 205

Küçük çizgilerle kesilen akıl çizgisi: Migrenleri ve sebepsiz baş ağrılarını ifade eder.

Ve tabii ki aynı zamanda hayatın akışını bozmasa da hayatın kalitesini düşürecek cinsten küçük tatsız olaylara işaret ederler. (Şekil 206)

Ada: Üzerinde ada bulunan akıl çizgisi, zihinsel veya organik yetersizlikleri, düzensiz fikirleri, değişken bir yapıyı ve tuhaf bir tabiatı simgeler. (Şekil 207)

Şekil 206

Kaçan dal: Dengeli bir yapıyı sergiler. Bunlar tasarımcıdırlar. Orta derecede başarılar, dengeli düşünme, etkileyici özellikler ve ihtiraslardan haber verir. (Şekil 208)

Yukarı çıkan dalcıklar: Orta derecede başarıları sağlayan çok sayıda proje ve tasarıyı belirler. (Şekil 209)

Şekil 207

Aşağı inen dalcıklar: Başarısız proje ve düşüncelerin işaretidir. İsabetsiz düşünceler, bozuk ve ters fikirlerden haber verir. (Şekil 210)

AKIL ÇİZGİSİNDE YAŞ TESPİTİ

Hayat çizgisinde verdiğimiz örnek bunun için de geçerlidir. Bir farkla, akıl çizgisinde yaş belirlemek için parmak diplerinden indirdiğimiz düşey doğruların akıl çizgisine ulaştıkları nokta, o düşeyin belirlediği yaşı verir, şemayı inceleyiniz (Şekil 211).

Şekil 208

Şekil 209

Şekil 210

Şekil 211

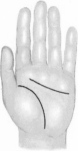

Şekil 212

Şekil 213

KALP ÇİZGİSİ

Parmakların altında yer alan kalp çizgisi, avuçtaki üçüncü önemli çizgidir. Merkür tepesinin alt eteğinde, ayanın dış kenarından doğar ve Jüpiter tepesine ilerleyerek orada son bulur. Genelde de ucu çatalla biter. Türkiye'de en çok görülen şekliyle kalp çizgisi, işaret parmağı ile orta parmağın arasında yukarı doğru kıvrılıp iki dağ arasındaki vadide son bulur.

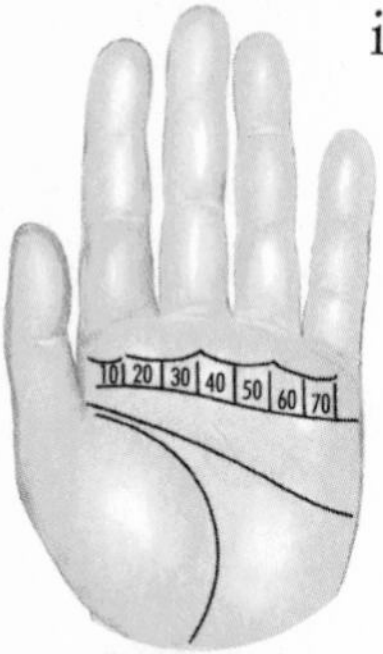

İnsan elinin en asil çizgisidir kalp çizgisi. İnsanı insan yapan sevgi, aşk, duygu, vicdan, idealizm, fedakârlık, zihniyet, huy gibi özelliklerinin tamamını bu çizgiden çıkarırız. Ayrıca kişinin halet-i ruhiyesi, duygusal atılımları, idealleri, hissi kusurları, ruhi yetenekleri, sempati ve antipatileri konusunda bize bilgi verir.

Şefkat ve merhamet itibariyle daha hassas olan kadınlarda bu çizgi, erkeklere oranla belirgin ve daha anlamlıdır. Bu yüzden de kadınlar genellikle his ve duygularıyla hareket ederler.

Kalp çizgisi Venüs tepesiyle yakından alakalıdır. Bu tepenin özellikleri de kalp çizgisinin durumu ve bu çizgiden ayrılan dalların istikametlerinin iyi incelenmesiyle kesine yakın kanaatlere ulaşılabilir. (Şekil 212)

KALP ÇİZGİSİNİN ANLAMLARI

Normal: Güzel, arızasız, renkli, normal, dosdoğru bir kalp çizgisi düzenli bir aşk hayatını, ciddi muhabbetleri, iyilik duygusunu, mutlu olmaya müsait bir yapıyı, sağlam dostlukları ve dengeli bir ruh hâlini temsil eder. Bunlar tabiaten kibar, duygulu, cömert, uyumlu ve sevimlidirler. Tabiaten ateşli hatiptirler. Güzel ve etkili konuşur ve kitleleri etkilerler. (Şekil 213)

Uzun: Çok uzun bir kalp çizgisi kıskançlık belirtisidir. Bunların duyguları yoğundur. Sevgilerinde samimi ve sabırlıdırlar. Heyecanlı, tutkulu bir mizaca sahiptirler. Derin bir duygusallık ve alınganlık belirtisidir aynı zamanda uzun kalp çizgisi. Kalp çarpıntıları görülebilir. (Şekil 214)

Kısa: Kısa -normal uzunluğunun üçte biri kadardır- kalp çizgisi duygusal olmayan sevgileri temsil eder. Bunlarda bencilliğe ve kıskançlığa eğilim mevcuttur. Duygu yoksunudur. Kısa bir kalp çizgisi sağlık açısından, dolaşım sistemindeki zafiyeti, göz hastalıklarına yatkınlığı ve kalbin yapısal olarak zayıflığını gösterir. Tabii bu erken ölüme davetiyedir aynı zamanda. (Şekil 215)

Yüksek: Parmak diplerine doğru dışbükey kavis çizerek uzanan bir kalp çizgisi, kalbin akıl üzerindeki kesin hâkimiyetini gösterir. Böyle bir insan tam bir duygu adamıdır. Bir müzik, bir resim, bir sanatsal form, diğer insanları etkilemeyecek kadar onu etkiler ve duygulandırır. Öyle ki estetik ve güzel olan şey karşısında itidalini koruyamaz, kendi kendini kontrol edemez. Hayatı duygusal heyecan arayışlarıyla geçer. (Şekil 216)

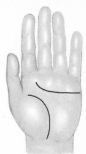

Şekil 214

Şekil 215

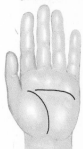

Şekil 216

Şekil 217

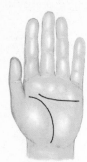

Şekil 218

Şekil 219

Şekil 220

Şekil 221

Alçak: İçbükey bir yay çizen kalp çizgisi, büyük bir merhamet ve şefkat duygusunu açığa vurur. Bu insanlar verecekleri her türlü karara daima kalplerini karıştırırlar. Kuvvetli bir sağduyuya ve olgun bir zihniyete sahiptirler. Bütün özlemleri duygusal niteliklidir. (Şekil 217)

Derin ve net: Böyle bir kalp çizgisi derin duyguları ifade eder. Karşısındakini kendine âşık eden büyük bir aşk ve sevme yeteneğini gösterir. Samimi bağlılık ve kıskançlığa eğilim anlamına da gelir. (Şekil 218)

Akıl çizgisine eğik: Melankoli işaretidir. Ağır kalp hastalıklarından ve kalp krizlerinden haber verir. Esasında dindarane eğilimleri ve kalpteki yoğun ahiret duygusunu temsil eden bu eğiklik ilginçtir kendini riyakârlık ve ikiyüzlülük şeklinde de açığa vurabiliyor. Dindar değildir ama öyle görünmek ister yani. (Şekil 219)

Akıl çizgisine ulaşan: Ucu eğilip akıl çizgisine ulaşan kalp çizgisi platonik aşklara ve kalp kirizlerine, sektelerine işaret eder. Bu çizgi, insandaki duygusal muhalefetin varlığını da gösterir. Yani sebepsiz muhalif... Muhalefet etmek için ille bir gerekçesi olması gerekmez. (Şekil 220)

Orta parmağa eğilip duran: Kalp çizgisi kısa bir hayatı, duygu eksikliğini, maddeciliği, karşı cinse sadece cins bakımından ihtiyaç duyan bir yapıyı ifade eder. (Şekil 221)

İşaret ve orta parmak arasında biten: Böyle bir kalp çizgisi cinsel aşkı temsil eder. Duygusal ilişkileri nezihtir. Bunlar mutlu olmaya en müsait tiplerdir. Türkiye'de en çok bu tür kalp çizgisine rastlanır. Bilhassa kadınlarda... (Şekil 222)

Kısa bir eğimle işaret ve orta parmak arasına yönelen: Kıskançlığa eğilim, bencil aşk, normal cinsî güç ve içten gelen heyecan belirtisidir. (Şekil 223)

Şekil 222

Şehadet parmağının kökünde eğimle biten: Hayatta başarıyı, aşkta idealizmi, iyi kalpliliği ve cinsel cömertliği temsil eder. Bir idealleri vardır ve mefkurecidirler. Bu çizgi kadınlarda tehlikelidir. Çünkü temsil ettiği cinsel cömertlik yüzünden cinsel açıdan istismar edilme tehlikesi vardır. Ancak bunların, aşkta aradıkları ideali bulamadıkları için bedbaht ve mutsuz yaşadıkları çok görülmüştür. (Şekil 224)

Şekil 223

Şehadet parmağının üçüncü kemiğine ulaşan: Bu kalp çizgisi aşkta gerçek idealizmi, baş döndürücü mutlu bir aşkı, sadakati ve mutluluk için büyük fırsatları dile getirir. Bunlar iyilik perisidirler. Ancak bu tiplerin eşlerini bulmaları oldukça zordur. Aşkta titiz ve idealizmi aradıkları için zor mutlu olurlar. Yani bunların mutluluğu, karşısındakilere bağlıdır. Aksi takdirde bedbaht ve duygusal bir yalnızlık içinde hayatlarını tüketirler. (Şekil 225)

Şekil 224

Üç dallı çatal: İşaret parmağı altında üç dallı bir çatal ile son bulan kalp çizgisi, aşkta

Şekil 225

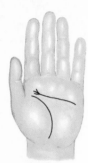
Şekil 226

ve hayatta başarıyı temsil eder. Bunların maddi şansı yerinde, huyları güzel ve duyguları samimidir. Birden fazla aşk yaşayabilirler. Ama aşklarına sadakatlidirler. Aynı anda iki kişiye bağlanmazlar. (Şekil 226)

Serçe parmağının altından başlayan: Serçe parmağının altından başlıyormuş gibi bir intiba veren kalp çizgisi, kalbî asabiyeti, aşkta titizliği ve kurnazlığı, ruhî coşkunluğu, duygusallığı ve hoşnutluğu ifade eder. Bu durum, aşkta samimiyetten ziyade mahareti temsil eder. Yani istediği zaman birilerini kendine âşık edebilir. (Şekil 227)

Şekil 227

Yüzük parmağının altında başlayan: Platonik aşk eğilimi ve ideal duygusallığı dile getirir. Bunlar kendini beğenmiş kimselerdir. Eşlerini de topluma göstermek için seçerler âdeta. (Şekil 228)

Orta parmağın altında son bulan: Kısa bir ömre işaret eder. Aşktan ziyade cinsel doyum arayan bir tipi yansıtır. (Şekil 229)

Şekil 228

Yüzük parmağının altında son bulan: Kendini beğenmişlik ve ahmaklık işaretidir. Her şeyi gibi aşkı da görsünler diyedir! (Şekil 230)

Dalgalı: Yalancılığa eğilimli bir yapıyı ve soğuk duyguları ifade eder. Âdeta duygusuz gibidirler. Cinsel açıdan da soğukturlar (frijit). Sevgisiz değillerdir ama bunu göstermezler, gereksiz bulurlar. Çünkü onları sevgi değil, onlar sevgiyi kontrol etme peşindedirler. Bazen kendini beğenmişlik işareti de olabiliyor. (Şekil 231)

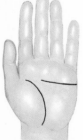
Şekil 229

Zincir: Sadakatsizlik, duygusal konularda belirsizlik ve dikkati toplayamama belirtisidir. Bunlarda kan dolaşımında bozukluk ve kalp çarpıntıları da görülebilir. Coşkuları ve duyguları içtendir ancak sürekli ve yoğun değildir. Samimiyeti suiistimale eğilimlidirler. (Şekil 232)

Şekil 230

Küçük ve ince çizgilerden meydana geliyorsa: Entrikacı bir yapıyı gösterir. Bu aynı zamanda dikkatsizlik ve zayıf bir kalp yapısının işaretidir. Fiziki açıdan da zayıf ve hastalıklı bir kalbi gösterir. (Şekil 233)

Budaklı, saçaklı: Sükse merakını ve lükse düşkünlüğü dile getirir. Bunlar züppe, kararsız ve sadakatsizdirler. Aşkta da kararsızdırlar. Kalp hastalıklarına yatkınlıkları vardır. (Şekil 234)

Şekil 231

Çukur: Geçici duyguları, sadist zevkleri, sinsiliği, yalnızlığı seven bir yapıyı sergiler. Bunlar zalim olabilirler. Karşı cinsi kendine mecbur etme teşebbüsleri ve sürekli düş kırıklığını ifade eder. (Şekil 235)

Akıl çizgisine değen: Yalan sevgilere ve sadakatsizliğe işarettir. Sevgileri kalbin eseri değil, aklın tuzağından doğar. O da sevgi değil. Karşı tarafı ikna edinceye kadardır sevgisi. (Şekil 236)

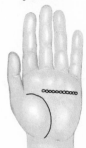

Şekil 232

Akıl çizgisini geçerek hayat çizgisine ulaşan: Melankolik bir mizacı belirtir. Aşkta şanssızdırlar. Bundan dolayı da yüzleri hep biraz ahirete dönüktür. Fedakâr, başka-

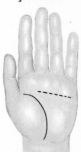

Şekil 233

Şekil 234

Şekil 235

Şekil 236

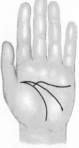

Şekil 237

ları için haklarından vazgeçebilecek tiplerdir. Çünkü hayat, onların istediği gibi gelişmemiştir. Çoğu da hayatın en başında ciddi bir hayal kırıklığı yaşar.

Bu, aynı zamanda ani ölüm tehlikesine de dikkat çeker. (Şekil 237)

Hayat ve akıl çizgisiyle beraber başlayan: Duyarlı bir kalbi, yıldırım aşklarını dile getirir. Bu birleşme avucun ortasına yakınsa aşkta aldanmayı ifade eder. Erken ölüme de işaret sayılabilir. (Şekil 238)

Küçük çizgilerle kesilen: Kalp çizgisi üzerindeki küçük çizgiler, hayal kırıklıklarını, aşkta aldanışları, tereddüt ve tutarsızlıkları ifade ederler. (Şekil 239)

Küçük dallar taşıyan: Hoşgörüyü, açık yürekliliği, iyi kalpliliği simgeler. Bunlar sadık birer âşık, mutlu ve sakin insanlardır. (Şekil 240)

Aşağı inen dallar: Aşk ve evlilik hayatında kederleri, sıkıntıları temsil eder. Bunların aşk hayatı parçalı bulutludur. Bir gün iyi, iki gün kötü olurlar. Aşkta ve evlilikte şanssızdırlar. (Şekil 241)

Geniş bir çatalla biten: Yüce gönüllü bir kişiliğin, alicenaplığın, iyi kalpliliğin ifadesidir. Bunlar duygularında samimidirler ve duygularını hiç gizlemezler. Birisini sevdiklerinde hemen ona bunu bildirirler. Müşfik birer anne-baba olurlar. Eşlerine karşı sevgi dolu, çocuklarına karşı müşfiktirler. Eğer iki dal arasındaki açı genişse bu, çocukların doğmasıyla birlikte, sevginin ve ilginin eşten çocuklara kayacağını gösterir. Mamafih yüreklerinde, her zaman herkese yetecek kadar sevgi ve şefkat vardır. (Şekil 242)

Çatalın dallarından biri işaret parmağı ile orta parmağın arasına değiyorsa bu, bencil bir yapıdan haber verir. Kıskanç olurlar aynı zamanda. Bu durum, kompleksli bir tabiata eğilimi de yansıtır. Bunlar iş oldu mu en son sırada, ücret oldu mu ilk sırada yer alacak tiplerdir. (Şekil 243)

Şekil 238

Dallardan biri orta parmağa gidiyorsa bu da duygusal hassasiyeti temsil eder. Ancak bunlar sevgilerini maddi olarak da göstermek isterler. Arazi işleriyle meşgul olmayı severler. (Şekil 244)

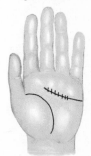

Şekil 239

Orta parmağın altında çatalla biten: Sadakatsizlik ve kararsızlık belirtisidir. Bunlar aşkta da işte de kararsız ve tatminsizdirler. Sürekli değişiklik ararlar. Hazzı ve lezzeti, duygusal tatmine tercih ederler. (Şekil 245)

Çatalın dallarından biri yukarıya, diğeri aşağıya yöneliyorsa bu, aşırı duygusallığı ve melankolik bir yapıyı gösterir. Bu durum, kötü, kaba bir ölümün belirtisi de sayılabilir (İntihara yatkınlık dâhil). (Şekil 246)

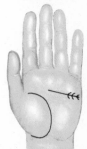

Şekil 240

Küçük parçalara bölünmüş: Duygusal sıkıntılara, kaprislere ve sürekli tedirginliklere işarettir. Sinirlidirler. Sağlık açısından da taşikardi gibi kalp çarpıntılarının olabileceğini haber verir. (Şekil 247)

Şekil 241

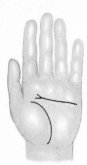

Şekil 242

Kopuk: Kalp çizgisinin üzerindeki kopuklar, bilhassa kalp sektesi ile gelecek bir ölüm habercisi olarak yorumlanabilir. Ancak bu kırıklar, kalp krizleri ve sektelerinden ziyade, hayatta tatminsizliği, beklentilerinin boşa çıkmasını ifade ederler. Evet, biyolojik olarak da kalbin zayıf bir yapıda olduğunu sergiler. (Şekil 248)

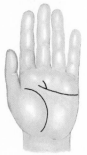

Şekil 243

Kopuk kopuk çizgilerde kollar birbirinin üzerine biniyorsa, bu tedavi edilebilecek kalp hastalıklarını veya ameliyatını dile getirir. (Şekil 249)

Çift kalp çizgisi: Büyük ve zengin bir inkişaf kabiliyetini ifade eder. Bazen çift başlayan kalp çizgileri, ömrün ortalarına doğru dağılıp bozularak teke iner. Bu durum, o insanın derin bir hayal kırıklığına uğradığı ve hayattan beklentilerinin gerçekleşmediği anlamına gelir. (Şekil 250)

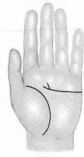

Şekil 244

Noktalar: Basit noktalar (üçten fazla olmamak şartıyla) kalbî üzüntülerin, kederlerin belirtisidir. Bu, kalbin yapısında sorunlar bulunduğunun işaretidir aynı zamanda.

Orta parmağın hizasında bulunan bir nokta kan dolaşımında bir arıza, kapakçıklarla ilgili bir rahatsızlık belirtisidir. Bazen kan dolaşımının yavaşlığından kaynaklanan hastalıkların belirtisi de olabilir.

Yüzük parmağı hizasındaki nokta göğüs kafesi ağrılarını ve görme bozukluklarını haber verir.

Şekil 245

Serçe parmağı hizasındaki nokta geçici kalp çarpıntı ve ağrılarını belirtir.

Çok sayıda küçük nokta ise sürekli hüzünleri, üzüntü ve acıları, kalp bölgesi ağrılarını ifade eder. (Şekil 251)

Delik, boşluk: Şiddetli kalp çarpıntılarını, kalp yetmezliğini ve rahatsızlıklarını gösterir. (Şekil 252)

Şekil 246

Etrafı çökük bir boşluk: Gözün ağ tabakasındaki rahatsızlık belirtisidir. Kör olma ihtimalini verdiği için dikkate alınması gerekir ve göze gereken ihtimam gösterilmelidir. Ama çoğu kere, katarakt benzeri ameliyatlara işaret eder. (Şekil 253)

Haç: Bayılmalara eğilim, geçici kalp hastalığı, ani ölüm veya kalp yetmezliği işaretidir. (Şekil 254)

Şekil 247

Yıldız: Haçtan biraz daha tehlikeli bir işarettir. Kalp krizlerine açık bir bünyeyi gösterir. (Şekil 255)

Yıldız kalp çizgisinin ucunda yer alıyorsa bu, hayatta başarıyı, şöhreti, bilhassa sanat dallarında üne kavuşmayı dile getirir. (Şekil 256)

Şekil 248

Ada: Kalp yetmezliği, sürekli yorgunluk ve en çok da ayrılıkla biten aşkları dile getirir. (Şekil 257)

YAŞ TESPİTİ

Kalp çizgisi üzerinde yaş tespiti de diğer çizgilerde olduğu gibi düşey çizgilerle sağlanır. Ancak buradan yapılacak hesaba serçe parmağından başlanır. (Şekil 258)

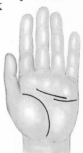

Şekil 249

Şekil 250

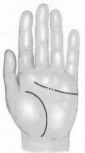

Şekil 251

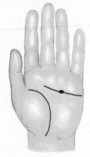

Şekil 252

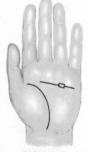

Şekil 253

KADER ÇİZGİSİ
(Şans, talih veya Satürn çizgisi de denir)

Bu çizgi, normalde, ayanın en alt kısmında Ay ve Venüs tepelerinin oluşturduğu vadinin bileğe en yakın yerinden doğar ve genellikle orta parmağa veya şehadet parmağına yönelir.

Bu vadi ne kadar belirgin ve pürüzsüz ise o kadar değerlidir... Bu vadi (çizgi) insan kudretinin akış mecrasıdır. Suların menzile varıp varmadığına, akış kesilmişse nerede ve nasıl kesildiğine bakılarak insanın hayat macerası büyük ölçüde tahmin edilebilir.

Kader çizgisi bir insanın hayat karşısındaki duruşunu, hayatın getirdikleriyle nasıl baş edeceğini veya edemeyeceğini, azmini, iradesini ve bunları nasıl kullanacağını gösterir. **'Sınav'** dediğimiz olaylar karşısında kişinin takınacağı tavrın seyrini bu çizgi üzerinden okuyabiliriz. Ve tabii kişinin mücadele azminin boyutlarını da...

Bir anlamda bu çizgi, fıtratın macerasını doğrudan yansıtan bir çizgidir. Kişinin tabiatını ve hasletlerini; iktidarını yansıtır. Çizgi, hangi parmağa veya tepeye yönelmiş ise, kişinin en temel, en bariz sıfatının o yönde olacağını gösterir.

Normal bir kader çizgisi avucu iki parçaya ayırır, bir tarafta içgüdüyü ve iradeyi temsil eden başparmak ve şehadet parmağı, diğer tarafta da zekâ ve ideali simgeleyen serçe ve yüzük parmağı bulunur.

Biz kader çizgisinin her iki yanda bıraktığı sahanın durumuna bakarak bir insanın olaylar karşısında aklıyla mı yoksa içgüdüleriyle mi hareket edeceğini belirleriz. Yahut akılcı mı idealist mi belirleyebiliriz.

İyi, normal bir kader çizgisi, Venüs ve Ay tepelerinin arasında, bilekteki bileziklere yakın yerden başlar. Hiçbir sapma göstermeden doğruca orta parmağın altına kadar devam eder. Şayet başlangıcı sonundan daha belirginse bu, ihtiyarlık döneminde düşülecek zaafları; daha doğrusu insanın, yapacağı hatalar yüzünden değer kaybına uğrayacağını haber verir. Kişinin, hayatın başlangıcında sergilediği performansı sonuna kadar götüremeyeceğini ifade eder.

Şekil 254

Şekil 255

KADER ÇİZGİSİNİN ANLAMLARI

İnce: İnce fakat kopuksuz bir kader çizgisi, sağlam bir iradeyi ve iyi bir şansı temsil eder.

Bunlar, ciddi bir sıkıntıya düşmeden yaşarlar. Denilebilir ki o insan, hayatın çetin sınavlarından geçmeden ömrünü tamamlayacak. Çünkü fıtraten duygulu, merhametli ve iyi kalplidir. Bu sıfatları taşıdığı için hayat da ona iyi muamele etmiştir veya edecektir.

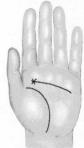

Şekil 256

(Genel bir kuraldır: Denir ki hayat bir ayna gibidir, siz ona gülerseniz o da size güler. Çünkü ayna ancak senin kendi hâlini yansıtır...

Yine bir kudsi hadiste, Allah, "Ben kulumun beni sandığı gibiyim!" buyurur. Yani siz tanrınızı

Şekil 257

Şekil 258

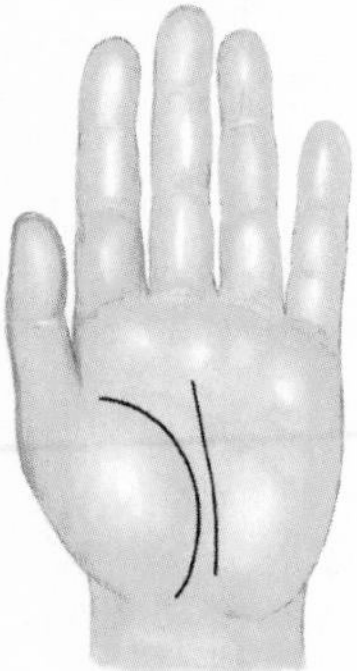

Şekil 259

zihninizde nasıl tasarlamışsanız, ona göre muamele görürsünüz. Hayatın cilvesi bu!)

Hele bu ince pürüzsüz kader çizgisi, hem ince hem de çift olursa, bu insanın başına, üstesinden gelemeyeceği hiçbir olay gelmeyecek demektir. (Şekil 259)

Esasında, Yaratıcı kudret, hiçbir insana taşıyamayacağı yükü yüklememiştir. Eğer bir insan karşılaştığı bir dert, sıkıntı, bela, musibet sebebiyle yıkılmışsa, bu kesinlikle onun kendi hatasıdır. Kendisine verilen güçleri, kudretleri kullanmamıştır veya kullanmayı bilmemiştir. Kişinin kendisine verilen kudreti ve gücü kullanamamasının en altında yatan sebepler, tabii ki kadere taalluk eder ama onlar dahi aslında kişinin seçimidirler. Onun zafiyetlerinin, yaklaşımlarının neticesidirler...

Dolayısıyla bir insanın temiz yürekli, samimi, gayretli olması ona yönelecek hadiselerin de şeklini, şemailini değiştiriyor. Birçok ayette Allah, "Ben inanan, yani yüreğinde çevresine karşı sevgi ve saygı besleyen insanla inanmayan (yani kendinden başkasını düşünmeyen) insana aynı mı davranacağım? Ne saçma bir yargı!" *buyurur. Bu gösteriyor ki şans dediğimiz şey, insanın iyi niyet ve yaklaşımlarının eseridir!*

Uzun: Uzun kader çizgisi mutlu bir hayatı simgeler. Bunlar giriştikleri her işte başarıya ulaşırlar. Sağlıklı ve sağlam bir fiziki yapıya sahiptirler. (Şekil 260)

Kısa: Bilekten çıkıp akıl çizgisine varmadan veya akıl çizgisinde biten bir kader çizgisi, ciddi plan ve taktik hatalar yapılacağını ve insanın bu hatalar sonucu, hayat karşısındaki mücadelede yenik düşeceğini gösterir. Hayatını zorluklarla kazanan bir günü iyi bir günü kötü, bazen imkânlı bazen imkânsız kalınacak bir maceradan haber verir.

Bu durum, sağlık açısından kalp yetmezlikleri, insanın kendi hatası olan sağlık problemleri anlamına da gelir.

Şekil 260

Kader çizgisi az da olsa akıl çizgisini geçiyorsa, bu insanlar, her arzu ettiklerini elde edemezlerse de hayatın birçok imkânından yararlanırlar. Bazı güzel şeyleri gerçekleştirebilir, başarabilirler. (Şekil 261A)

Başlangıcı olmayıp da son kısmı çok belirgin olan bir kader çizgisi, hatalarından ibret almasını bilen ve hayatının ikinci yarısında kendisini toparlayacak bir insandan haber verir. Bunların ahir ömürleri mesut, bahtiyar ve huzurlu geçer. Mutlu yaşarlar. (Şekil 261B)

Şekil 261A

Geniş: Geniş bir kader çizgisi, tekdüze, değişmez, iniş çıkışları olmayan bir hayat hikâyesini haber verir. Bunlar basittirler ve kendilerini kontrole ihtiyaç duymadan yaşarlar. Çünkü hayatlarının içinde hiç risk ve macera yoktur. Esasında bu, çok da istenesi bir durum değildir ama böyle insanlar da vardır hayatın içinde. (Şekil 262)

Şekil 261B

Derin: Kadere bağlı, çabaya ihtiyaç duymayan -veya ihtiyaç bırakmayan- bir hayatı, insan iradesinin dışında gerçekleşip teslimi-

Şekil 262

Şekil 263

yetten başka çare kalmayan bir yaşama biçimini temsil eder. Bunlar sanki sevk ediliyormuş gibi yaşarlar.

Daha çok kadınlarda görülür. İyi ve sevimli bir eş olurlar ve el üstünde tutulur. Şanslıdırlar ve bu şans kocanın da kaderini iyi yönde etkiler. Varlık sahibi olur. Başlangıçta değilse bile böylesi bir kader çizgisi, eşin imkânlarının artmasına da yardımcı olur. Sonra da o imkânı kullanarak yaşar gider. (Şekil 263)

Dalgalı: Dalgalı kader çizgisi dalgalı bir hayatı gösterir. Sürekli değişen bir düşünce yapısını, iniş çıkışları, hayat boyunca çok sayıda dönüşleri, bir işi bırakıp başka alanlara yönelmeleri temsil eder. Hep vaziyet değiştirirler. (Şekil 264)

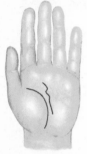

Şekil 264

Zincir: Güçsüzlük, zayıflık ve çaresizlik belirtisidir. Hayat ve olaylar karşısında dirençsizdirler. Meşakkatli, hayatın zor kazanıldığı bir kaderleri olur. (Şekil 265)

Düzensiz: Küçük çizgilerden meydana gelen düzensiz kader çizgisi, hastalıklı bir yapıyı gösterir. Asabi, kararsız ve endişeli yaşarlar. Bunların istikrarlı bir işi olmaz. Sık sık hastalıklarla da boğuşurlar. Ama bu hastalıklar öldürücü değildir. (Şekil 266)

Şekil 265

Ay tepesinden başlıyorsa: El ayasının altında (Ay tepesinden) başlayarak onu iki parçaya ayıran kader çizgisi başkalarının yardımıyla başarılı olabilecek bir kudrete işaret eder. Bunlar dayanıksız ve kaprislidirler. Sessiz

Şekil 266

yaşarlar. Fanteziye eğilimli, şiire yeteneklidirler. Kolay işlerin adamıdırlar. Zoru başarmak için yetersizdirler. Bunlar çalışmak için değil, yazmak, gezmek, şiir terennüm etmek için yaratılmışlardır âdeta. Hayal sofrasından kalkmazlar. Hayatlarını kolay ve rahat kazanırlar. Çünkü onları hep zengin, güçlü varlıklı insanların yanında, onların sohbet arkadaşı olarak görürsünüz. (Şekil 267)

Şekil 267

Elin dip köşesinden başlarsa: İşaret parmağının tam çaprazındaki köşeden başlayıp, avucu iki parçaya ayırarak orta parmağın altına uzanan uzun ve kopuksuz bir kader çizgisi, uzun seyahatleri, yalnızlığı ve ünü sınırları aşan başarıları,[76] büyük değişiklikleri ve sürekli hayat mücadelesini gösterir. (Şekil 268)

Şekil 268

Hayat çizgisinden başlarsa: Hayat çizgisinden başlayan kader çizgisi sıhhatli bir bünyeyi, çalışkan ve gayretli bir yapıyı, hayatını çalışarak kazanacak şerefli bir ömrü simgeler. (Şekil 269)

Akıl çizgisinin altından başlıyorsa: Bu, başlangıcı zor bir hayatı gösterir. Ömrün ilk yarısında bu insanların çabaları sonuç vermez. İkinci yarıdan itibaren işler değişir ve kader onlara da gülmeye başlar. Genel anlamda zor bir başlangıçtan haber verir böyle bir kader çizgisi. Ekmeği helaldir bunların, çünkü başkalarının iki birim çaba ile elde ettiği bir sonucu, bunlar beş bazen on birimlik bir çaba ile ancak gerçekleştirebilirler. Çok çalışarak,

Şekil 269

Şekil 270

çok enerji harcayarak elde edilecek başarıların habercisidir böyle bir çizgi. (Şekil 270)

Akıl çizgisinden başlıyorsa: Fevkalade güç şartlar altında ve zorluklar içinde başlamış bir hayat mücadelesini gösterir. Bazen, zekâ gücü gerektiren başarıları da ifade eder. Zekidirler, gayretlidirler ama hayatları çetindir; özelikle 40'lı yaşlara kadar. 36'dan itibaren hayatları iyi yönde değişmeye başlar. (Şekil 271)

Şekil 271

Kalp çizgisinden başlıyorsa: Fazla zorluk çıkarmayan, yumuşak devam eden bir hayata işarettir. Bu aynı zamanda şefkatli ve sıcak ailevi bağları da gösterir. 50'li yaşlardan itibaren hayat bu insanlara karşı tavrını daha da yumuşatır. Ahir ömürlerinde fazla zahmet çekmezler. (Şekil 272)

Mars yaylasından başlıyorsa: Mars yaylasından başlayan bir kader çizgisi, hayatın çetin sınavlarına karşı durabilecek savaşçı bir yapıdan haber verir. Bunlar gerçekten dayanıklı ve güçlü insanlardır. Askerî disiplin gerektiren işler için yaratılmışlardır. Ama eğer bu disiplin ve anlayışı kendilerine kazandırmamışlarsa büyük ihtimalle hayatla ilk zorlu karşılaşmadan ağır yara alıp kenara düşmüşlerdir.

Şekil 272

Daha hayatın başında darbe yiyip düşmüş insanların elinde bu çizgiye rastlanır. Hâlbuki iyi asker ve zor işleri başarmak için var edilmişlerdir. Bunu bilmezlerse, hep karşılarına zor işler çıkardığı için kadere küserler. Hâlbuki bunu kabul etse, "Ben zor işlerin adamıyım." dese, çok başarılı

Şekil 273

olur. Tabiaten komandodurlar. Çünkü Mars savaşçı bir askerdir!

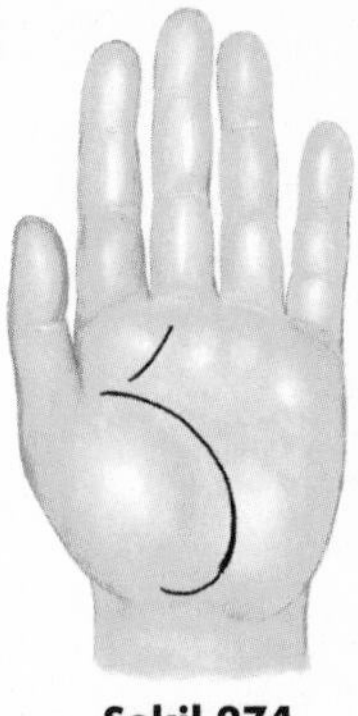

Aksi takdirde bu insanlar, hayatın darbeleri karşısında yediği her yumrukta yere düşen ve saldıran güreşçiye dönerler. Hayatın en başında mağlup düşerler. O zaman da ümitsizliğin ve çaresizliğin sembolü olur bu çizgi. (Şekil 273)

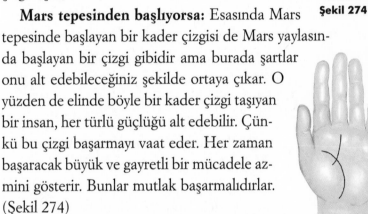

Şekil 274

Mars tepesinden başlıyorsa: Esasında Mars tepesinde başlayan bir kader çizgisi de Mars yaylasında başlayan bir çizgi gibidir ama burada şartlar onu alt edebileceğiniz şekilde ortaya çıkar. O yüzden de elinde böyle bir kader çizgi taşıyan bir insan, her türlü güçlüğü alt edebilir. Çünkü bu çizgi başarmayı vaat eder. Her zaman başaracak büyük ve gayretli bir mücadele azmini gösterir. Bunlar mutlak başarmalıdırlar. (Şekil 274)

Şekil 275

Hayat çizgisinin içinden başlıyorsa: Aşk hayatını her şeye tercih eden bir kişiliği simgeler. Bunlar kendilerinden beklenmeyen başarıları gösterirler. Ebeveynlerine aşırı derecede düşkündürler. Kendilerini sevdiklerine ve arzularına tam anlamıyla adarlar. Çekici ve cazibelidirler. Evdeki huzuru severler. O yüzden de evlerine ve köklerine yakın olmayı tercih ederler. (Şekil 275)

Hayat çizgisiyle karışmışsa: Ailevi baskılar, aile içi sıkıntılar sebebiyle ıskalanmış veya ıskalanacak bir hayata işaret eder. Mesela bir evladın evde yatalak anne-babasına bakmak için evlenmemesi

Şekil 276

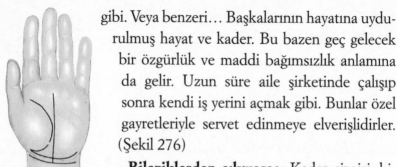

gibi. Veya benzeri… Başkalarının hayatına uydurulmuş hayat ve kader. Bu bazen geç gelecek bir özgürlük ve maddi bağımsızlık anlamına da gelir. Uzun süre aile şirketinde çalışıp sonra kendi iş yerini açmak gibi. Bunlar özel gayretleriyle servet edinmeye elverişlidirler. (Şekil 276)

Şekil 277

Bil+eziklerden çıkıyorsa: Kader çizgisi, bileklerin altındaki bileziklerden çıkıp geliyorsa mutsuz bir çocukluğu ve zor şartlar içinde başlamış bir hayatı yansıtır. Ancak çizgi fasılasız ve düzgün bir biçimde Satürn tepesine kadar devam ediyorsa ömürlerinin ilk çeyreğinden itibaren huzurlu ve sakin bir hayat kurarlar. (Şekil 277)

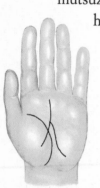

Şekil 278

İki dal ile başlıyorsa: Biri Ay tepesinden, öbürü Venüs tepesinden gelen iki dal ile başlayan kader çizgisi hem iç güzelliği hem de fizik güzelliği simgeler. Bunların müthiş bir cazibeleri vardır. Karşı cinsi âdeta ışığın kelebekleri çektiği gibi kendilerine çekerler. Cinsel performansları da güçlüdür, eğer özel bir sıkıntı yaşamamışlarsa. Hiçbir şansa ihtiyaç duymadan yükselirler. Bunu, kendi öz değerleri temin eder. (Şekil 278)

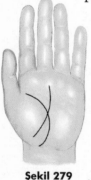

Venüs tepesinden başlıyorsa: Kader çizgisi, hayat çizgisinin içinden; Venüs tepesinin alt tarafından başlıyorsa bu aşkta ve maddi hayatta şanslılığı simgeler. Çevrelerinde tutulur ve sevilirler. Ailenin kıymetlisidirler. Kolay

Şekil 279

kolay evlenmezler. Ama sonra bakarsınız ki dul bir eşle evlenmişler. (Şekil 279)

Şehadet parmağına yöneliyorsa: Şehadet parmağına yönelen bir kader çizgisi, sosyal ve maddi alanlarda büyük başarılardan ve engellenmez tırmanışlardan haber verir.[77] Bu aynı zamanda dürüstlük ve zaferlerle sonuçlanacak mücadelelerin habercisidir. (Şekil 280)

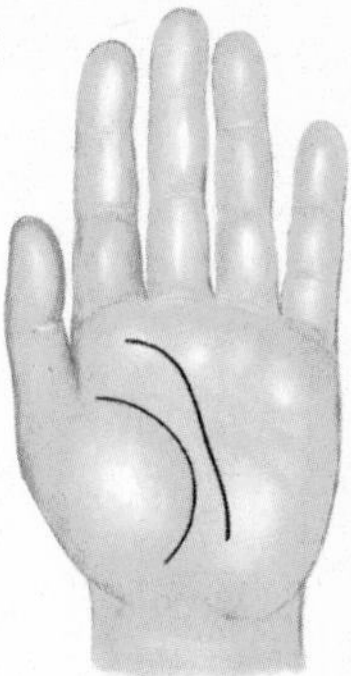

Yüzük parmağına yöneliyorsa: Yaşama sevincini ve memnun bir tabiatı dile getirir. Bunlar her türlü ideallerini gerçekleştirirler. En zor anlarda bile iç dengelerini ve neşelerini kaybetmezler. (Şekil 281)

Şekil 280

Şayet böyle bir kader çizgisi haçla veya yıldızla bitiyorsa büyük ve derin hayal kırıklıklarını, acı ve üzüntüleri haber verir.[78]

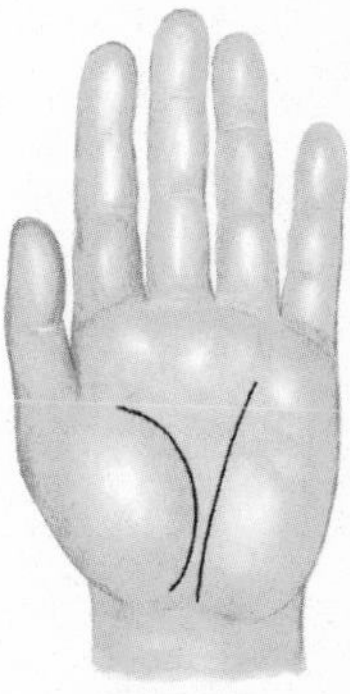

Serçe parmağına yöneliyorsa: Bilimsel başarılara işaret eder. Bunlar tıpta, ilmî araştırmalarda hedeflerine ulaşırlar. Hayatı her cephesiyle tanımak ihtiyacı ile tutuşmuş, araştırmacı bir ruha sahiptirler. Bu kadar belirgin bir kader çizgisine tabii ki ender rastlanır. Bu kadar net de olmaz. Ama genel anlamda serçe parmağına yönelmiş bir kader çizgisi bilime ve tıbba hizmet edecek ender bir kimlikten haber verir.

Şekil 281

Şayet bu çizgi serçe parmağının altında yer alan Merkür tepesi eteğinde son buluyorsa bilimsel çabalarının neticesini hayatta erken alamayacak demektir. Yahut bulduğu yerin Amerika olduğunu bilemeyen **Kristof Kolomb** gibi emeği başkalarının işine yarayacaktır. O yüzden de ahir ömürlerinde mutsuz, melankolik olma ihtimalleri vardır. (Şekil 282)

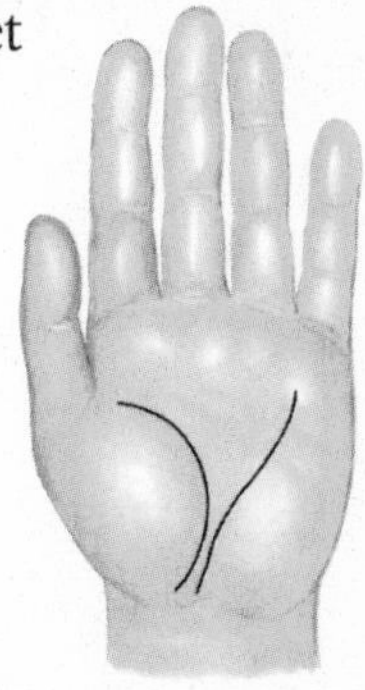

Şekil 282

77   Les Lignes, 125
78   Gİ, 134

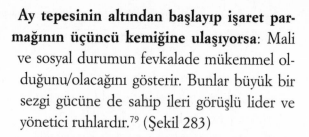

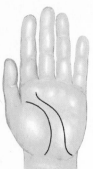

Ay tepesinin altından başlayıp işaret parmağının üçüncü kemiğine ulaşıyorsa: Mali ve sosyal durumun fevkalade mükemmel olduğunu/olacağını gösterir. Bunlar büyük bir sezgi gücüne de sahip ileri görüşlü lider ve yönetici ruhlardır.[79] (Şekil 283)

Şekil 283

Orta parmağın kemiğine ulaşıyorsa: Bu iyi bir işaret değildir. Kötü bir kaderi, düş kırıklıklarını, hayallerin gerçekleşmeme ihtimalini verir. Çünkü müstağnidirler insanların onlara işleri düşmesin diye hiçbir insandan yardım istemezler. İnsanlara tepeden bakarlar. Sonra da yalnız kalırlar. Bu yüzden yaşlılık dönemlerini mutsuz ve umutsuzluk içinde geçirme ihtimalleri vardır. Bu tür insanların unutmaması gereken şey, herkesin mutlaka bir gün birilerine muhtaç olabileceğini bilmeleridir ve ona göre hayatlarını kurmalarıdır. (Şekil 284)

Şekil 284

Şehadet parmağının içine çıkıyorsa: Aşırı bir gururu ve kendine güveni temsil eder. Bu insanlar bu özelliklerinden dolayı çokça hata yaparlar. Ferdiyetçilik duygusu taşırlar. Kabiliyetlerini kötüye kullanma ihtimali vardır. (Şekil 285)

Hayat çizgisine yaklaşıyorsa: Aileden tevarüs ettiği güç ve imtiyazlarla yükselme ve mevki edinmeye işaret eder. Ailevi bir şöhret veya güçlü aile fertlerinin yardımıyla başarılı geçecek bir hayatın habercisidir. Bunlar isteseler de istemeseler de yaşadıkları toplumda büyük nüfuz ve güç sahibi olurlar. Böyle bir kader

Şekil 285

79 Les Lignes, 127

çizgisi, mukadder bir şöhret ve başarıları temsil eder.[80] (Şekil 286)

Paralel çift kader çizgisi: Canlı, enerjik ve neşeli bir yapıyı sergilerler. Bunlar engin bir bilgi edinme merakı ile doludurlar. Temiz ve aydınlık havaya, kır hayatına meftundurlar... Bu, aynı zamanda uzun ve sağlıklı bir ömre işaret eder. (Şekil 287)

Şekil 286

Ayrılan çift kader çizgisi: Farklı mizaçtan kaynaklanan çift aktivite, çift karakterlik veya iki meslekte başarı işaretidir. Bunların esas meslekleri dışında en azından bir de hobileri bulunur. Onda da asıl meslekleri kadar tanınırlar.

Tanıdıklarını candan severler.

Soyut konulara ilgi duyarlar ve bu konularda mahir bir zekâya sahiptirler. Başarı kesin gibidir bunlar için. Tasarımcı bir beyin güçleri vardır. En soyut ve en ağır konuları büyük bir canlılık ve rahat bir dille anlatma kabiliyetine maliktirler. Büyük düşüncelerin öncüsü olacak yetenektedirler. (Şekil 288)

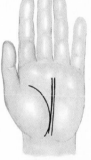

Şekil 287

Ana çizgiye paralel küçük çizgiler: Hayatta sürekli büyük başarılardan haber verirler. Canlı ve aktif bir iş hayatları bulunur. Çalışmak her şeyden önce gelir. Her an uyanık bir zekâ ve hamarat bir yapıları vardır. Düzenli ve dengelidirler. Her işin üstesinden gelirler. (Şekil 289)

Düzenli paralel küçük çizgiler: Asabi bir yapıya dikkat çeker. Kolaylıkla melankoliye düşebilirler.

Şekil 288

Şekil 289

Sıhhat bakımından nazik bir bünyeleri vardır. Çalkantılı bir hayat yaşarlar. (Şekil 290)

Orta parmak altında küçük bir çatalla bitiyorsa: Ömürlerini bir davaya adarlar ve o dava yolunda hayatlarını heder edebilirler. Acılar ve kavgalarla dolu bir ömür... İçleri sürekli yaratıcı bir huzursuzlukla doludur. Eğer diğer çizgiler de destekliyorsa üretken birer insan olurlar. Desteklemiyorsa bu iç itmeler onları mutsuz eder. Sebepsiz iç sıkıntılarla, teşhis konulmayan huzursuzluklara, gayba hasret çeken, metafizik kaygıları bulunan bir yürek.[81] Bu aynı zamanda meşakkatli ve zahmetli bir ihtiyarlığın da habercisi olabilir.[82] (Şekil 291)

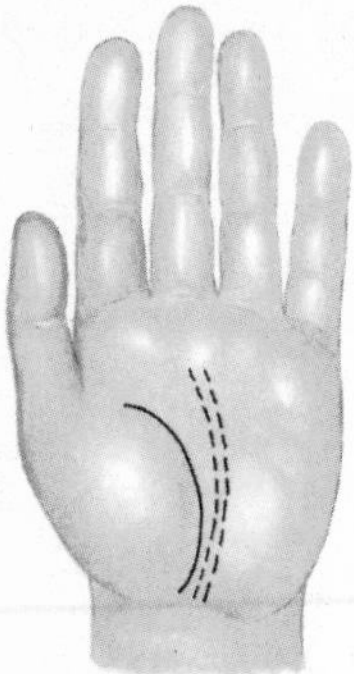

Şekil 290

Saçakla bitiyorsa: Büyük bir alınganlığı ve hassas bir tabiatı gösterir. Kolaylıkla gücenir ve kırılırlar. Çevrelerine saygılıdırlar, aynı saygıyı kendileri için de beklerler. Bunların da zor ve çetin bir ihtiyarlıkları vardır çevrelerinde yaşayanlar açısından... (Şekil 292)

Kalp çizgisiyle karışıyorsa: Hayatta şanssız değişiklikleri, beklenmedik yenilgileri gösterir. Çoğu kere başarıya ramak kala hüzünlü bir şekilde yenilgiye uğrarlar. Kalp sektesiyle son bulacak bir hayat ihtimali...[83] (Şekil 293)

Şekil 291

Akıl çizgisiyle karışıyorsa: Dik kafalı, dediğim dedik bir mizaç, öfkeli bir yapı ve delice davranışlardan haber verir. Bu çizgi esasında hayat içindeki başarıların da başarısızlıkların da akılla doğrudan ilintili olduğunu gösterir.

81   Les Lignes, 127
82   Age, 129
83   GI, 133

Aklın doğru kullanılmaması durumunda yenilgi, aksi takdirde başarı gelir. Bu çizgi aynı zamanda sağlık açısından beyne çok dikkat etmeyi, aksi takdirde beyin hastalıklarının gündeme gelebileceğini haber verir. (Şekil 294)

Bir haçla son buluyorsa: Başarılı bir hayatın ardından gelecek şanssız bir kazayı veya kötü son bulacak bir hikâyeyi temsil eder. Her daim kaza riski... (Şekil 295A)

Şayet Güneş tepesine yönelip burada bir haçla son buluyorsa: Bu, hayal kırıklıklarından doğacak ıstıraplı bir ruhu yansıtır. (Şekil 295B)

Üzerinde haç bulunuyorsa: Bu engel işaretidir. Beklenmedik bir durumu, ani bir kaybı dile getirir. Haçın bulunduğu yaşlarda bir sıkıntı yaşanacağını haber verir. Eğer çizgi devam ediyorsa sıkıntı aşılacak demektir. Çizgi orada bitiyorsa düşünüldüğünden daha büyük tahribat yapacak demektir. (Şekil 296)

Yıldızla bitiyorsa: Kader çizgisi üzerindeki yıldız, haç ile aynı anlamı taşır. Ancak yıldız daha ağır tehlikelere dikkat çeker. (Şekil 297)

Yıldız şayet çizginin üzerinde yer alıyorsa hayatı temelinden sarsacak bir olaya işaret eder. Zenginlikten fakirliğe, şöhretten unutulmaya, sıhhatten hastalığa düşmek gibi durum değişikliklerini belirtir. Bu, genellikle aniden ortaya çıkan bir olayı dile getirir. Talihin ters döndüğü, güvenilen, hayatı kolaylaştıran bir insanın veya pozisyonun, bir

Şekil 292

Şekil 293

Şekil 294

Şekil 295A

Şekil 295B

Şekil 296

Şekil 297

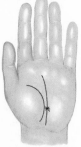

Şekil 298

işin kaybedilmesi gibi acıklı ve yıkıcı olayların işaretidir yıldız. (Şekil 298)

Eğer çizgi orta parmağın üçüncü kemiğine ulaşıyor ve bir yıldızla son buluyorsa garip fikirleri dile getirir. Tabii bu tür çizgiler çok görülmez. Hatta enderdir denilebilir. Burada anlatılanlar, o işaretlerin nihayet etkilerini aktarıyor. Her yıldız, korkunç bir cinayet değildir. Bazen bir yangını, bazen çok sevilen bir insanın kaybını bazen de küçük ama insanlar tarafından çok garipsenecek utançlı bir hâli haber verir. (Şekil 299)

(**Ara Not:** *Kadim kaynaklar işaretlerin dilini tercüme ederken abartılı bir dil kullanıyorlar. Daima her işaretin an ağır, en uzak etkisini öne çıkarıyorlar. Bunu unutmamak gerekir.* **Bu bir**.

İkincisi, *sıklıkla belirttiğimiz gibi, başa gelenler insanın kendi seçimlerinin bir neticesidir. Hiçbir hastalık, bela, keder, musibet, nimet, sevinç tesadüfen ve kendi seçimiyle gelip insanı bulmaz. Büyük bir kısmı hak edişle gelir. Geldiğinde de zaten insanlar ona hazır duruma gelmiş bulunur. Yani yadırgamaz. İşi gücü mafya adına parmak kesmek olan bir adamın öldürülmekle hayatının son bulması o adam açısından felaket değildir. Sizin ve benim gibi temiz insanlar açısından felakettir. İşte işaretlerin abartılı aktarılmasının sebeplerinden biri de budur.*

Üçüncüsü, *'Korkunç', 'felaket', 'dehşet', 'uğursuz', 'kötü', 'çok kötü' gibi kavramlar insandan insana değişir. Mesela gözümüz bir ince kıldan rahatsız olur ama başımıza bir batman taş değer, bir şey olmaz.*

Bazı insanlar vardır baş hassasiyetindedirler, bazı insanlar vardır göz hassasiyetindedirler. Göz hassasiyetinde olan bir insan için en küçük bir hadise de felaket olarak algılanabilir. Ama kafa hassasiyetinde olan bir insan için koskoca bir taş bile anlam ifade etmeyebilir. Yani insanların kendi abartıları da bu ifadeleri korkunç hâle getirebilir.

Şekil 299

Ben kaynaklarda geçen ifadelere sadık kalmak istiyorum ama onlar da her şeyi abartmaya çok meraklılar. Her işaretin en kötü neticesini aktarıyorlar. Hâlbuki her şeyin Serâdan Süreyya'ya kadar mertebeleri var. Ölümün kendisi bir sondur. Öyle de olsa böyle de olsa ölen açısından ölümün şekli bir şey ifade etmez. O, geride kalanlar için felakettir veya dehşettir.

Evet, hayatta çok ilginç vakalar, ölümler, cinayetler, acılar felaketler vardır. Ve bütün bunları da birileri yaşıyor. Ama biliyoruz ki hayat o kadar da korkunç değil. Çok güzellikler de var yeryüzünde. Hatta en ağır bir cinayetle son bulan bir hayatın bile yüzde 90 zamanları hoştur, keyiflidir.

Bu kitabı okurken hep felaketlerden haber veriyormuşuz gibi algılanabilir. Ama değil, satır aralarını okurken çok iyi şeylerden de söz edildiğini görmüşsünüzdür.

Ne o iyi işaretler ne de bu kötü işaretler, insanın kendi seçimleri olmadan gelip insanı bulurlar. İnsan pekâlâ, hayatını doğru yönde kullanarak, kötü bir felaketi anlayabildiği gibi yan gelip yatarak da kendisi için iyi olan bir gelecekten mahrum edebilir kendini.

Ben ısrarla tüm bu işaretlerin, insanın kendi kaderini doğru yaşamasına yönelik bilgiler ve ipuçları olarak görülmesi gerektiğini anlatmaya çalışıyorum. Burada belirtilen sıkıntılar, sakınılması hâlinde savuşturulabilecek şeylerdir. Asla kaçınılmaz ve mutlaka gelip insanı bulacak hadiseler değil. Siz kendinizi düzeltmez, yanlışlıklarda ısrar ederseniz, su testisi de su yılında kırılır. Esas olan budur.)

El ayasının çukurunda bitiyorsa: Hayatta karşılaşacak trajik olayları dile getirir. Büyük değişiklikler ve talihsizlikler yaşanacak demektir. (Şekil 300)

Şekil 300

Orta parmağın altında küçük çizgilerle kesiliyorsa: Büyük zorluklara ve kötümser bir mizaca işaret eder. Bunların sıhhatleri de bozuk olur. Yılgınlık ve cesaretsizlik belirtisi sayılır. (Şekil 301)

Şekil 301

Kare: Kader çizgisinin üzerinde veya solunda bulunan bir kare hayatta şans ve başarıyı gösterir. Üretken bir hayal gücünü ve üstün bir kişiliği simgeler. (Şekil 302)

Kırık ve bozuk olursa: Tamamen kişinin tembelliklerinden ve yanlış hareketlerinden, gençlik yıllarında göstermesi gereken çabayı göstermemekten duçar olacağı başarısız bir yaşam grafiğini sergiler. Hayatta birçok değişiklik olacağına işaret eder. Bunlar hayatı kökünden sarsacak olaylar değildir ama kişiyi sürekli meşgul ederek başarılı olma imkânını ortadan kaldırırlar. (Şekil 303)

Şekil 302

Bir Örnek

Şekil 303

Benim sol elimde, Venüs tepesinin bileğe yakın bir yerinden başlayıp hayat çizgisini geçtikten sonra orta parmağa yönelen bir kader çizgim var. Çizgi ilk darbeyi, akıl çizgisi ile buluştuktan sonra alıyor. Ve kalp çizgisi ile akıl

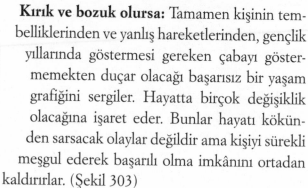

çizgisi arasında bir yerde kopup yeniden bağlanıyor âdeta bir fiyonkla. Benim elimde sevdiğim en güzeli işaret bu kırık. Çünkü böyle bir kırık ve bağlanma, kâinatın gizlerini, sırlarını, araştırma penceresini zihinde açan bir anahtar oluyor. Aklı ve kalbi birlikte kullanma becerisi kazandırıyor insana. Çaresizleri görmemi sağlıyor. Kopmasa, başarılarım gözümü kör edecek ve ben, insanların hâlini bilmeyecek, ilgilenmeyecektim. Evet, kader çizgisi orada zayıflayıp kopuyor. Âdeta dünyevi hırsın gözünü çıkarıp acıma duyusunun gözünü açıyor. Sonra çizgi ara vermeden âdeta monte edilmiş gibi yeni bir çizgi ile kendi istikametinde devam ediyor. O da orta parmağın altında Venüs halkasının bir kolu tarafından kesiliyor ama bitmiyor, devam ediyor.

Sağ elimde ise, kader çizgisi, varla yok arasında. Tam başlıkta sözü edildiği gibi kopuk ve kırık. Ama ısrarla ince bir tel gibi devam ediyor ta menziline varıncaya kadar. İlk darbeyi 23-25 yaşlarında, ikinci darbeyi 28-29 yaşlarında alıyor. Başparmağın kudret halkasından çıkıp gelen bir tekvini irade çizgisi tarafından kesilerek bitiriliyor. Sonra cılız bir hat çıkıp devam ediyor. Akıl çizgisini geçtikten sonra bir sekteye uğruyor ama kopmadan Satürn tepesinin zirvesine kadar ulaşıyor.

Sol eldeki nispeten daha güçlü olan kader çizgisi sağda âdeta yok gibidir. Bu durumu, eski kitaplar anlatsaydı, korkunç, felaket, kötü, talihsiz bir kader diye aktaracaklardı.

Evet, doğrudur, ben de bir yığın badire atlattım. Bütün mesaimi teksif etmeme rağmen üniversitede istediğim pozisyonda kalamadım. Sonra sorunlu bir aşk yaşadım, o dönemde doktoramı ihmal ettim. Bütün arkadaşlarım öğretim görevlisi oldular, ben hayta kaldım. Sonra hiç gündemimde yokken gazeteci oldum. Şair olayım derken yazar oldum. Elimde boşanma çizgisi olmamasına rağmen karşımdakinin kaderine tabi olarak ayrıldım. Yeniden evlendim. Siyaseten dışlandım, ünlendim, tanındım, bilindim vs vs...

Bunların hangisine iyi dersiniz, hangisine kötü? Evet, hayat bir sınav! Ve gariptir yaşadığım birçok olayı önceden görebildim, bazılarını çabamla savuşturdum ama bazılarını savuşturamadım. Belki de yeterince direnç göstermedim. Bütün bunlar hayatın içinde vardı ve elimde her bir kayıp ve kazancı gösteren çizgiler mevcuttu.

Acaba bir kıyafetnameci benim hayatımın işaretlerine baksaydı ne derdi?

-Felaket! Yazık! Çok sıkıntı çekecek! Talihsiz!.. Hele 25-26 yaşına tekabül eden kalp çizgisi üzerindeki çukuru görselerdi, **"Dehşet bir acı yaşayacak."** derlerdi.

Hakikaten de sorunlu bir aşkın bende açtığı yaralar derindi. Bile bile düşülen cinsten şeyler. Siz o döneme ait o çukuru görüyorsunuz ama bir şey olmaz diyorsunuz. Daha doğrusu, "İnşallah bende olmaz!" diyorsunuz. Almanız gereken tedbiri almıyorsunuz. Sonra acılı bir dönem...

Ama insanı pişiren, bilge kılan, Mevlana'nın deyimi ile "Ayrılıkla, acılarla pişmiş, olgunlaşmış; hâl hatır biler hâle gelmiş bir gönül!" kolay kazanılmıyor.

Geçip gittikten sonra dönüp hayatıma bakıyorum da "aynısını yaşardım" diyesim geliyor! Bütün onları yaşayan ben ayaktayım, hayatımdan memnunum. Güzel bir yuvam ve işim var. Ben insanları seviyorum, onlar da beni. Herkesin sizi sevmesi de gerekmiyor.

Demek ki başa gelenleri önlemenin bir yolu hep var. Gelmişse de ondan ibret almak en güzeli. Bir zamanlar hastalık torbası gibiydim. Onlarla mücadele ettim ve çoğu geçti. Ama asla hiçbir şeyi felaket, korkunç görmemek lazım... Allah hakikaten hiçbir insan taşıyamayacağı yükü yüklememiştir. Temel yaklaşım bu olursa, insan her şeyin üstesinden gelir.

Ve inanın her insanın hikâyesi güzeldir. Orijinaldir. Bir benzeri yoktur. Ve olgunlaşması mukadder her yüreğin acılı zamanları da vardır ve olmalıdır. İnsan yeter ki aklın ve vicdanın kontrol sahasından çıkmasın!)

Kopuk parçalardan oluşuyorsa: Hayatı kazanma yolunda sürekli bir mücadele gerektiğini gösterir. Sıkıntıları ve bilhassa sıhhat bakımından ciddi kaygıları dile getirir. Başarmak için aşmaları gereken engellerin sonu gelmez. (Şekil 304)

Şekil 304

Kopuk: Kopup iki parçaya ayrılmış kader çizgisi durum ve iş değişikliklerini, sekteleri, sarsıntılar geçirecek sıhhat ve mali durumları dile getirir. (Şekil 305)

Şekil 305

Saçaklardan biri kopuksa: Bu da durum değişikliklerini ifade eder. Ancak buradaki değişiklik bazen kötüden iyiye doğru da olabilir. Bilhassa ortam değişikliklerini, gençlik yaşantısı ile olgunluk çağı yaşantısı arasındaki farklılığı belirtir. (Şekil 306)

Enine küçük çizgilerle kesiliyorsa: Hayat içindeki küçük duraklama ve sekteleri ifade eder. Bunlar hayatın akışını değiştiren ciddi engeller değildir. Az bir çaba ile aşılabilecek engellerdir. (Şekil 307)

Şekil 306

Kalp ve akıl çizgisi arasında kesiliyorsa: Metafizik kaygıları dile getirir. Bunlar yüksek araştırma ruhuna sahiptirler. Karizmatik bir çekicilik ve üstünlüğe sahip bir tabiatı sergiler. Kâinatın sırlarına karşı büyük ilgi beslerler. İyi bir

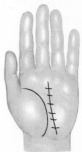

Şekil 307

Şekil 308

Şekil 309

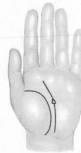

Şekil 310

Şekil 311

bilim tarihçisi olmak, evrenin sırlarını keşfetmek yolunda merakı temsil eder. Kalp ve akıl gücünü birlikte kullanmasını bilen üstün yetenekli, olgun kişilerdir bu insanlar. Beyin ve yürekleri sürekli kozmik verilere açıktır. Ve hep diyalog içindedirler. Zihinleri ve kalpleri tam bir verici ve alıcı gibi çalışır. Etraflarındaki insanların acısını anlarlar ve onlara şifa verebilirler.[84] (Şekil 308)

Nokta: Kader çizgisi üzerinde bulunan bir nokta kaza ve yaralanma habercisidir. Sıhhat bozukluğunu da gösterir. (Şekil 309)

Ada: Bu, aldatma ve aldanma işaretidir. Özellikle eşini aldatmaya meyilli bir tabiatı sergiler. Bu, aynı zamanda çift karakterliliğe, sadakatsizliğe, platonik aşka ve sıhhat bozukluğuna da işaret eder. (Şekil 310)

Dallı: Çizgileri yukarı çıkan dallı kader çizgisi yavaş yavaş başarıya gitme belirtisidir. Hayatın son yıllarındaki maddi sıkıntılardan ve sağlık problemlerinden de haber verir. (Şekil 311)

KADER ÇİZGİSİNDEN YAŞ TESPİTİ

Asıl yaş tespiti akıl çizgisi üzerinde yapılır. Kader çizgisinde yaş tespiti için bir tek ölçü var. O da kader çizgisinin akıl çizgisini kestiği noktadır ki bu, 30-35 yaşlarını gösterir. Diğer kısımlar buna göre kıyaslanır. Tabii çizginin bilekten başladığını unutmamak gerekir.

GÜNEŞ ÇİZGİSİ

Bu çizgi Apollon çizgisi, zafer ve başarı çizgisi, şöhret ve doyum çizgisi olarak da alınır.

---

84   Les Lignes, 134

Güneş, hayat ve dünya için ne kadar önemli ise insan için de bu çizgi o kadar önemlidir. Bu çizginin avuçta bulunması, kader açısından ne kadar şanslılık ise, olmaması da o kadar talihsizliktir.[85]

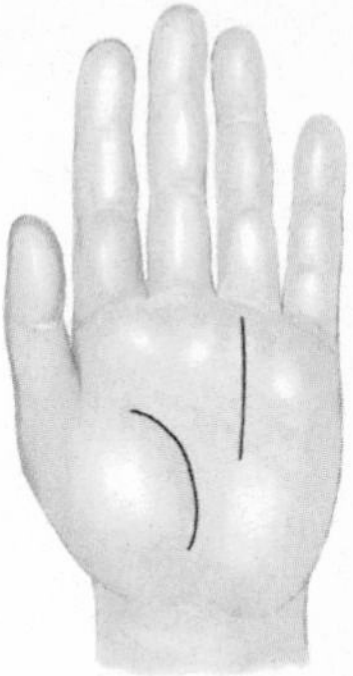

Bu çizgi genellikle kader, akıl veya kalp çizgisinden (bazen de ayanın ortasından) başlar, yüzük parmağının altında son bulur. Bu çizgi başkalarının dikkatini çekecek kadar kuvvetli bir kişiliğin varlığını gösterir. Güneş çizgisini avucunda taşıyan bir insanın, bir gün insanların gözünü kamaştırması mukadderdir. Şu veya bu şekilde tanınırlar.[86]

Şekil 312

Biz bu çizgiden şansı, başarıyı, duyguları, zevkleri ve sanatla ilgili yetenekleri öğreniriz.

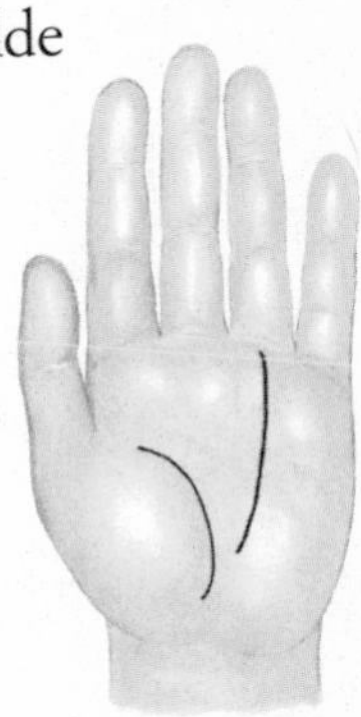

Güneş çizgisi her elde bulunmaz. Her dört kişiden en az üçü bu çizgiden mahrumdur. Bu çizgi inanı başarısızlıktan, sıradanlıktan ve bayağı olmaktan kurtarır. Hemen bütün başarılı ve seçkin insanlarda bu çizgiye rastlanmıştır. (Şekil 312)

Şekil 313

GÜNEŞ ÇİZGİSİNİN DEĞİŞİK ANLAMLARI

Uzun: Uzun bir Güneş çizgisi ideal bir duygusallığı ve mükemmel bir ruhi dengeyi verir. Seçtikleri her meslekte başarıya ulaşırlar. Güçlü bir mizaçları ve zekâları vardır. Başkalarına yardım ve hizmet etmeyi aşk derecesinde severler. Son derece diğergâmdırlar (özgeci). Ruhlarının bir yönü efsanedeki Simurg'dur. (Şekil 313)

Şekil 314

85   age, 137
86   Gİ, 134-135

Şekil 315

Şekil 316

Şekil 317

Şekil 318

Uzun fakat ince ise başarılı ama kısa bir hayat ihtimaline dikkat çeker. Bazen de başarıların sınırlı olacağını haber verir. (Şekil 314)

İnce ve derin: İnce ve derin bir güneş çizgisi büyük bir sanatçı duygusallığını ve yeteneğini gösterir. Mahir bir zekâ, temiz bir nefs ve hayatta başarı belirtisidir. Üzerlerin aldıkları işleri bir sehl-i mümteni mahiyetinde gerçekleştirirler. Her işi kolaylıkla yaparlar. (Şekil 315)

Geniş: Güneş çizgisinde genişlik, duygusallığı azaltan bir durumdur. Bunlar muhtemel engelleri dikkate almaksızın ihtiyatsız bir şekilde hedefe koşan maceracı bir ruha sahiptirler. Sabırsız ve acelecidirler aynı zamanda. (Şekil 316)

Kısa: Güneş çizgisi kısa ise güzel ve mutlu başarıları haber verir. Bunlar işlerinde muvaffak olan, çevrelerinde sevilen kimselerdir. Şu veya bu şekilde (genellikle iyi yönde) bilinir ve tanınırlar. Herkesin derdine ortak olurlar ama övülüp övünmeyi de severler. Asil ve alicenap insanlardır.[87] (Şekil 317)

Dalgalı: Dalgalı bir güneş çizgisi zevksizliğin ve düzensizliğin alametidir. Kaza ihtimalini de içinde barındıran inişli çıkışlı bir hayat grafiğini verir. (Şekil 318)

Zincir: Zincir biçimindeki güneş çizgisi sonu fakirlikle noktalanacak bir hayat mücadelesine dikkat çeker. Başa çıkılmaz engellerle karşılaşma ihtimalini bildirir. (Şekil 319)

---

87 Gİ, 135; Les Lignes, 139

Düzensiz: Düzensiz güneş çizgisi anlık zorluklarla gelen zor başarıları temsil eder. Güç fakat sonucu etkilemeyecek engelleri dile getirir. (Şekil 320)

Çift: Çift güneş çizgisi engel tanımaz başarıları ve engellenmez yükselişleri gösterir. Büyük bir kapasite, yüksek zekâ, kültür ve irfan sahibi bir kişilik, eşsiz bir ayırt etme yeteneği (faruk) ve büyük bir şöhret habercisidir. Bir insanın elinde böyle bir çizgi varsa bilinmemesi imkânsızdır; önünde sonunda meşhur olur! İnsanların onu tanımasını sağlayacak bir iş yapar, bir başarı gösterir.[88] (Şekil 321)

Şekil 319

Şekil 320

Ay tepesinden başlıyorsa: Aktif bir mizacı, bilhassa sanatta şöhret olmayı ifade eder. Halkla ilişkiler için biçilmiş kaftan gibidirler. Başarılı ve renkli politik bir dehadırlar. Başarı yolunda korku nedir bilmeyen bir coşkunluğa sahiptirler. Şair, hatip, artist, komedyen veya aktör olmak bunlar için hiçten bir şeydir.[89] (Şekil 322)

Şekil 321

Ay tepesini iki eşit parçaya ayırıp başlıyorsa: Bilim ve sanatta kati başarıları dile getirir. Şayet bu ortamı bulamamışlarsa yüksek fakat gerçekleşmeyen hayaller içinde ömürlerini tüketirler. Filozofça konuşurlar ve derin bir sezgiye sahiptirler. (Şekil 323)

Şekil 322

Elin alt kısmını ikiye bölüyorsa: Başarı ihtirasını ve kendini beğenme eğilimini gösterir. Bunlar şöhret olmaya susamış gibidirler. Hareketli ve kavgacıdırlar. (Şekil 324)

---

88 Gİ, 135; Les Lignes, 140
89 Gİ, 135

Şekil 323

Şekil 324

Hayat çizgisinden başlıyorsa: Girişken bir yapının ve müteşebbis bir ruhun habercisidir. Bunlarda da başarı kesin gibidir. Bunu da girişken kişiliklerine borçludurlar. Yüksek medeni cesaretleriyle her kapıyı açarlar. Bilimsel araştırmaları için büyük yetenekleri vardır. Sağduyu sahibi ve dengelidirler. Sanatta pragmatist bir anlayışa sahiptirler. (Şekil 325)

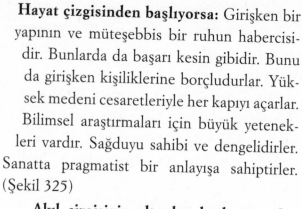

Şekil 325

Akıl çizgisinin altından başlıyorsa: Sürekli gayret, devamlı mücadele ve kendine güven sayesinde ulaşılacak başarıları haber verir. Beyin gücü ve el mahareti isteyen konularda oldukça başarılıdırlar. (Şekil 326)

Akıl çizgisinden başlıyorsa: Espri kabiliyeti çok yüksek bir zekâdan haber verir. Girdiği ortama hayat veren neşeli bir kişiliğin belirtisidir... Bunlar için bir şeyi başarmak diye bir problem yoktur. Onlar yaparlar ve yaptıkları başarı olur. Son derece gayretlidirler. Bir şeyi gerçekleştirmek istediklerinde bıkmadan usanmadan onu gerçekleştirinceye kadar tekrar ederler. İradeleri de güçlüdür. Çarçabuk her şeyin derinliğine nüfuz ederler. Neşeli, hazırcevap ve esprilidirler. İnce zekâlarıyla mükemmel kelime oyunları yaparlar. Hayata bir karikatüristin gözüyle bakarlar. Her şeyin tiye alınacak bir yanı vardır ve onlar onu hemen bulurlar.[90] Ama şöhret onlara güzel sanatlar ve edebiyat ile gelir. (Şekil 327)

Şekil 326

Şekil 327

90 Les lignes, 142

Kalp çizgisinden başlıyorsa: Hayatın ortalarından itibaren gelecek başarılardan haber verir. Bilhassa 45-50'li yaşlarda başarı onlara kapı aralar.

Bunların çok değişik yetenekleri vardır. Büyük bir kıymeti haiz, yüksek bir ruh taşırlar. Gıpta edilir bir kişilikleri vardır. Bir anafor gibi etrafındaki insanların kendilerine çekerler. Sohbetleri teskin edicidir. Memnun ve hoşnut yapıdadırlar. Geniş bir dost çevreleri bulunur. Aynı zamanda biraz hayalperesttirler. Bütün insanları kucaklayacak kadar şefkatlidirler. Olgunlaştıkça da bu bilgelik gönül adamlığına dönüşür.[91] (Şekil 328)

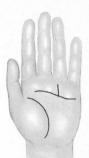

Şekil 328

Kader çizgisinden başlıyorsa: En derin meseleleri rahatlıkla kavrayacak felsefi bir zekâyı temsil eder. Bunlar için de başarı kesindir. Ahir ömürlerinde parlak şöhrete ulaşırlar. Kendi hâllerinden memnundurlar. En ince meseleleri bile çarçabuk anlarlar. Espri yapma ve anlama yetenekleri de yüksektir. (Şekil 329)

Şekil 329

Sıhhat çizgisinden başlıyorsa: Büyük bir becerikliliği gösterir. Zevk sahibi kimselerdir. Zihinleri daima berrak ve canlıdır. Sağlıklı bir bünyeleri vardır. (Şekil 330)

Şekil 330

Venüs tepesinden başlıyorsa: Hayat çizgisinin içinden (Venüs tepesinden) başlayan bir güneş çizgisi parlak bir gelecekten haber verir. Bunların şiire, edebiyata ve güzel sanat-

Şekil 331

91   Age, 142, Gİ, 135

Şekil 332

lara büyük yetenekleri vardır. Doğurgan bir hayal gücüne sahiptirler. (Şekil 331)

Bilezikten başlıyorsa: Kimseye hayır demesini bilmeyen, zanaatkâr bir yapıyı sergiler. Her girişimlerinde büyük başarı elde ederler. Böyle bir zanaatkâr, kimseye hayır diyemediği için çoğu kere müşterilerini -zamanında yetiştirememek bakımından- gücendirir. Ama yaptığı iş mutlaka beğenilir. Zeki ve müdriktirler. (Şekil 332)

Şekil 333

Yüzük ve orta parmağın arasına yöneliyorsa: İnatçı ve girişken bir irade gücünü temsil eder. Bu insanlar bir şeyi kafaya takmayı görsün, onu çözmeden gözlerine uyku girmez. O yüzden de mutlaka başarırlar. İyi araştırmacıdırlar. Kendilerine daima bir rehber veya mürşit edinirler. Büyük bir ruhi derinliğe sahiptirler. (Şekil 333)

Şekil 334

Serçe parmağına yöneliyorsa: Büyük kabiliyetlerden haber verir. Bunlar maddi durum bakımından rahata kavuşurlar.[92] Gördükleri, ilgilendikleri her şeye kapılırlar. Pratik işlerde fevkalade başarılıdırlar. (Şekil 334)

Üçlü: Birçok konuya yetenek, çok nitelikli başarı göstergesidir. Çalışkandırlar. Zorluk ne kadar artsa bunların başarma hırsı da o kadar artar. (Şekil 335)

Yıldızla bitiyorsa: İyi karşılanmayan bir işarettir. Başarılarını kötüye kullanıp insanların gözünden düşme işaretidir. Ciddi bir kaza veya hapsedilme gibi ihtimalleri gündeme getirir. (Şekil 336)

Şekil 335

92   Leb Lignes, 144

Yıldız ortada ise başa gelecek felaket olarak yorumlanır. Beklenmedik bir ölüm, iflas, başarısızlık, insanların önünde çok zor duruma düşmek gibi birtakım can sıkıcı hadiselerden haber verir. Hayatın o döneminde yaşanacak bir kargaşa da olabilir. (Şekil 337)

Şekil 336

Haçla bitiyorsa: Yıldız kadar olmamakla birlikte bu da engeller, felaketler, iflaslardan haber verir. Hayatı zor kazanma belirtisidir aynı zamanda. (Şekil 338)

Haç, şayet çizginin üzerinde yer alıyorsa meslekte kötü bir seçim, güç başarı anlamına gelir. Hedefe ulaşmak için fazla enerji harcama mecburiyeti, aynı zamanda hastalık belirtisidir. (Şekil 339)

Şekil 337

Çok sayıda çizgi: Dağınık ve tesadüfi başarıları gösterir. Yetenekleri olan ama kendini disipline edemediği için yenilgiye uğrayan bir yapıdan haber verir. Yeterli disiplinden yoksunluk göstergesidir. Ve tuhaftır ki ilgi duydukları tüm alanlar da disiplin gerektiren işlerdir. O yüzden de hayatlarına ciddiyet ve disiplin katmadıkça başarılı olamazlar. Hayat çoğunlukla sıkıntı ve üzüntülerle doludur. (Şekil 340)

Şekil 338

Çift çizgiyle kesiliyorsa: Başarı yolunda aşılabilecek engelleri dile getirir. Küçük sekteler ve sıkıntılar demektir. (Şekil 341)

Şekil 339

Ada: Üzerinde ada bulunan güneş çizgisi, hayatın zor anlarında yetişecek yardım ve yardımcılardan haber verir. Fakat kötü bir tarafı da var bu işaretin; çünkü elinde böyle bir işaret taşıyan insan, yeni bir 'sevgili' bulduğunda öncekileri hemen unutur.

Şekil 340

Şekil 341

Yani daha avantajlı bir durumdaki biri için, eşlerini ve dostlarını değiştirebilirler. Bir işe girişmeden önce ondaki avantajların ne olduğuna bakarlar. Avantajlı bir durum mevcutsa balıklama dalarlar. Yahut şöyle diyelim; başarı için mutlaka bir avantaja ihtiyaç duyarlar. (Şekil 342)

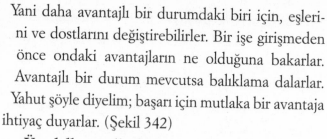

Üç dallı çatalla bitiyorsa: Değişik branşlarda başarılı olma yeteneğini sergiler. Bu üç dal; başarı, zenginlik, şöhret ve övünç demektir. (Şekil 343)

Şekil 342

Uçları orta ve serçe parmakta bulunan bir halka ile son buluyorsa: Dikkat çekici bir kişilikten haber verir. Böyle bir güneş çizgisi şahane başarıların müjdecisidir. Bunlar her işte başarılıdırlar. Hisleri de son derece pratiktir. (Şekil 344)

Şekil 343

Kopuk: Kopuk bir güneş çizgisi, düzensizlik, programsızlık belirtisidir. Bunlar ya meslekten mesleğe geçer veya ikide bir hedeflerini, amaçlarını değiştirirler. (Şekil 345)

Şekil 344

İki parçadan oluşuyorsa: Az çok değişikliklerle birlikte başarı işaretidir. Başarıda geçici sıkıntılar, meslekte değişiklik belirtir. (Şekil 346)

Bir dalı işaret parmağına yöneliyorsa: Bütün mesleklerde başarılı olma yeteneğini ve üstün bir otoriteyi temsil eder. Bunlar yöneticilik için biçilmiş kaftandırlar. Mutlu ve hoşnut bir yapıları vardır. **'İyi kalpli'** tabiri tam anlamıyla bunlar için söylenebilir. Mutlu bir aşk hayatları olur.[93] (Şekil 347)

Şekil 345

Dalı orta parmağı gösteriyorsa: Bilimsel mesleklerde, özellikle matematik, metalürji ve ziraat bilimlerinde üstün başarı göstergesidir. Her konuyu çok çabuk kavrarlar. (Şekil 348)

93   Les Lignes, 149

Nokta: Genel durum değişikliklerini ve geçici zorlukları gösterir. (Şekil 349)

GÜNEŞ ÇİZGİSİNDE YAŞ TESBİTİ

Bu çizginin akıl çizgisiyle kesiştiği nokta 30 yaşını gösterir. Kalp çizgisiyle kesiştiği nokta 40 yaşını belirler. Diğer bölümleri buna göre belirlenir. (Şekil 350)

Şekil 346

SIHHAT ÇİZGİSİ

El ayasının dibinde hayat çizgisinin yakınından doğar ve Merkür tepesine yönelir. Karaciğer çizgisi olarak anılsa da daha çok sıhhat çizgisi diye adlandırılır. Bu çizgi bilhassa fiziki sağlık ve zekâ kapasitesinin nitelikleri ile ilgili ipuçlarını verir.

Şekil 347

Hayatta görülebilecek her türlü köklü değişikliklerin haberini bu çizgiden alırız. Baştan sona kadar sağlık raporumuzu verir.

Bu çizginin bulunmaması fevkalade şanslılıktır. Diğer çizgiler, olmadığı veya kısa olduğu zaman problemdir, bu çizgi ise varsa problemdir. Olmaması, sağlıkla ilgili ciddi problemlerin de olmayacağı anlamına gelir. Varsa sık sık sağlık problemlerinin yaşanacağını gösterir.

Şekil 348

Avucunda sıhhat çizgileri bulunmayanlar (şayet akıl ve hayat çizgilerinde de çok belirgin problem işaretleri yoksa) sağlık bakımından hiç tasalanmasınlar. En azından gürbüz, sağlam, dayanıklı bir bünyeyi gösterir bu çizginin elde mevcut olmaması.

Şekil 349

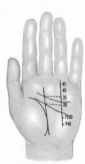

Şekil 350

Olmamasının bir tek dezavantajı vardır, o da sigorta sisteminin yokluğu anlamına gelmesidir. Bu çizgi varsa, kişinin sağlığıyla ilgilenmesini sağlar. Yoksa sağlığı ihmal etme ihtimalini beraberinde getirir. (Şekil 351)

SIHHAT ÇİZGİSİNİN ANLAMLARI

Uzun: Uzun bir sıhhat çizgisi, sağlıklı bir yapıdan, iyi bir hafızadan haber verir. Bunlar ne yaptığını iyi bilirler. Sezgileri güçlü değildir. Uzun yaşarlar. (Şekil 352)

Şekil 351

Kısa: Uzun çizginin verdiği niteliklerin zıddıdır. (Şekil 353)

El ayasının dibinde bulunuyorsa: Basiret ve dikkati sembolize eder. Sağlık konusunda irfan sahibi olmayı gösterir. (Şekil 354)

İnce: Sağlam bir bünyeden haber verir. Canlı, kıvrak bir zekâyı yansıtır. Hareketlidirler, ancak sezgileri zayıftır. (Şekil 355)

Şekil 352

Geniş: Ruh inceliğinden yoksunluk, az kaba bir yapı, hantallığa eğilim işaretidir. (Şekil 356)

Hayat çizgisinden doğuyorsa: Şahsi yetenekleriyle başarı (yardım görmeden). Kendi kendinin doktoru olma yetisi... Müdahaleci bir kişilik belirtisidir. (Şekil 357)

Venüs tepesinden başlıyorsa: Sıhhatli bir yapı, güçlü bir enerji ve kuvvetli cazibe işaretidir. "Şeytan tüyü taşıyor." dediğimiz cinsten bir kişilik. Bunlar aşka açtırlar. Güler

Şekil 353

yüzlü ve neşelidirler. Sanatçı duyguları vardır. Libido gücünü zayıflatan diyabet, şeker ve hipoglisemi gibi hastalıklara yatkınlığı gösterir. (Şekil 358)

Kader çizgisinden başlıyorsa: Canlı bir zekâya işaret eder. En küçük imkânlarla bile büyük başarılar elde ederler. Sosyal bir kişilikleri vardır. Kibar ve nezaketlidirler. Ekseri hastalıkları kalıtsal olur. (Şekil 359).

Şekil 354

Çok sayıda çizgi: Sıhhat bozukluğu ve asabi bir kişiliği sergiler. Bunlarda hafıza da güçlü değildir ve güvensizdirler. Nörolojik, psikolojik hastalıklara yatkınlığı temsil eder. (Şekil 360)

Şekil 355

Dalgalı: Cimri ve şüpheci bir kişilik belirtisidir. İçten pazarlıklıdırlar. Beyinden, beynin mekanik işleyişindeki arızalardan kaynaklanan hastalıkları temsil eder. Vehim, vesvese, sebepsiz korkular ve benzeri hâllere açık bir yapıyı gösterir. (Şekil 361)

Zincir: Değişken bir zihniyet, sinir sisteminde bozukluk, sara hastalığına ve halüsinasyona yatkınlık (94), fiziksel zayıflık ifade eder. (Şekli 362)

Şekil 356

Düzensiz çizgiler: Aşırı hayalcilik gücü, bol fantezi bildirir. Her türlü sağlık problemlerine açık bir bünyeyi yansıtır. Hem bedeni hem ruhi hastalıkların olabileceğini gösterir. (Şekil 363)

Serçe ve yüzük parmağının arasında bitiyorsa: Beceriklilik ve girişkenlik işaretidir. Dürüsttürler. Metotlu ve yaratıcı bir sezgileri vardır. Hastalıkları, meslek hastalıkları cinsinden olur. Hangi alanda çalışıyorlarsa o alanın sebep olduğu hastalıklara yatkın olurlar. (Şekil 364)

Şekil 357

Şekil 358

Şekil 359

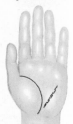
Şekil 360

Şekil 361

Şekil 362

Şekil 363

Fazla eğik olursa: Kaprisli bir mizacı sergiler. Değişken huyludurlar. Bencildirler. İleriyi iyi görür, doğru tahminlerde bulunurlar. Hastalıkları, enerji bloklanmasından (sihir, büyü, nazar gibi…) kaynaklanan hastalık cinsinden olur. Çok çabuk nazar olurlar. Bir anda enerjileri düşer. (Şekil 365)

El ayasının üstünde yer alıyorsa: Büyük bir önseziden haber verir. Nefsi güçleri (asabi güç) oldukça kuvvetlidir. Düşünce ile yönlendirme kabiliyeti ve telepati yetenekleri vardır. Hastalıkları göbek üstünde kalan organlardan olur. Serçe parmağına yönelmişse bir ucu, üreme ile ilgili zafiyetleri de temsil eder. (Şekil 366)

Çift: Çift sıhhat çizgisi, dengeli bir yapıyı gösterir. Canlı, yetenek dolu, dinamik bir beyin gücünü gösterir. Başarıdan başarıya götüren büyük yetenekler, sevimli, neşeli bir mizaç. Çift sıhhat çizgisi bünyedeki arızaların uzun süre kendilerini gizleyebileceğini gösterir. (Şekil 367)

Serçe parmağının dibinde dalla bitiyorsa: Büyük bir önsezi yeteneğini gösterir. Hayatın getirdiği sıkıntılara karşı güçlüdürler. Enerjik, canlı ve zekidirler. Serçe parmağının ve tırnağının temsil ettiği, böbrek ve boşaltım organları ile ilgili hastalıklara yatkınlığı temsil eder. (Şekil 368)

Kopuk: Kuşkulu bir kişilik, sosyal durumda karışıklık ve sıhhat bozukluğu göstergesidir. (Şekil 369)

Kırık merdiven: Olgun ve yorgun bir tabiatı sergiler. Beden gücünde dengesizlik ve zafiyeti haber verir. Asabiyete eğilim. Değişken mizaç. (Şekil 370)

Çift çizgilerle kesiliyorsa: Küçük şeylerden dolayı büyük üzüntü çekecek bir tabiata işaret eder. Zayıf ve hastalıklara karşı dayanıksız bir bünye. (Şekil 371)

Dal yüzük parmağına gidiyorsa: Ruhi hoşnutluk ve hoşgörü işaretidir. Bunlar ince duyguludurlar. Hiçbir yakınlık ve sevgiyi karşılıksız bırakmazlar. Duygulu aşklara özlem göstergesidir. Hastalık olarak kalbin yapısal zafiyetlerinden haber verir. (Şekil 372)

Şekil 364

Dal orta parmağa gidiyorsa: Politikada ve ticarette başarı. Parasal konularda büyük maharet... (Şekil 373)

Şekil 365

Serçe parmağı altında dalla bitiyorsa: Oldukça çalışkan bir yapıyı sergiler. Bunlar için bilimsel araştırma, analitik, endüstri, ticaret ve tarım konularında başarı elde etmek işten değildir. Son derece pratiktirler ve güçlü önsezileri vardır. Hisleri dengelidir. (Şekil 374)

Şekil 366

Dal Mars tepesine yöneliyorsa: Büyük başarıları kovalayan, küçük olaylarla uğraşmayı vakit kaybı sayan bir yapı. Kavgacı, inatçı, ısrarlı ve dirençli bir mizaç... Coşkuludur. Beklenmedik riskli hastalıkların da habercisidir bu durum. (Şekil 375)

Şekil 367

Haç: Oynak bir sağlık sisteminden haber verir. Sağlık sistemleri ile moral arasında doğrudan bir bağlantı var gibi. Bir gün iyiler bir gün kötü. Hisleri de değişkendir. Ne zaman sevip ne zaman nefret edecekleri de belli olmaz. Karaciğer yetmezliği ve safra kaynaklı hazımsızlık ve kabızlık gibi sıkıntılara açıktırlar. (Şekil 376)

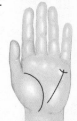

Şekil 368

Şekil 369

Şekil 370

Şekil 371

Şekil 372

Şekil 373

Yıldız: Sinir sisteminde bozukluk, rahatsızlık belirtisidir. Bunlar sürekli yorgun ve isteksizdirler. Çoğu kere asabi de olurlar. (Şekil 377)

Ada: Zayıf bir bünye ve dikkatten yoksunluk işaretidir. Fikri bir noktada toplayamazlar. İkiyüzlülüğe ve yalancılığa eğilimlidirler. Zaman zaman çalışma hevesine kapılırlar. Yetenekleri arzularına yetmez. Gördüklerinde aldanma ihtimalleri yüksektir. Gözlerinde zafiyet olur. (Şekil 378)

Noktalar: Küçük küçük, fakat yaşama sevincini zedeleyen hastalıkları simgeler. Baş, diş ağrısı nevinden rahatsızlıklar, maddi kayıplar, can sıkıntıları, diş bozukluğu bunlardan bazılarıdır. (Şekil 379)

İLHAM ÇİZGİSİ

Bir ucu Ay tepesinde diğer ucu Merkür tepesinde bulunan ve avucun içine doğru hafif bir yay oluşturan çizgiye ilham çizgisi denir. (Şekil 380A)

Bu çizginin, işaret parmağına veya orta parmağa doğru yöneldiğini bazen o iki parmağın ortasına kadar ilerlemiş şeklini de gördüm. Evet, başlangıcı Ay tepesidir fakat illa Merkür tepesine yönelmesi gerekmiyor. (Şekil 380B)

İlham çizgisinin varlığı, etkili bir hayal gücüne ve ilhamlı bir düşünce hayatına işaret eder. Bazen -özellikle de yazamadığı, içindekilerini dökemediği dönemlerde- saldırgan bir kişilik belirtisi sayılabilir.

Bu insanların müthiş bir önsezileri vardır. Bu özelliklerinden dolayı tahminleri de çoğunlukla isabetlidir. İlham çizgisi daha çok kadınlarda görülür. Nadir olarak da erkeklerde... Tahmin kabiliyetleri yüksek olmasına rağmen, çoğunlukla duygularıyla hareket ettikleri için yanlış davranışlarda bulunmaya ve başarısızlığa açıktırlar. Aşırı derecede duygusal olurlar.

Şekil 374

İLHAM ÇİZGİSİNİN DİĞER ANLAMLARI

Uzun: İlham çizgisi uzun ve belirgin kimseler, üstün ve üretken bir hayal gücüne sahiptirler. Üstlendikleri işlerde -özellikle yazma çizme konusunda- her türlü güçlüğe karşı direnirler. Sebatlıdırlar. Önsezileri oldukça gelişmiştir. Sessiz sakin bir yapıya sahiptirler. (Şekil 381)

Şekil 375

Kısa: Uzun kadar olmamakla birlikte bir evvelki şıkta zikredilen yeteneklerin varlığına işaret eder. Ancak bunlar ifade ve anlatım güçlüğü çekerler. Hissederler ama rahat yazamazlar. Hitabetleri mantıklı fakat kurudur. Bu çizginin bulunması, her şeye rağmen hiç bulunmamasından iyidir. (Şekil 382)

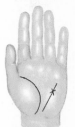

Şekil 376

Düzensiz: Kötü çizilmiş, düzensiz ilham çizgisi bir türlü gerçekleştirilemeyen hedeflerden; bir türlü yazılmayan romanlardan, şiirlerden haber verir. Bunlar, fizikî güç bakımından da zayıftırlar. İlhamları sürekli olmadığı gibi bünyeleri de pek dayanıklı olmaz.

İlham çizgisi böyle düzensiz olan insanlarda sık sık tuhaf davranışlara da şahit olunur. Hastalık derecesinde hayalcidirler. (Şekil 383)

Şekil 377

Zincir: Zincir de düzensiz ilham çizgisi gibi fiziki güçsüzlüğü dile getirir. Bunlar geçici zevklerin peşinde ömür tüketmeye eğilimlidirler. Zaman zaman en olmaz hayallere kapılırlar. Kaidelerini disip-

Şekil 378

Şekil 379

Şekil 380A

Şekil 380B

Şekil 381

Şekil 382

line etseler bir şeyler yazabilirler ama o disiplini bir türlü edinemezler. (Şekil 384)

Ada: Yalancı düşüncelere ve hurafelere düşkünlüğü gösterir. Hastalık derecesinde hayalcidirler. Ömürlerini define arayıcılığı ve simya gibi kuru hülyaların peşinde tüketirler. En olmayacak hayal ve hikâyeleri bunlardan dinleyebilirsiniz. Mübalağacı bir anlatımları vardır. Söyledikleri her on kelimeden altısı yedisi kendi uydurmalarıdır. Ama muhabbetlerine doyum olmaz. Mecliste lafazanlık ve komiklik yaparken çokça görebilirsiniz onları. (Şekil 385)

Bir dalı işaret parmağına gidiyorsa: Sosyal avantajlardan yararlanmayı, işlerini beleşe getirmeyi seven bir tipten haber verir. Hakikaten de bu insanlar, her an yeni imkânlar, yeni ihtimaller ve olağanüstü fırsatlarla başarı yolunda ilerlerler. Daima dört ayaküstüne düşerler. Hayal güçleri canlı ve parlaktır. Bilhassa fırsatları iyi değerlendiren bir önsezileri vardır. (Şekil 386)

Bir dalı orta parmağa gidiyorsa: (Bazen de doğrudan orta parmağa yönelir) (Şekil Çizilecek)) Böyle bir ilham çizgisi derin bir metafizik gücü ifade eder. Bunlar ruhlarla, cinlerle rahatlıkla ilgi kurabilirler. Ancak bu gibi konuları basit buldukları için ilgilenmezler. Böyle bir çizgisi olan insanın şehadet parmağı da ince ve uzunsa, derin ve tutarlı bir dinî düşüncenin varlığından haber verir. Kâinatın sırlarına karşı büyük ilgi duyarlar. Olağanüstü yeteneklere sahiptirler. Enerjilerini ve beyin güçlerini kullanarak harikalar ortaya koyabilecek bir kapasiteye sahiptirler. (Şekil 387)

Bir dalı yüzük parmağına gidiyorsa: (Veya Doğrudan Yüzük Parmağına Yöneliyorsa) Sağduyulu dürüst bir tabiatı dile getirir. Bunlar son derece güzel konuşurlar. Teşhir edici, çekici bir özellikleri vardır. (Şekil 388) Anlatımları da çok zengindir.

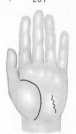

Şekil 383

Haç ve Yıldız: İlham çizgisinin üzerinde bir haç bulunuyorsa bu, geçici rahatsızlıkları dile getirir. Yazı yazma kabiliyetinin bir süreliğine duraksaması, düşüncede konsantrasyon dağılması yahut haç ve yıldızın görüldüğü yaşlarda daldıkları düşüncelerle ruhi dengelerini geçici olarak bozmaları anlamına gelir. Hele başparmağının birinci boğumu (kemiği) da ince ve kısa ise bu ihtimal daha da artar. (Şekil 389)

Şekil 384

Yıldız da aynı şeyleri ifade eder. Ancak yıldızın menfi tesiri daha fazladır. Şayet yıldız veya haç, çizginin başlangıcında veya sonunda yer alıyorsa bu, bazen yeni düşüncelerin "fikir babalığı" ihtimalini de akla getirmelidir.

Şekil 385

Noktalar: Noktalar hayal gücünün etkinliğini gösterir. Bu insanlar hayal güçlerini pratik hayat için yararlı olacak şekilde kullanabilen nadir tiplerdir.

Şekil 386

VENÜS HALKASI

El ayasının üst kısmında orta ve yüzük parmağını birleştiren içbükey yaya Venüs halkası denir. (Şekil 390) Bu çizgi de sağlık çizgisi gibi olmaması tercih edilen bir çizgidir.

Venüs halkası genellikle dar ellerde bulunur. Bazen orta parmakla şehadet parmağı arasında başlar ve

Şekil 387

Şekil 388

Merkür tepesine kadar uzanır. Satürn ve Güneş tepelerinin altını çizerek geçer.

Venüs halkası da derin duyguları ve sanal konularda derin tefekkür ve algı kabiliyetini yansıtır. Hayal gücünün varlığını ve onun teksif edilebildiğini gösterir. Bunlar yoğun bir şekilde bir işe bir noktaya odaklanabilirler. Âdeta takıntılı tiplerdir.

Şekil 389

Bu çizgiyi, tariflere uygun biçimde elinde bulunduran insanlar, insanları, canlı varlıkları, hatta eşya ve aletleri, içten gelen bir hisle, sanki ilahî bir güce dayanıyormuşçasına, inandırıcı bir şekilde etki altına alırlar. Bu, bazen kendisini destansı bir kahramanlık olarak da açığa vurur.[94]

Büyük medyumların, düşünce ve beyin gücüyle insan ve eşyaya hükmeden olağanüstü tiplerin, sihirbazların ve büyük editörlerin çizgisidir bu.

Şekil 390

Meşhur el yorumcusu Çeyro, "Normal bir insan olarak yaşamanın tadına varmak için bu çizginin elde olmamasını yeğlerim." diyor. (Bkz. Çeyro'nun Elfalı, ilgili bölüm, Hürriyet kültür dizisi)

Çünkü bu çizginin, birtakım insani dürtüleri, arzuları, talepleri baskılama, yok saydırma gibi işlevleri de var. Elinde bu çizgiyi taşıyanların evlenmesi çok zordur. Fazla ihtiyaç duymazlar. Evlenmeleri ya çevre baskısıyladır ya geleneğin getirdiği zorunluluklardır. Elinde böyle bir halkası bulunan bir insan evlenmişse, kendi payına büyük bir fedakârlık yapmıştır evlendiği insan adına.

---

94 Les Lignes, 165; Gİ, 136

VENÜS HALKASININ BELLİ BAŞLI ÖZELLİKLERİ

Normal: Normal bir Venüs halkası şiddetli bir ihtirası ve tutkulu bir yapıyı ifade eder. Fikri manada velutturlar. Tabii ki bu ihtiras cinsel alana yönelmemişse... Onların ihtirası alan çalışmalarıyla ilgilidir. Çoğu kere bir amaçları vardır ve ona âşıktırlar. Ruh hâlleri değişkendir. Hiç umulmaz ama asabidirler. Bir odaya kapanıp usanma bilmeden günlerce kendilerini okumaya verebilirler. Ancak bunların ellerinde güçlü akıl ve kalp çizgileri yoksa bütün düşüncelerinin teoride kalma ihtimali vardır.

Şekil 391

Eğer o tutku şehevi alana yönelmişse bu kere de tam tersine cinselliğin bilinen kalıplarının dışına çıkarlar. Hayal güçleri çok geniş olduğu için sapık ilişkilere ve fantezilere açıktırlar.[95] (Şekil 391)

Şekil 392

Kopuk: Büyük bir duygusallık işaretidir. Karşı cinse karşı daima hassas ve naziktirler. Aşk hayatları da kibar ve sıcaktır. Şehvetperestliğe eğilimlidirler. Fakat içgüdülerini kontrol edebilecekleri için arzularını dengede tutarlar. (Şekil 392)

Şekil 393

Kırık ve küçük çizgilerden oluşuyorsa: Karmaşık ve problemli bir yapıyı sergiler... Histerik mizaçlı olurlar. Bir konuya veya bir şeye takılıp kalma ihtimalleri yüksektir. Aynı zamanda aşırı derecede sinirli ve asabidirler. (Şekil 393)

Şekil 394

95   Age, 165; age, 136

Şekil 395

İkili ve üçlü halkalar: Beyin yapısından kaynaklanan alınganlık, duygusallık ve dalgınlık göstergesidir. Kendi kendilerini kontrol edemezler. Histeriye eğilimlidirler. Evlenmeye yanaşmazlar ama karşı cinsin çekim gücüne karşı da zayıftırlar. Güçlü bir ahlaki formasyon, inanç edinmemişlerse cinsel sapmalar görülebilir bu insanlarda. Saplantılı, dogmatik bir yapıları vardır. İnançlarında da fanatiktirler. İnanıyorlarsa, dindar bir kimlik kazanmışlarsa bu kere de tam tersi iffet abidesi olurlar. (Şekil 394)

Şekil 396

Yüzük parmağında bitiyorsa: Duygusal konularda ve sanatta (bilhassa romantik rollerde) başarılı olabilecek bir sahne kabiliyetini sergiler. (Şekil 395)

Şekil 397

Serçe parmağına tırmanıyorsa: Çok aşırı duyguları ve tutkulu bir asabiyeti ifade eder. Cinsel sapmalara açık olurlar. Tabii inanç ve ahlak değerleri zayıfsa. (Şekil 396)

Şekil 398

Uzun, kırık ve düzensiz: Şuur altındaki arıza ve dürtülerden kaynaklanan cinsi sapıklık eğilimi olarak yorumlanır. Bedenî hazları bile beyinseldir. Coşkulu ve tutkulu bir asabi yapıya sahiptirler. Beyinsel coşkunluk, kudurganlık; her an sataşmaya hazır bir yapıya işaret eder. Tabii elde güçlü bir akıl çizgisi ve başparmağın varlığı, bu duyguları bastırmaya, o insanı mutedil bir çizgide tutmaya yetebilir. (Şekil 397)

Şekil 399

Küçük çizgilerle kesiliyorsa: Histeriye eğilimi gösterir. Şehvetli, düzensiz ve asabi bir yapıya sahiptirler. Fiziki görüntüleri ve davranışları tersini söylese de cinsel performansları düşüktür. (Şekil 398)

Ada: Venüs halkası üzerinde bir ada bulunuyorsa bu, çok büyük anormallikleri (her konuda) dile getirir. (Şekil 399)

Kalp çizgisiyle birleşiyorsa: Büyük bir aşka tutulma ihtimalini dile getirir. (Şekil 400)

Şekil 400

Güneş çizgisiyle birleşiyorsa: Bilhassa sanat dallarında tutkulu bir yapıyı dile getirir. Bu konulara son derece yatkındırlar. Sanat alanında isim yapmak için 'nü' olarak kullanılmayı kabul ederler. (Şekil 401)

Şekil 401

Haç: Üzerinde haç bulunan Venüs halkası kötü huyluluğun en açık işareti sayılmıştır. Bunlar -sevdikleri de dâhil- herkesle olmadık konularda çekişmeye ve tartışmaya girerler. (Şekil 402)

Yıldız: Ağır bir cinsel hastalık ihtimalini gündeme getirir. Sinirsel bir arızadan kaynaklanan cinsi soğukluğu haber verir. Bu, aynı zamanda tehlikeli bir ruhi bozukluk işaretidir. (Şekil 403)

Şekil 402

DİĞER HALKALAR

Elimizde, Venüs halkasından başka 5 tane daha halka bulunur. Kitaplarda 4 halka geçer ama ben onlara bir tane daha ekledim. O da başparmağımızı çevreleyen ve benim kudret halkası demeyi uygun bulduğum halkadır.

Şekil 403

Bu halkalar tabii ki her elde bulunmazlar. Hatta sık sık karşılaşılan şeyler de değiller. Ama zaman zaman onları görebiliriz. Fakat kudret halkası hemen hemen tüm insanlarda mevcuttur.

Bunlar:

1- Jüpiter halkası:

Şehadet parmağının altını çevreleyen halkadır ki akıllı ve düşünceli bir kişiliği sergiler.

Şekil 404

2- Satürn halkası:

Orta parmağın altında yer alan tepeyi veya parmağın dibini çevreler ki varlığı iyi değildir. Bedenin zafiyetini sergiler. Bünyenin sebatsızlık, kararsızlık ve asabi olduğunu bildirir.

3- Güneş halkası:

Yüzük parmağının dibini çevreler. Bu son derece uğurlu ve güzel bir çizgidir. Bilhassa sanat dallarında başarıyı simgeler.

Şekil 405

4- Merkür halkası:

Serçe parmağın dibinde yer alır. Bu da fevkalade güzel bir çizgidir. Tıp, ticaret ve ekonomi sahalarında büyük başarıları dile getirir. Bunlar akıllı ve gerçekçidirler.

5- Kudret halkası:

Şekil 406

Başparmağın altını çevreleyen ve çoğu kere ardışık adacıklardan oluşan bir zincir hâlindedir. Bu halka da insanın hayat boyunca yaptığı işleri, girip çıktığı meslekleri ifade eder.

BİLEZİKLER (HALKALAR)

El ayasının altında bileği çevreleyen çizgilere bilezik adı verilir. Bunlar; bir, iki, üç ve çok

Şekil 407

nadir olarak da üçten fazla olabilir. Genel bir kanaat olarak, bu bileziklerin her biri 30 yıllık bir ömürle yorumlanır. (Şekil 404)

Bir tek halka kötü bir sıhhate ve kısa bir ömre işaret eder. İki bilezik orta yaşlara kadar sürecek bir sağlıktan haber verir.

Şayet üç bilezik varsa;

Birinci bilezik, duygu ve gönül hayatımızla ilgili ipuçlarını verir. Diğer çizgiler için verdiğimiz arızalar ve işaretler burada da geçerlidir.

Şekil 408

İkinci bilezik talih ve şansı belirtir. Bu insanlar genellikle şanslıdırlar.

Üçüncü bilezik mutluluk çizgisidir. Bir elde üç çizgi varsa bu insanın mutlu olması ve 90'lara varan bir ömür sürmesi muhtemeldir. Bünyeleri de yeterince dayanıklıdır demektir.

Şekil 409

Keza bu bileziklerden çıkıp elin öteki kısımlarına uzanan çizgiler ne kadar belirgin, açık ve düzenli ise o kadar iyidir. Genellikle insanın lehinde yorumlanacak fonksiyonlar icra ederler o dallar.

Birinci bilezik avuca eğilimli: Bu, genellikle cinsi organlarda görülebilecek bir arızadan dolayı cinsi hayata karşı isteksizliği dile getirir. Elinde böyle bir bilezik taşıyan kadının her doğumu risklidir. Erkeklerde ise tedavi edilebilir iktidarsızlığı ifade eder. (Şekil 405)

Şekil 410

Kırık: Biyolojik yapıda bozukluk ve hayat mücadelesinde karşılaşılacak zorlukları gösterir. (Şekil 406)

Zincir: Başarıların büyük çabalamalardan sonra elde edilebileceğini gösterir. Bunların hayat-

Şekil 411

Şekil 412

larında, ihmale ve işi şansa bırakmaya yer yoktur, kaybederler. Zincir şeklindeki bilezik, zor fakat aşılması mümkün engellerden haber verir. (Şekil 407)

Ay tepesine çizgi uzanıyorsa: Bilezikten çıkıp Ay tepesine giden bir çizgi, leyleği havada görenlerin çizgisidir. Hayatları sıkıntı içinde geçer ama ellerine geçirdikleri ilk parayla seyahate çıkarlar. En büyük arzuları gezmek ve maceradır. (Şekil 408)

Şekil 413

Bilezikten çıkıp Mars tepesinden (ovasından) geçerek yüzük parmağına ulaşan çizgi: Muhakkak ve mukadder bir zenginliğin habercisi olarak yorumlanmıştır.[96] (Şekil 409)

Haç ve yıldız: Bilezikler üzerinde görülecek haç veya yıldız, diğer bölgelerde görüldüklerinin aksine sağlıklı bir yapıya, varlıklı bir yaşama ve mutlu bir hayata işaret eder. Yıldız hangi bilezikte yer alıyorsa bu uğurlu hadiseler o yıllarda gerçekleşecek demektir. (Şekil 410)

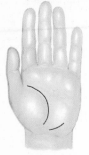

Şekil 414

Ada: Bilezikler üzerinde adası bulunan bir insanın böyle eserleri okumaya ihtiyacı yoktur. Onlar zaten herkesin dikkatini çekecek kadar olağanüstü yeteneklere ve metafizik algılara sahiptirler. (Şekil 411)

AY ÇİZGİSİ (SAMANYOLU ÇİZGİSİ)

Şekil 415

Samanyolu çizgisi ayanın bileziğe yakın kısmında Venüs tepesi yakınında başlar ve genellikle

Ay veya Mars tepesine gider. Bu da sanatçı çizgisidir. Yoğun bir hayal gücünü, imaj ve simge kudretini sergiler. Bilhassa erotik imajlardan kaynaklanan bir sanat anlayışını vurgular. Cinsi konularda fantezi arayışlarına girecek kadar şehvetperesttirler. (Şekil 412)

SAMANYOLU ÇİZGİSİNİN DİĞER ANLAMLARI

Şekil 416

Geniş: Geniş Samanyolu çizgisi hayalcilikte aşırılığı gösterir. Şehvete düşkün bir mizacı sergiler. (Şekil 413)

İnce: Kararsız ve değişken bir mizacı sergiler. Bunlar dikkat çekecek kadar kibar davranışlıdırlar. (Şekil 414)

Şekil 417

Zincir: Korkuya eğilim demektir. Bunlar vehimlidirler. Ürkütücü şeylere karşı hem çok meraklıdırlar hem de çok korkarlar. Zihinlerinde ürettikleri korkutucu imajlarla hayatlarını zehir ederler. (Şekil 415)

Dallı: Dallı Samanyolu çizgisi cinsel bunalımları dile getirir. Hayatlarının belli başlı konusu sekstir. Cinsi sapıklığa ve seksi problemlerden kaynaklanan cinayetlere eğilim gösterir. (Şekil 416)

Şekil 418

Hayat çizgisinin içinden başlıyorsa: Parlak ve büyük bir cinsi hayal gücünü sergiler. Her an yeni bir uyarıcı peşinde koşarlar. Bu tiplerin bu konularda yanlış yola sapmalarından korkulur.

Çift ise aynı hislerin daha güçlü olduğu görülür. (Şekil 417)

Şekil 419

Şekil 420

Ada: Bu çizgi üzerindeki bir ada mistisizme eğilimi gösterir. Olağanüstü yeteneklere sahiptirler. (Şekil 418)

Yıldız: Çok güçlü bir duygusallığı dile getirir. Ancak bu duygusallık hissilik değil, büyük bir şefkat ve alicenaplık olarak görülmelidir. Toplumun ve sevdiklerinin hayatı için seve seve hayatlarını harcarlar. Baba insanlardır. Kahır çekmesini bilirler. (Şekil 419)

EVLİLİK (GÖNÜL İLİŞKİLERİ) ÇİZGİSİ

Şekil 421

(Yanlış olarak nesil çizgisi diye de isimlendirilir.)

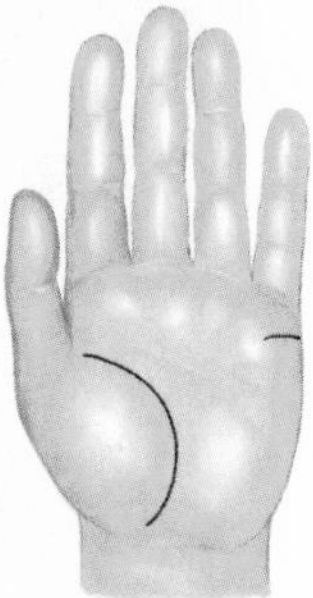

Serçe parmağının altında, kalp çizgisi ile serçe parmağı arasında elin dış kenarında paralel olarak yer alan bir veya birkaç çizgiye bu ad verilir.

Şekil 422

Bunlar, genellikle gönül alakalarını, hissi bağlılıkları dile getirirler. Kaç çizgi varsa o kadar hissi alaka ve aşk yaşanacak demektir. Şuna dikkat etmek gerekir; bu çizgiler cinsi ilişkileri değil gönül alakalarını ifade ederler. (Şekil 420)

Bu alanda birçok çizgi yerine tek ve derin bir çizginin bulunması daha iyidir. Böyle bir çizgi aşkla başlayıp sıcak duygularla devam edecek mutlu bir evliliği ifade eder. Şayet çizginin ucu kalp çizgisine doğru eğiliyorsa, bu, evlilikte aradığını bulamamanın işareti sayılabilir. (Şekil 421)

Şekil 423

EVLİLİK ÇİZGİSİNİN ÇEŞİTLİ ANLAMLARI

Çok sayıda: Çok sayıda gönül çizgisi, çok sayıda gönül alakalarını ifade eder. Bunların sevgileri geçicidir. Evliliklerini devam ettirseler bile her zaman yeni sıcak alakalara kalpleri açıktır. (Şekil 422)

Şekil 424

Tek ve dallı çizgi: Tek fakat dalları bulunan bir gönül çizgisi ömür boyu tesirini sürdürecek bir aşk macerasını dile getirir. Bunlar tek evlilik yaparlar. Ayrılan her dal yeni bir gönül ilişkisini gösterse de bu ilişkiler sağlam evlilik bağı içerisinde sonuç vermeden yok olurlar. Yahut bu dallar birçok nişan, söz gibi bağlam temsil eder. Dallar bazen eşler arasında sürüp gidecek ama ayrılıkla son bulmayan kavgalara da işaret ederler. (Şekil 423)

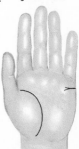

Şekil 425

Tek çizgiye paralel küçük çizgi: Tek ve derin çizginin hemen üstünde veya altında yer alan paralel bir çizgicik evlenme başlangıcında çıkacak pürüzleri dile getirir. Şayet bu küçük çizgi, ana çizginin altında yer alıyorsa, problemin kaynağı, elin sahibidir. Eğer üstünde yer alıyorsa problem karşı taraftan gelecek. Eğer ana çizgi derin ve uzun değilse evlenme şansı çok çok azalır. (Şekil 424)

Şekil 426

Çatalla bitiyorsa: Ucu çatalla biten gönül çizgisi ayrılığı ve boşanmayı gösterir. Evlilikte huzur bozucu problemleri dile getirir. (Şekil 425)

Uzun: Uzun gönül çizgisi büyük ve etkili bir duygusallığı ifade eder. Derin bir bağlılıkla

Şekil 427

Şekil 428

Şekil 429

Şekil 430

Şekil 431

sevdiklerine sarılırlar. Sevdiklerini memnun etmek bunlar için amaçtır. Son derece iyi kalplidirler. (Şekil 426)

Kısa: Bağlılıkları, uzun sürmeyecek evlilikleri ifade eder. (Şekil 427)

Geniş: Geniş gönül çizgisi sinirli bir mizacı sergiler. Bunlar sevginin veya evliliğin devamında bütün fedakârlığı karşı taraftan beklerler. Kendileri çaba harcamazlar. Kavgacılığa ve tartışmaya daima hazırdırlar. Fakat çabuk çabuk bağları koparmazlar. (Şekil 428)

Kıvrımlı: Gönül bağlılıklarında aldanmaya eğilim, aldatmakla gelecek ayrılık belirtisidir. Bu çizgileri kıvrımı olanlarda aldatma bir dürtü hâlindedir. Bazen de bu sadece zihinsel düzlemde varlık gösteren fantezi olarak kalır. İçlerinde hep bir gün başka biriyle beraber olma özlemini -özlem değilse bile fantezisini- taşırlar. (Şekil 429)

Zincir: Gönül çizgisi zincirli olanların gönül ilişkilerinde sadakat beklenmemeli. Çünkü uzun süren sadık bir bağlılık konusunda yeteneksizdirler. En uzun gönül alakaları bile flörtten öteye geçmez. Tabii ki bunlar da evlenirler ama evlendikleri gece bile başka şeyler düşünme eğilimindedirler. (Şekil 430)

Ucu yukarı kıvrılıyorsa: Fevkalade anlamlı ve mutlu bir evlilik hayatını müjdeler. Bu insanlar hangi maddi şartlar içinde bulunurlarsa bulunsunlar evlilik hayatında mutlu olmayı bilirler. Aslında kendi kendilerine mutluluklarını üretebilecek insanlardırlar. Beraberlerindekini de mutlu ederler doğal olarak. (Şekil 431)

Ucu aşağıya kıvrılıyorsa: Mutsuz bir evliliği, daha doğrusu evlilikte aradığını bulamamayı haber verir. Bunlar genel anlamda karşı cinsle -cinsel içerikli olmamak kaydıyla- bir arada olmayı severler. Eşleri buna tahammül etmediği takdirde dırlanırlar. Eşlerinden kolay kolay ayrılmazlar ama ayrılmayı da göze alabilirler. Eğilme ne kadar çoksa ayrılma ihtimal o kadar yüksektir. (Şekil 432)

Şekil 432

Şayet çizgi eğilerek kalp çizgisine ulaşıyorsa, bu insanların ayrılıklarına kesin gözüyle bakılabilir. Her şeye rağmen evlilik sürdürülecek olsa, hayat bir cehenneme döner. Çünkü bu insanların hayatı kalbî hayattır. Derunîdirler. Yüreklerine binlerce kadını/erkeği sığdırabilirler. Ama bu cinsi bir ilişki veya ihtiyaçtan değildir, kalbîdir. (Şekil 433)

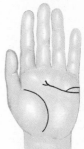

Şekil 433

Biri küçük çift çizgi: Gönül çizgisi bir küçük ve ince çift çizgiden meydana geliyorsa kopacak, sonu gelmeyecek gönül bağlarından haber verir. Şayet başka çizgi yoksa bu insanların evlenme ihtimali hemen hemen yok gibidir. Eğer başka çizgi varsa bu işaret, bozulacak bir nişanı gösterir. (Şekil 434)

Şekil 434

Çatalla başlıyorsa: Bu, evlilik için ciddi bir pürüzdür. Daha evliliğin başlangıcında gelecek boşanmayı gösterir. Ancak bu çizgiyi taşıyan kimse kuvvetli ihtimalle boşandığı eşiyle yeniden evlenir.[97] (Şekil 435)

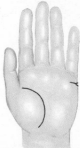

Şekil 435

---

97 Les Lignes, 178

Şekil 436

Şekil 437

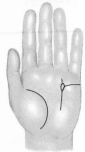

Şekil 438

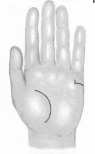

Şekil 439

Venüs halkası ile karışıyorsa: Cinsi istekleri düzensiz bir yapıyı gösterir. Bunlar evlilik hayatları içinde olmak üzere ters ilişkilere yatkın olurlar.[98] Ama çoğu kere cinsel açıdan soğuk ve bazen tatminsizdirler. (Şekil 436)

Güneş çizgisiyle bitiyorsa: Gönül çizgisi güneş çizgisiyle birleşen insanlar zengin evliliği yaparlar. Veya evlendikten sonra zengin olurlar, mutlu yaşarlar. (Şekil 437)

Güneş çizgisi üzerinde ada ile bitiyorsa: Bu, sevimsiz bir işarettir. Bilhassa kadınlarda kocasını aldatma işareti kabul edilir. Bunlar histeri derecesinde aldatmaya meyilli ve sadakatsizdirler.[99] (Şekil 438)

Dikine küçük bir hatla bitiyorsa: Bu, evlilikler için iyi bir işarettir. Ani bir ölüm veya trajik bir hadise ile son bulacak bir evliliği dile getirir. (Şekil 439)

Kopuk: Kopuk, iki parça olmuş gönül çizgisi de bir önceki şıktaki gibidir. Ancak bunda anilik zayıftır. Yani insan sona yaklaştığını hisseder ve o yüzden de ayrılık veya olacak hadise o kadar sarsıcı olmayabilir. Ancak elinde böyle çizgiler taşıyan bir iki ailede, evliliğin devam ettiğine de şahit oldum. Tabii kavgaları eksik olmazdı. (Şekil 440)

Küçük çizgilerle kesiliyorsa: Boşanma ihtimaline dikkat çeker. Evlilikte geçimsizliği haber verir. Bu çizgi, onu elinde taşıyan tarafı daha dikkatli olmaya davet eder. "Bir ayrılık olacaksa sebebi sen olacaksın." der.

98   Age, 179
99   Age, 179

Kadınlarda bu durum bazen kısırlık işareti de sayılır. (Şekil 441)

Bir çizgiyle kesiliyorsa: Bu da ayrılık ihtimalini gösterir. Bu insanların dul yaşama ihtimalleri de mevcuttur. (Şekil 442) Dikine inen iki paralel çizgi ile kesiliyorsa bu anlamı daha da güçlendirir. Hatta daha sonra yapılacak evliliği de kapsayabilir!

Şekil 440

Noktalı: Hastalıkların yol açacağı ayrılık veya boşanma. Bir hapis dolayısıyla uzun müddet eşini bekleme ihtimalini de haber verir olabilir. (Şekil 443)

Haç: Üzerinde haç bulunan nikâh (gönül) çizgisi boşanma ile biten kırık bir evliliği ifade eder. Eşin ölme ihtimali olarak da yorumlanır. (Şekil 444)

Şekil 441

Yıldız: Bu işaret, açık bir şekilde dul kalınacağını ve dul yaşanılacağını dile getirir. (Şekil 445)

Ada: Sevimsiz bir işarettir. Bu çizgi üzerinde bulunan bir ada bütün kitaplarda eşini aldatma, -bilhassa kadınlar için- işareti sayılmıştır. Sosyal olaylar veya bir zina sebebiyle yıkılacak evliliklerden de haber verir. (Bazen bu zina hiç gerçekleşmemiş de olabilir.) (Şekil 446)

Şekil 442

Zincir: Fazla sağlam olmayan geçici bağlılıkları dile getirir. Bunlar evlenseler de eşlerine sıcak bir ilgi ve sevgi gösteremezler. (Şekil 447)

Kare: Güzel bir işarettir ve sağlam bir evlilikten haber verir. Bu insanlar iyi bir evlilik ya-

Şekil 443

parlar. Uyumlu ve fedakârdırlar. Gönül çizgisinde karesi bulunan bir insan mutluluk yolunda iyi bir yardımcı (yani bir eş) bulacağına kesin gözüyle bakabilir. Çünkü kare, hedefe giderken dışarıdan gelen destek kuvvet gibidir. (Şekil 448)

Şekil 444

KESİŞEN ÇİZGİLER (KÜLLİ İRADE ÇİZGİLERİ)

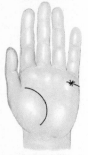

Venüs tepesinden doğup hayat çizgisini keserek Ay tepesine ve avucun diğer bölümlerine doğru dağılan çizgilere kesişen çizgiler veya bizim ifademizle külli irade çizgileri denir. Bu çizgiler daha çok irade dışı yaptırımları temsil ettikleri için biz de onlara külli irade çizgileri adını verdik. Çünkü bu çizgiler çevrenin veya ailenin kişinin kararları ve davranışları üzerinde büyük bir etkiye sahip olduğunu gösterir. (Şekil 449)

Şekil 445

Ay tepesine gidiyorsa: Hayat çizgisinin içinden başlayıp, Ay tepesine giden bir çizgi kişinin hayatının dışından gelen tesirlerle sürekli değişikliklere uğrayacağını gösterir. Bu insanlar sürekli seyahat etmekten bir yere yerleşip ikamet etmeye fırsat bulamazlar. (Şekil 450)

Şekil 446

Hayat çizgisini kestikten sonra bitiyorsa: Böyle bir çizgi günlük hayatta karşılaşacağımız ve kararlarımızı az çok etkileyen beklenmedik üzüntü, sıkıntı ve engelleri dile getirir. (Şekil 451)

Şekil 447

Şayet çizgi Venüs tepesinden başlıyor ve derin bir şekilde devam ediyorsa çok sevilen bir kişinin ölümü veya ayrılığı ile meydana gelecek büyük acıları gösterir.

Akıl çizgisini kesiyorsa: Eğer çizgi akıl çizgisinde bitiyorsa aileden gelen ve insanı mutsuz kılan problemleri dile getirir. Böyle bir çizgi, kişinin düşünce ve planlarına yakınları tarafından sürekli müdahale edildiğini gösterir. Şayet çizgi akıl çizgisini kesiyorsa durum daha da ciddi demektir. Bu insan anasının, babasının veya yakınlarının etkisiyle, sonunda çok pişman olacağı kararlar almak zorunda kalabilir. Bu tip erkekler, ailesinin baskısıyla çok sevdikleri işlerini, eşlerini bile bırakabilirler. (Şekil 452)

Şekil 448

Şekil 449

Kalp çizgisini kesiyorsa: Aşk ve sevgide kederi ifade eder. Bunların duygu dünyaları daima dalgalanma hâlindedir. Böyle bir çizgi, akrabaların ve yakın arkadaşların, kişinin duygularına müdahale ettiklerini ve muhtemel mutluluğunu engellediklerini gösterir. (Şekil 453A)

Kalp çizgisine ulaşıp duruyorsa: Bu açık bir şekilde kalbî heyecanlar, hüzünler ve ayrılıklardan haber verir. Yürekten sevmeler ve ayrılmalar... Hep kötü değil. (Şekil 453B)

Şekil 450

Orta ve yüzük parmağı arasında bitiyorsa: Maddi başarılarda uygun değişmeleri gösterir. Bunlar eş, dost yardımıyla kalkınır, zengin olurlar. Maddi bakımdan müdahale lehtedir. (Şekil 454)

Şekil 451

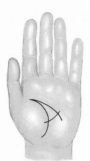

Şekil 452

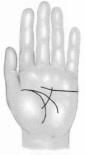

Şekil 453A

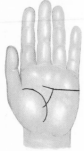

Şekil 453B

Şekil 454

Yüzük parmağında bitiyorsa: Venüs tepesinden doğup yüzük parmağının eteklerinde son bulan bir çizgi sosyal durumda veya düşünce hayatında parlak değişmelerin gerçekleşeceğini gösterir. (Şekil 455)

Serçe ve yüzük parmağı arasında bitiyorsa: Ülkü olarak seçilen yolda başarıya ulaşılacağını gösterir. Pratik hayatta ve düşünce hayatında, olumlu yönde sürekli değişmeleri de dile getirir. (Şekil 456)

Merkür tepesinde bitiyorsa: Maddi ve politik alanlarda hep iyi yönde bir yükselişi haber verir. İster ticaret, ister finans, ister politikada olsun işleri hep iyi yönde ilerler. Ama aşk hayatları öyle değil. Parasal ve siyasal alanda gösterdikleri başarıyı orada sergileyemezler. Bunlar bilindik ifadeyle, "Kumarda kazanır, aşkta kaybederler." Tabii kumar dememek gerekir; 'İşte kazanır eşte kaybederler.' demek daha doğru olur. İnsanlar onları başarılı bulur ama onlar gönül dünyalarındaki yenilgilerden dolayı kendileri başarılı bulmazlar. Hele bu çizgi evlilik çizgisini kesiyorsa, bu insanlar başkaları uğruna evliliklerini yıkar, bir daha da kuramazlar. Bu çizgiyi taşıyanlar, böyle bir karar verecekleri zaman iyi düşünmelidirler. (Şekil 457)

El ayasının altına yöneliyorsa: Uzun sürecek bir seyahat ihtimaline dikkat çeker. Yahut bu seyahatle gelecek sosyal değişiklikleri gösterir. Bazen sürekli hayat değişikliklerini de haber verir. (Şekil 458)

Bileziklere yöneliyorsa: Tenasül uzuvlarında görülecek veya bu yoldan bulaşacak hastalıklardan haber verir. Böyle bir çizgi, cinsel organlardaki fonksiyon bozukluklarını ve psikolojik rahatsızlıkları dile getirir. Üreme organlarıyla ilgili sıkıntılara dikkat çeker. (Şekil 459)

Adalı ise: Venüs tepesinden doğup avuç içlerine uzanan herhangi bir çizgi üzerinde ada bulunuyorsa bu, gayri meşru dost edinme, nikâhsız beraberlik ve böyle bir durumdan sonra gündeme gelecek boşanma işareti sayılır. Bunlar son derece sadakatsiz ve hercaidirler. "Dost" edinmek bir tutku derecesindedir. (Şekil 460)

Şekil 455

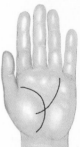

Adalı ve avucun altına ulaşıyorsa: Bu, eşini aldatma olarak yorumlanır. Aynı zamanda cinsel dürtülerde ve cinsel organlarda rahatsızlık ve hastalık ihtimalini gösterir. (Şekil 461)

Şekil 456

Akıl çizgisinde bir yıldızla bitiyorsa: Kederli bir aşkı gösterir. Bu çizgi aynı zamanda ruhi bozuklukların, sinirsel veya beyinle ilgili rahatsızlıkların belirtisidir. Zihni rahatsızlık ihtimalini hep gündemde tutar. (Şekil 462)

Şekil 457

Kader çizgisini kesiyorsa: Aşk ve kalple ilgili konularda ailenin muhalefetini gösterir. Böyle bir çizgisi olanlar, evliliklerinin de yaptıkları işlerin de ailelerinin itirazlarıyla karşılandığını hayretle göreceklerdir. Bu insanların mutlu olması zordur. Çünkü bu çizgi varsa, kişinin ailenin tesiri altında kalarak hareket etme özelliği de var demektir. Kendi başlarına karar

Şekil 458

Şekil 459

Şekil 460

Şekil 461

Şekil 462

veremedikleri için de sonunda pişman olacakları kararlar da verirler. (Şekil 463)

Kader çizgisinde haç veya yıldızla bitiyorsa: Büyük maddi kayıplardan ve büyük iflaslardan haber verir. Yangın, sel vb. gibi felaketlerle bir anda sıfıra düşme veya sosyal mevki kaybıyla maddi sıkıntılara duçar olmaya da yormuşlar bu çizgiyi. Hakikaten sevimsiz bir işarettir. (Şekil 464)

Güneş çizgisinde haç veya yıldızla bitiyorsa: Yukarıdaki ile aynı anlama gelir. Ancak Güneş çizgisiyle yaptığı haçlı veya yıldızlı kesişme kader çizgisindekilere oranla daha büyük felaketlerden haber verir. Çok sevilen bir aile büyüğünün kaybına veya insanın hayatında köklü değişikliklere sebep olacak büyük acılara işaret eder. Zirveden düşmek gibi bir durum... (Şekil 465)

Evlilik çizgisine ulaşıyorsa: Evlilik çizgisine ulaşıp biten bir külli irade çizgisi, aşkta ve sevgide kederi gösterir. Boşanma ihtimalini gündeme getirir. Bunların evlilikleri daima dışarıdan gelecek etkilere açık olacağı için fazla uzun sürmez. Sürdürülürse bile can sıkıcı bir beraberlik olur. (Şekil 466)

Çıkışında haç bulunuyorsa: Venüs tepesinden başlayıp avuç içine doğru uzanan bu çizgilerden birinin başlangıcında bir haç bulunuyorsa bu, anne-baba veya meslektaşlarla anlaşamayacak bir tabiattan haber verir. Aynı işaret büyük hukuki davaların habercisi de sayılır. Başlangıcında haç bulunan bu çizginin yöneldiği tepeyi veya noktayı iyi tespit edersek, bu hukuki davanın konusunu da kestirmek mümkün olur. (Şekil 467)

Çıkışında yıldız bulunuyorsa: Anne veya babadan birinin ölümüyle gelecek ailevi yıkım olarak yorumlanır. Bu, bazen maddeten dayanılan kimse de olabilir. Bir dostun, bir yakının ölümüyle yaşama sevincini yitirme gibi… (Şekil 468)

Şekil 463

Yıldızla başlayıp haçla bitiyorsa: Büyük şanssızlıkları dile getirir. Genellikle felaketle sona erecek bir işten, bir beraberlikten haber verir.

Haçla başlayıp yıldızla bitiyorsa yukarıdaki anlamlar daha da belirginlik kazanır. (Şekil 469)

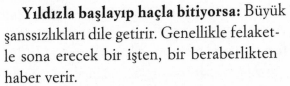

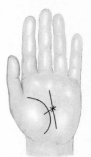

Şekil 464

Yıldızla başlayıp yıldızla bitiyorsa: Bir gecede insanın saçını ağartacak büyük ve felaketli acılardan haber verir. Çok sevilen bir dostun, anne, baba, eş veya evladın kaybıyla duyulacak acı sonunda gelen sinirsel bozukluk, melankoli bir hafıza kaybı olarak yorumlanır. Acı bir olaydan sonra şuurunu kaybetme…[100] (Şekil 470)

Ayanın üst kısmında bir yıldızla bitiyorsa: Çok büyük kavgalarla sona eren bir evlilikten, uzun sürecek kavgalı gürültülü boşanma davaları ihtimalinden haber verir. (Şekil 471)

Şekil 465

Ayada bir yıldızla biten çift çizgi: Venüs tepesinden başlayıp avucun üst kısmında

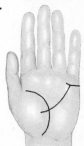

Şekil 466

(herhangi bir yeri olabilir) bir yıldız veya haçla biten iki çizgi, yıldız ve haçla biten çizgiler gibidir. Ancak bu çizgilerde darbenin çift olacağı vurgulanır. Girişilen bir işte çok yönlü başarısızlıklar ve felaketler doğabileceği ihtimalini bildirir. (Şekil 472)

Şekil 467

SEYAHAT ÇİZGİSİ

Ay tepesinin dışa bakan eteklerinde, avucun kenarından başlayıp içe doğru uzanan fazla uzun olmayan çizgilere seyahat veya değişiklik çizgileri denir. Bu çizgiler çok sayıda durum ve yer değişikliklerini ve daldan dala atlayan, çok uzun soluklu olmayan hayal gücünü gösterirler.

Şekil 468

Aktif insanlarda bu çizgiler çok seyahat etme olarak yorumlanırken, pasif ve masa başında iş yapanlarda ise kanaatlerde meydana gelecek değişiklikler olarak yorumlanır. Görüş ve düşüncelerdeki değişmeleri haber verir.

Birbirinden farklı yerlerde bulunan üç çeşit seyahat çizgisi vardır:

Şekil 469

Birincisi: Elin alt kısmında Ay tepesinin sona erdiği kenarından ve ortasından yanlamasına çıkan çizgilerdir. (Şekil 473)

İkincisi: Ay tepesi üzerinde yine yanlamasına uzanan paralel çizgilerdir. Yönleri el ayasının üstüne doğrudur. (Şekil 474)

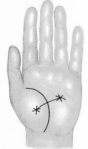

Üçüncüsü: Hayat çizgisinden çıkıp avuç ayasına ve Ay tepesine doğru uzanan çizgilerdir. Her üçü de fazla uzun olmazlar. (Şekil 475)

Şekil 470

Birinci Grup Seyahat Çizgileri

Net ve açık: Ay tepesinin dış kenarından başlayan seyahat çizgileri net ve açıksa bunlar daha çok kara ve bazen de hava yoluyla yapılacak seyahatleri ifade eder. Eğer eline bakılanın seyahat imkânları kısıtlı veya tabiaten seyahati sevmiyorsa bu insanın düşüncelerinde ve maddi hayatında ciddi değişiklikler olacağı yolunda yorumlanır. (Şekil 476)

Şekil 471

Net, açık ve uzun: Seyahat çizgileri net, açık ve uzunsa, yukarıda sayılan hususlar dışında birtakım sürprizleri de gündeme getirir. Bilhassa deniz veya hava yoluyla yapılacak seyahatlerden haber verir. Bu seyahatlerden biraz daha uzundur. (Şekil 477)

Şekil 472

Uçları yukarı kıvrılıyorsa: Bu tür çizgilerin uçları yukarı kıvrılıyorsa bu, sonunda büyük başarı ve imkânların elde edileceği hoş, zevkli seyahatlerden haber verir. Bunların tutkuları gerçekleşecek demektir. (Şekil 478)

Aşağıya dönük: Bunlar da bir öncekilerin tam tersidir. Sıkıntılı seyahatlerden, faydasız hayat değişikliklerinden, iş problemlerinden ve boşa harcanacak enerjiden haber verir. (Şekil 479)

Şekil 473

Çok sayıda dağınık ve yüzeysel çizgi: Büyük bir asabiyeti ve alıngan bir yapıyı sergiler. Sürekli iç sıkıntısı ve yürek darlığı çekerler. Saplantı ve tutku eğilimi, bağımlılık, tiryakilik vardır. (Şekil 480)

Şekil 474

Şekil 475

Şekil 476

Şekil 477

Şekil 478

Üzerinde haç bulunuyorsa: Bu küçük seyahat çizgilerinin üzerinde bir haç veya çapraz bulunuyorsa riski büyük seyahatlerden haber verir. Özellikle böyle bir işaret deniz seyahatleri için büyük bir kaza ihtimalini gündeme getirir. Bu insanlar deniz yolculuklarından ve denizde fazla haşır neşir olmamaları tavsiye edilir. (Şekil 481)

Yıldız bulunuyorsa: Bir öncekine nazaran daha talihsizce bir işarettir. Büyük bir kaza ihtimalini gündeme getirir. Bu kaza deniz, hava veya kara yolculuğunda olabilir. Her halükarda seyahatte başa gelecek kaza olarak yorumlanır. Seyahat etmeyen birisi için de kaza anlamına gelir ama iş değişiklikleri sonucu maddi düzende bozulma olarak da anlaşılabilir. (Şekil 482)

Ada: Ani ve hesapta olmayan yolculuklar, bu yolculuklarla gelecek sıkıntı ve kazalar anlaşılır ada işaretinden. Bir tehlike anında ilk iş olarak kaçmayı düşünen insanlarda da bu görülebilir. Kendilerini sevenden kaçan, uzaklaşan vefasız yaradılışlı bir tabiattan haber verir. (Şekil 483)

İkinci Grup Seyahat Çizgileri

Çok önemli deniz ve hava seyahatlerinden haber verir. Bunlar da birinciler gibi aynı anlamları ifade ederler ama bunların tesirleri biraz daha güçlüdür, biraz daha kuvvetli anlam taşırlar.

Net ve derin: Bu ikinci tür seyahat çizgileri net ve derin oldukları takdirde bu anlamlar derinlik kazanır. Diğer görünüşlerini de birinci türdeki çizgilerle karşılaştırınız. (Şekil 484)

Üçüncü Grup Seyahat Çizgileri: Bunlar hayat çizgisinden başlayan seyahat çizgileridir. Bunlar daha çok deniz aşırı ülkelere yapılacak seyahatlerden ve hayattaki köklü değişikliklerden haber verirler.

Şekil 479

Net ve belirgin: Büyük hayat değişikliklerini dile getirir. Güçlü seyahat arzusundan haber verir. Memleket ve ülke değiştirmeyi de içine alan değişiklikler... (Şekil 485)

Şekil 480

Ay tepesinin altına doğru yöneliyorsa: Uzun yolculuklardan ve köklü değişikliklerden haber verir. Bu uzun yolculuk kara, deniz veya hava yolculuğu olabilir ama daha çok kara yolculuğu olarak yorumlanır. (Şekil 486)

Şekil 481

Bileziğe doğru yöneliyorsa: Kıtalar arası büyük seyahatleri gösterir. Pasif insanlarda ise güçlü değişiklik arayış ve arzularını dile getirir.

Birinci grup seyahat çizgilerinin diğer görünüşleri bu çizgi için de aynen geçerlidir. (Şekil 487)

Şekil 482

YÜKSELEN ÇİZGİLER
(Hayat Çizgisinin Dalları)

Şekil 483

Hayat çizgisinden çıkarak yukarılara doğru yönelen bu çizgiler hep güzel ve şanslı olaylardan haber verirler. Hayat çizgisinden ayrıldıkları noktalar iyi tespit edilirse insan hayatına o yaşlarda hâkim olacak şanslılığın ne olabileceği de belirlenebilir. Bunlar genellikle hayatı maddi noktadan rahatlığa kavuşturan olaylardır. Daima güzel bir anlam taşırlar.

Şekil 484

Açık ve net: Hayat çizgisinden ayrılarak yukarı doğru uzanan net ve belirgin bir yükselen çizgi yükselme ve başarma arzusunu dile getirir. Hayatın hangi noktasına karşılık geliyorsa o yaşlarda elde edilecek büyük bir başarıdan haber verir. (Şekil 488)

Şekil 485

İşaret parmağına yöneliyorsa: Hayat çizgisinden ayrılan ve yükselen çizgi, işaret parmağına yöneliyorsa sosyal hayatta elde edilecek büyük başarıları haber verir. Bunlar başarı arzusu ile doludurlar. Bazen de bu yüzden hayatlarını hayal içinde geçirirler. (Şekil 489)

Şekil 486

Orta parmağa yöneliyorsa: Güçlü bir bağımsızlık arzusunu ifade eder. Başarıların getirdiği büyük imkânlar sonucu nefse duyulan güven. Bunlar ellerindeki imkânlarla şımarık ve kimseye aldırmaz bir hayat yaşarlar. Coşkulu ve taşkındırlar. Bazen, sonradan gördükleri zenginlikle ne oldum delisi olma ihtimalini de hatırlatır. (Şekil 490)

Yüzük parmağına yöneliyorsa: Sosyal, politik ve sanatla ilgili alanlarda büyük başarıları gösterir. Bu, derin bir güzellik duygusunu ve zevkliliği de ifade eder. Bir gün şöhret olmak hemen hemen bunlar için mukadder gibidir. (Şekil 491)

Şekil 487

Akıl çizgisinde son buluyorsa: Büyük çabalarla, yorgunluklarla elde edilecek güç başarılardan haber verir. Bunlar alabildiğine inatçı, dirençli ve dik kafalıdırlar. Başkaları ile çok zor anlaşırlar. Kafalarına taktıkları şeyi ne pahasına olursa olsun gerçekleştirmek isterler. (Şekil 492)

Şekil 488

Serçe parmağına yöneliyorsa: Hukuk, ticaret, tıp, para ve bilimsel araştırmalar alanında büyük başarılar elde edilebileceğini dile getirir. Elinde böyle bir çizgi taşıyan bir insan söz konusu alanlarda çalışacak olursa mutlaka başarıya ulaşır. Oldukça da şanslı insanlardır. (Şekil 493)

Kalp çizgisinde bitiyorsa: Dinî düşüncelere yatkınlık, ilhamlı düşünce hayatını simgeler... Hayâ sahibi, iffetli bir kişilik... Büyük bir şefkat ve merhametlilikle dolu bir kalp... Alicenap bir kişilik... (Şekil 494)

Şekil 489

Kader çizgisinde bitiyorsa: Büyük bir hırsla başarı yolunda ilerleyecek bir kişilikten haber verir. Bunlar daima durumlarını daha iyiye götürmek çabası içindedirler. (Şekil 495)

Şekil 490

Şekil 491

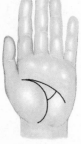

Şekil 492

Güneş çizgisinde bitiyorsa: İdeallerin gerçekleşeceğinin en sağlam habercisidir. Bunlar son derece etkileyici bir kişiliğe sahiptirler. Oldukça enerjik ve sağlıklıdırlar. Şendirler, etraflarına da aynı neşeyi sirayet ettirirler. Bunlar için özellikle sanat ve politikada başarı mukadderdir. (Şekil 496)

Mars çizgisine yöneliyorsa: Diplomasi isteyen konularda büyük başarıyı ifade eder. Bu insanlar kumar ve benzeri soğukkanlılık isteyen konularda da son derece başarılı olurlar. Şayet Mars tepesi belirgin ve başparmak da güçlü ise bu insanlar büyük casus olma yeteneğine sahip demektir. (Şekil 497)

Şekil 493

Şekil 494

Şekil 495

Şekil 496

Şekil 497

ÜÇGENLER

Bilindiği gibi elin içinde çeşitli çizgiler vardır ve bunlar birbirleriyle kesişirler. Bunlar, elin işaretleri bahsinde incelediğimiz üçgenlerden farklıdır. Büyük ana çizgilerin kesişmesiyle meydana gelirler. Ana çizgilerin kesişmesiyle meydana gelen bu üçgen, dikdörtgen ve açıların da kendilerine has anlamları vardır.

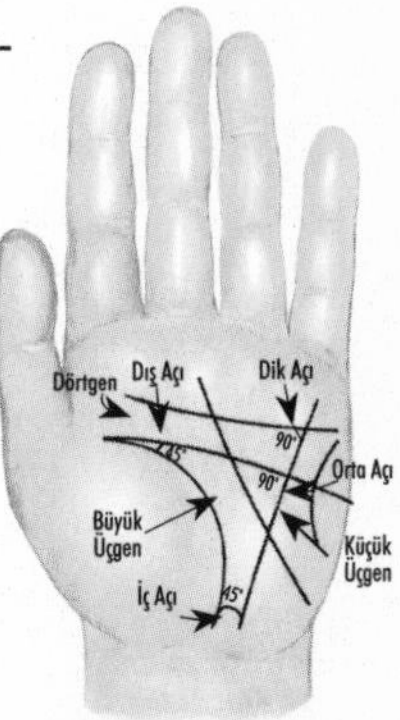

Bunlar bir resim sergisi gibidirler. Dikdörtgen, büyük üçgen, küçük üçgen, iç açı, dış açı ve orta açı ve dik açılar hep değişik anlamlar ifade ederler. (Şekil 498A)

Şekil 498A

Dörtgen: Buna İslam kaynaklarında **"şibh-i münharif"** adı verilmiştir. Geometrideki "yamuk" karşılığıdır. Akıl çizgisi ile kalp çizgisinin arasındaki düzlüğe bu ad verilmiştir.

Dikdörtgen, akıl çizgisinin ve kalp çizgisinin birbirine paralel uzanmalarının neticesinde oluşur. Akıl çizgisi eğimli değil de doğrudan doğruya avucun dışına doğru uzanır ve diğer çizgiler tarafından kesilirse o şibh-i münharif denilen yamuk dörtgen meydana gelir.

Geniş ve büyük bir dikdörtgen, sağlam kafalı, dürüst, cömert ve iyi huylu bir kişiliği yansıtır. El tablası da denilen bu alanın genişliği kişinin tabiatındaki güçlü dengeyi, nefse hâkimiyetini, iyilikseverliği ve babacanlığı temsil eder. Böyle bir el tablasına sahip kadın, gittiği ailenin kök lainden olur. Sülaleyi kendi isim etrafında toplar. (Şekil 498B)

Şekil 498B

Bu alanın darlığı ise girişkenlik ruhundan yoksunluğu ifade eder. Bunlar akıllarına estiği gibi hareket ederler. Ne zaman ne yapacakları belli olmaz. Kararsızdırlar. Acizdirler. Bu alanın bulunmaması iki akıl ve kalp çizgisinin birleşmiş olması hâlidir. Bu durumda karşımızdaki insan menfaatini bilmeyecek kadar akıl ve muhakemeden yoksundur. Dost seçmesini beceremezler. Hayatlarında denge yoktur. Herkese ve söylenen her söze inanır, sonuçta pişman olacakları kararlar verirler.

BÜYÜK ÜÇGEN

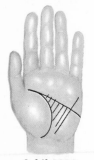

Akıl, hayat ve sıhhat çizgilerinin kesişmesiyle meydana gelir. Üçgen ne kadar büyükse o kadar sağlıklı bir kişilikten ve doygun (mutmain) bir tabiattan haber verir. Avucunda böyle üçgeni bulunan bir insan cömert, güzel ahlak sahibi, dengeli, düzenli, alicenap ve soylu bir mizaca sahiptir. İleri görüşlüdürler. Hoşgörü en bariz özellikleridir. Geçim sıkıntısı da çekmezler. (Şekil 498C)

Şekil 498C

KÜÇÜK ÜÇGEN

Kader, sıhhat ve akıl çizgilerinin kesişmesi ile meydana gelir. Düzgün küçük bir üçgen canlı bir zekâyı ve girişimci bir ruhu yansıtır. Güçlü bir algılama ve özümseme yetenekleri vardır. Çok geniş bir araştırma kabiliyetine sahiptirler. Bunlar ticaret vb. gibi serbest mesleklerde çalışacak olurlarsa zenginliğe kavuşmaları mukadderdir.

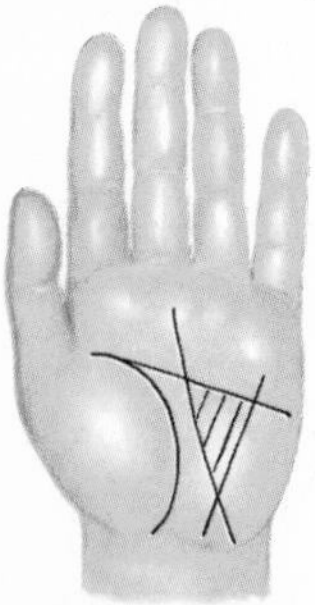

Bunlar kirli çıkındırlar. Daima dar zamanlar için sakladıkları bir paraları bulunur. Sıkıntının tam ortasında ferahlatıcı bir imdat verirler çevresindeki insanlara.

Şekil 498D

Şayet hayat çizgisinden ayrılan bir dal bu üçgene ulaşıyor ve burada son buluyorsa bu insan mutlaka zengin olur. (Şekil 498D)

DIŞ AÇI

Bu, hayat ve akıl çizgisinin başlangıçta meydana getirdikleri şekildir. Genellikle 45 derecelik bir açı görünümündedir. Sağlam bir zihin ve canlı bir zekâyı ifade eder. Normal ölçülerde bir açı tedbirli, sonunu düşünerek işe atılan planlı bir kişiliği sergiler. Eğer açı sivri ise sinirli, oldukça hassas, utangaç ve alıngan bir mizacı dile getirir. (Şekil 498E)

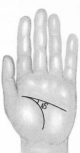

Şekil 498E

İÇ AÇI

Şekil 498F

Hayat ve sıhhat çizgisinin kesişmesiyle meydana gelen açıya iç açı denir. Normal şekil 45 derece civarındadır. Böyle bir iç açı cömertlik, hoşgörülülük ve iyi bir sıhhat belirtisidir. Bunların içleri ferah ve adaptasyon yetenekleri yüksektir. Parlak bir zekâları vardır. Girdikleri her ortamda kendilerine yer edinirler. (Şekil 498F)

ORTA AÇI

Şekil 498G

Sıhhat çizgisiyle akıl çizgisinin birbirleriyle kesişmesinden meydana gelen ve hayat çizgisine bakan açıdır. Genellikle 90 derece civarındadır. İyi çizimli bir orta açı parlak ve canlı bir zekâdan, dengeli bir ruhi yapıdan ve kuvvetli bir algılama kabiliyetinden haber verir. Güçlü bir muhakeme ve idrake sahiptirler. (Şekil 498G)

Şekil 498H

Şekil 499

DİK AÇI

Sıhhat çizgisiyle kalp çizgisinin kesişmesiyle oluşur. 90 derece civarındadır. İyi bir dik açı, orta açıda mevcut özelliklerin daha hafif seviyede bulunduğunu yansıtır. (Şekil 498H)

NESİL ÇİZGİSİ

Şekil 500A

Venüs tepesinin dış kenarında, başparmağın üçüncü kemiği üzerinde yer alan paralel çizgilere nesil çizgisi diyoruz.

Bu çizgiler uzun, kısa, ince, kalın, derin, yüzeysel veya kopuk olabilir. Bunların her biri ayrı ayrı anlamlar ifade etmekle birlikte genel olarak insanın dünyaya gelecek çocuklarından haber verir. (Şekil 499)

Uzun: Uzun, kopuksuz ve derin bir çizgi oğlan çocuğu olarak yorumlanır. Bazen böyle bir çizgi Venüs tepesinin dış kenarından başlar ve hayat çizgisinin başladığı noktadan kudret halkasıyla birleşir. Böyle bir çizgi başarılı uzun bir hayat sürecek erkek çocuğa işaret eder. Öyle ki bu çocuk, "Hık demiş babasının burnundan düşmüş!" sözünü doğru çıkaracak kadar babasına benzer. (Şekil 500A)

Şekil 500B

Kısa: Kısa fakat kesiksiz derin bir çizgi de kız çocuğundan haber verir. Şayet bu çizgi başlangıçta zayıfsa bir düşük ihtimaline dikkat çeker. (Şekil 500B)

Kırık: Buradaki kırık bir çizgi düşüğe veya aldırmak suretiyle ortadan kaldırılacak çocuk-

Şekil 501

lara işaret eder. Böyle bir çizgi bazen doğduktan sonra kaybedilecek bir çocuk ihtimalini de hatırlatır. (Şekil 501)

Çift: Çift çizgi ikiz veya peş peşe gelecek doğumları ifade eder. Tabii bu çizgilerin derin ve belirgin olmaları gerekir. (Şekil 502)

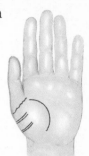

Şekil 502

Çatalla başlıyorsa: Çatalla başlayan böyle bir çizgi genellikle doğum sırasında atlatılacak bir tehlike veya karşılaşılacak bir problemi dile getirir. Zor doğum veya doğum sırasında çocuğun zarar görmesi gibi... (Şekil 503)

Çatalla bitiyorsa: Doğacak çocuğun ilk yaşlarında ciddi bir hastalık geçireceğini veya ölüm tehlikesi atlatacağını gösterir. (Şekil 504)

Şekil 503

Yıldız veya haçla başlıyorsa: Doğum sırasında ciddi tehlikelerden haber verir. Bu tehlike hem anne için geçerlidir hem doğacak çocuk için... (Şekil 505)

Yıldız veya haçla bitiyorsa: Bu da tehlikeli doğumlara işaret sayılmakla birlikte, eğer haç veya yıldız uzun, derin ve belirgin bir çizginin sonunda yer alıyorsa, doğan bu çocuğun zor ve çetin mücadelelerden sonra büyük başarılar elde edeceğine ve meşhur olacağına hükmolunabilir. (Şekil 506)

Şekil 504

Düzensiz çizgiler: Düzensiz çizgiler daha çok başlangıçta çocuk sahibi olamama veya tenasül organlarında çocuk yapmaya mani bazı problemlerin varlığına yorumlanabilir. (Şekil 507)

Şekil 505

Şekil 506

Belirsizlik veya çizgi olmaması: Bu da düzensiz çizgiler gibi yorumlanır. Ancak bu, hiç çocuk olmayacağı anlamına gelmez. Sadece problemlerin oldukça ciddi olduğunu gösterir. Çizgilerin olmaması veya belirsiz olması bazen çocuk istememe şeklinde de kendisi açığa vurabilir. (Şekil 508)

Dik çizgilerle kesiliyorsa: Belirgin ve derin çizgiler şayet dikine bazı çizgilerle kesilip de derin bir şekilde yaralanmışlarsa, çok sayıda kürtajlardan ve istenmeyen çocuklardan haber verir. Paralel küçük küçük çizgiler de aynı anlama gelir. (Şekil 509)

Şekil 507

Paralel küçük çizgiler: Belirgin bir çizginin başlangıcında veya sonunda paralel küçük çizikler varsa bu, annenin kendi hatasından kaynaklanan sakat doğumlardan veya tehlikeli doğumlardan haber verir. (Şekil 510)

Şekil 508

Şekil 509   **Şekil 510**

18. yüzyıl sonlarında İngiltere'de kaleme alınmış bir el falı yazma eserinden alınan bu el, avuçtaki işaret ve çizgileri, manalarını gösteren sembollerle izaha çalışıyor.

MESLEKLERE GÖRE EL BİÇİMLERİ

Her insanın yetenekleri başka başkadır. Dolayısıyla bu yeteneklere işaret eden özellikler de değişecektir. Bununla birlikte belirli formasyonlar vardır ve bunlar tespit edilip belirli gruplar teşkil edilebilir.

Söz gelimi ünlü sahne sanatçılarının ellerinde çokça rastlanan özellik nedir, akıl veya kalp çizgileri nasıldır? Hangi tepe belirgin olursa ne anlama gelir? Bütün bunlar az çok sanat ve meslek gruplarına göre değişirler ama aynı mesleklerde meşhur olmuş insanların elinde rastlanan belirgin özellikler mevcuttur.

Mesela usta yazarların Ay ve Venüs tepeleri mutlaka belirgin olur. Büyük doktorların serçe parmakları uzun ve Merkür tepesi ile Ay tepesi oldukça belirgindir. İşte bu tespitler altında meslek grupları için sabitlik kazanmış birtakım özellikler vardır ki bunları, avuç içindeki çizgileri yorumlamada yardımcı olur düşüncesiyle buraya aktardık.

AKTÖR

Zaman içinde kendini kanıtlayarak haklı bir şöhrete ulaşmış dikkatli bir sinema sanatçısının, bir tiyatrocunun uzun ve uç kısımları hafif konik parmakları vardır. Özellikle birinci kemiği çok uzun olan serçe parmağının kendisi de uzundur. Yüzük parmağı normal ve uç da ıspatuladır. Güneş, Merkür ve Ay tepeleri ilk bakışta göze çarpar. Akıl çizgisi de uzun ve çatal şeklinde son bulur. Bu çatallardan biri Ay tepesine doğru eğilmiştir.

Karakter oyuncularında ise parmakların daha çok ikinci kemikleri uzundur. Birinci kemikler de uzunluğunu koruyabilir.

Trajedide ve romantik rollerde başarılı oyuncuların parmaklarının birinci boğumu kısa ve parmak uçları koniktir. Akıl çizgisi hayat çizgisinden ayrı başlar. Başparmağın birinci boğumu ise konikten çok sivridir. Trajedi türünde başarılı olanlarda ayrıca Mars tepesi oldukça belirgindir. Başparmağın ucu kıvrık ve parmağın kendisi de kalın ve serttir.

SANATÇI

Ressam, heykeltıraş vb. gibi gerçek sanatçıların (özellikle ressamların) parmakları koniktir. Bilhassa da yüzük parmağı uzun ve koniktir. Aya yumuşaktır. Ay, Venüs ve Güneş tepeleri son derece belirgindir. Akıl çizgisi hafif eğimlidir.

Aynı durum heykeltıraşlar için de geçerlidir. Ne var ki heykeltıraşların yüzük parmağının ucu kare biçimindedir.

İyi bir eleştirmen ise kısa parmaklı olur. Parmak uçları sivriye yakındır ve uçlar memelidir. El ayaları yumuşak, akıl çizgileri de doğrudan avucun dışına doğru yürüyen düz bir çizgi gibidir.

MİMAR

Mimarların parmak uçları kare şeklinde ve uçları ıspatuladır. Tırnaklar uzun ve düzdür. Güneş, Merkür ve Venüs tepeleri iyi gelişmiştir. Parmakların birinci ve ikinci kemikleri uzun, akıl çizgisi uzun, açık ve derindir.

İŞ ADAMI

Başarılı iş adamları esnek bir el yapısına ve kare uçlu uzun parmaklara sahiptirler. Parmakların ikinci kemiği uzun ve güçlüdür.

Başparmağın birinci kemiği uzun ve güçlü, akıl çizgisi belirgindir. Akıl çizgisi uzundur ve Merkür tepesine yönelmiştir. Şayet çatalla bitiyorsa dallardan biri de Merkür tepesine doğru uzanır. Merkür tepesi hayli belirgindir. Serçe parmağı ve özellikle de bu parmağın ikinci kemiği hayli uzundur.

Aynı zamanda başarılı bir yönetici olan iş adamlarının Jüpiter tepesi ile Satürn tepesi birleşip işaret parmağıyla orta parmağın bitiştiği noktada bir tepe oluşturmuştur. Hayat çizgisiyle akıl çizgisinin başlangıçta çok kısa bir beraberlikleri vardır. İşaret parmağı da uzun ve güçlüdür.

KİMYAGER

Parmaklarının özellikle ilk ve ikinci kemikleri ile tırnaklar uzundur. Orta parmak ve Satürn tepesi iyi gelişmiştir. Eller genelde incedir. Merkür tepesi de belirgindir. Sıhhat çizgisi Merkür tepesine kadar uzanmıştır.

SİHİRBAZ-MEDYUM

Şarlatanlık yapanlar hariç gerçek sihirbazların ve medyumların, güçlü muskacıların elleri yumuşak, parmakları kısa ve düzdür. Başparmak küçüktür. Çoğunlukla da ucu sivridir.

Satürn, Merkür ve Ay tepeleri iyi gelişmiş ve belirgindir. Akıl çizgisi pürüzsüz, kopuksuz, ince, uzun ve yüzeyseldir. Ay tepesine kadar eğilerek uzanır. İlham çizgisi avuca ilk bakıldığında dikkat çekecek kadar belirgindir.

Şayet ilham çizgisi üzerinde bir de ada bulunuyorsa, karşımızdaki insan tam bir medyumdur; ruhlarla, cinlerle rahat bağlantı kurar ve çoğu kere isabetli tahmin ve kehanetlerde bulunabilir. Bunların avuçlarının içinde ana çizgiler bulunduğu gibi daha birçok tali çizgi de göze çarpar. Ay tepesi derin hatlarla kesilmiştir. Çizgiler uzundur.

MÜHENDİS

Mühendisin eli geniş ve kare biçimindedir. Parmaklar uzun ve eklem yerleri geniştir. Parmak uçları ıspatuladır. Özellikle de orta parmak güçlü ve uçları ıspatula biçimindedir. Merkür ve Mars tepeleri belirgindir. Akıl çizgisi belirgin, derin ve uzundur. Eğimli olmaz.

ÇİFTÇİ

Çiftçinin elleri büyüktür. Parmak uçları kare veya ıspatuladır. Bazen yuvarlak da olabilir. Tırnaklar uzun ve kalındır. Parmaklar genel olarak kısa fakat parmakların üçüncü kemikleri diğerlerine nispeten daha uzundur. Parmakların ikinci boğumları ise daha iyi gelişmiş ve kalındır. Başparmak normaldir, nadiren uzun olabilir. Ucu yassı veya karedir. Satürn ve Mars tepeleri gelişmiştir. Ellerinde fazla çizgi bulunmaz. Hayat, akıl ve kalp çizgileri ile birlikte ender olarak bazı tali çizgiler de bulunur.

HİZMETÇİ

Mükemmel bir hizmetçinin parmakları normal uzunluktadır. Hizmetçiden kastımız her türlü hizmete bakan ve bu yoldan geçimini temin eden insanlardır. Bunların parmak uçları kare biçiminde ve tırnakları kısadır. Parmakların ikinci boğumları gelişmiştir. Birincisi ise ona yakındır. Sadece Merkür tepesi belirgindir. Akıl çizgisi orta uzunlukta ve dosdoğrudur. Avuç içinde birkaç büyük çapraz yer alır.

MUCİT

Dahi ve mucitlerin avuçları esnek ve yumuşaktır. Parmaklar uzun, tırnaklar kısadır. Parmakların birinci ve ikinci boğumları iyi gelişmiştir. Başparmak oldukça dikkat çekici, gelişmiş ve uzundur. Ay ve Merkür tepeleri diğer bütün tepeleri gölgede bırakacak kadar kabarıktır. Akıl çizgisi pürüzsüz ve hafif bir eğimle Ay tepesine kadar uzanır.

HUKUKÇU

Çok başarılı hukukçuların serçe parmakları uzundur. Bu parmağın bilhassa birinci kemiği gelişmiş iyi biçimlidir. Tırnaklar kısadır. Başparmağın ikinci kemiği dikkat çekecek kadar uzun ve iyi yapılıdır. Merkür ve Mars tepeleri belirgindir. Ay tepesi de onlara yakın bir kabarıklığa sahiptir. Akıl çizgisi hayat çizgisinden ayrı başlar ve öyle devam ederek bir çatalla son bulur.

Akıl, hayat, kalp, kader ve güneş çizgileri çoğunlukla belirgin bir şekilde avuçta yer alırlar.

MATEMATİKÇİ

Matematikçilerin avuçları sert ve kurudur. Uzun ve gelişmiş parmakları vardır. Parmak kemikleri de gelişmiş ve uyumludurlar. Serçe parmağı normalden biraz kısadır. Buna karşılık Merkür tepesi aşırı denecek kadar kabarıktır. Satürn tepesi de ona yakındır. Ay ve Güneş tepeleri ise yok denecek kadar belirsizdir. Bütün parmakların ikinci kemikleri biraz daha uzundur. Başparmak da hem uzun hem gelişmiştir. Akıl çizgisi dosdoğru avucun kenarına uzanır.

YAZILIMCILAR (Softwareciler)

Biraz matematikçilere benzerler biraz da mühendislere. O iki meslektekilerin karışımıdır. Ama medyumların ellerinde olduğu gibi Ay ve Merkür tepeleri baskındır. Bariz özellik parmaklarının uzun ve yumuşak olmasıdır.

Ama hackerlerin parmakları koniktir ve parmaklar kısadır. Başparmağın ilk boğumu da sivridir.

TEKNİKER-MAKİNACI

Makinacıların, teknik adamların parmakları normal veya kısadır. Parmak uçları karedir, ikinci boğumları hayli gelişmiştir. Avuç içi sert ve kalındır. Başparmak normaldir. Avuç içinde fazla çizgiye rastlanmaz. Bazen sütun çizgiler akıl, hayat ve kalp çizgisinden ibaret kalır.

MEMUR-BÜROKRAT

Memur ve bürokratların şehadet parmakları sivri, serçe parmakları uzun ve tırnakları kısadır. Venüs ve Ay tepeleri normaldir. Başlangıçta bitişik olan ve bir müddet bu şekilde devam eden hayat ve akıl çizgileri belirgin ve iyi çizimlidir.

MÜZİSYEN

Herhangi bir müzik aleti çalan veya kompozitörlük yapan bir insanın parmakları uzun ve uçları da kare veya ıspatuladır. Özellikle birinci ve ikinci kemikler uzun gelişmiş ve iyi yapılıdır. Güneş, Ay, Venüs ve Merkür tepeleri iyi gelişmiştir. Akıl çizgisi genellikle hayat çizgisinden ayrı başlar.

Bir bestekârın elinde derin bir kalp ve akıl çizgisi bulunur.

Akıl çizgisi Ay tepesine veya Ay tepesinin altına doğru yönelmiştir. Ancak parmak uçları sivri değil, kare veya koniktir. Mükemmel bir ilham çizgisi vardır. Bazen kalp ve akıl çizgileri birbirine paralel uzanır. Şayet düzgün bir kalp çizgisi Jüpiter tepesi üzerinde çatalla son buluyor ve akıl çizgisi de kalp çizgisine tam bir paralellik sağlayarak avuç dışına uzanıyorsa bu, musikide deha belirtisidir.

HEMŞİRE-HASTABAKICI

Avuç içi esnek ve elastikidir. Bütün boğumlar belirgindir, eklem yerleri geniştir. Parmaklar uzundur. Merkür ve Venüs tepeleri kabarıktır. Akıl çizgisiyle hayat çizgisi birlikte başlar. Kalp çizgisi de son kısmında eğilerek akıl ve hayat çizgisiyle buluşur. Bu üç çizgi de uzundur. Kader çizgisi -şu veya bu şekilde- mevcuttur. Elde, sıhhat çizgisi de bulunabilir.

DOKTOR

Doktorların geniş ve elastiki elleri vardır. Parmakların ucu kare biçiminde son bulur. Parmakların bütün kemikleri gelişmiştir. Düzgün ve belirgin bir sıhhat çizgisi vardır.

Cerrahların parmakları esnek, kalın ve uzundur. Parmaklar hafif geriye doğru bir kavis meydana getirirler. Başparmak normal olabilir. Orta ve yüzük parmağı gelişmiştir. Serçe parmağı hayli uzun ve Merkür tepesi kabarıktır.

İyi bir operatörün avuç içi sert ve parmakları normaldir. Parmak uçları ıspatuladır. Boğumlar gelişmiştir. Mars tepesi belirgindir. Büyük üçgen mükemmeldir. Sıhhat çizgisi mevcuttur.

ASKER

Askerin kısa ve uçları kare veya konik biten parmakları vardır. Mars tepesi oldukça gelişmiştir. Büyük üçgen düzgündür. Jüpiter tepesi ve Venüs tepesi avucun en hâkim tepeleri durumuna gelmişlerdir. Sadece hayat, akıl ve kalp çizgileri mevcuttur. Kader çizgisinin bulunması hâlinde askerlik duygusu istikamet değiştirir. Elinde büyük bir güneş çizgisi taşıyan askerler bir gün ellerindeki güçleri kullanarak şöhret olma yolunu seçebilirler.

ÖĞRETMEN

Öğretmenlerin (tabii gerçek bir eğitimciden bahsediyoruz) kare biçiminde sona eren parmakları vardır. Parmak kemikleri uzun, gelişmiş ve oldukça ölçülüdür. Uzun başparmak bulunur. Merkür ve Mars tepeleri kabarıktır. Jüpiter ve Venüs tepeleri bunları takip ederler.

Hayat çizgisi belirsizdir, fakat kalp ve akıl çizgileri düzgün ve belirgindirler. Her üçünün de Jüpiter tepesi altında birbiriyle bağlantıları bulunabilir.

SES SANATÇISI-VOKALİST

Mesela bir opera sanatçısının elleri yumuşak, parmakları normal, parmak uçları koniktir. Güneş, Ay ve Venüs tepeleri oldukça gelişmiştir. Hayat ve akıl çizgileri birbirinden bir hayli uzak başlarlar. Akıl çizgisi Ay dağına doğru eğimlidir.

Normal bir ses sanatçısının eli de yumuşaktır. Çünkü kadın ses sanatçılarının elleri biraz erkek eline, ünlü erkek ses sanatçılarının elleri de biraz kadın eline benzer. Kadın ses sanatçılarının parmakları, özellikle orta ve yüzük parmakları kalındır. Venüs, Güneş ve Ay tepeleri gelişmiştir. Akıl çizgisi Ay tepesine uzanır. Başparmak kısa veya normal ve serttir. Parmak gerildiği zaman dik ve düzgün durur.

Aynı hükümler erkek ses sanatçılar için de geçerlidir. Bilhassa birinci boğumda parmak uçları hafif memelidir.

YAZAR

Yazarların işaret ve serçe parmakları uzundur. Her iki parmak da genellikle konik biçimde sona erer. Güneş ve Merkür tepeleri kabarıktır. Akıl çizgileri fazla uzun olmayabilir.

Romancı ve hikâyecinin, bu özellikler dışında Ay ve Venüs tepeleri de gelişmiştir.

Akıl çizgisi de Ay tepesine doğru incelerek devam eder. Ünlü yazarların ellerinde çoğu kere ilham çizgisi ve güneş çizgisine de tesadüf edilmektedir.

ASTRONOT

Uzay çalışmalarına karşı büyük ilgi duyan insanlarda ve astronotlarda parmaklar normal veya kısa, uçları yuvarlak veya kare, parmaklar düz ve düzgündür. Merkür tepesi en gelişmiş tepedir. Akıl ve hayat çizgisi birbirinden ayrı başlar. Bitişik başlasa bile akıl çizgisi, biri Merkür tepesine, diğeri Ay tepesine yönelen bir çatalla son bulur. Başparmak uzun ve gelişmiştir. Avuç ayası düzgün ve soğuktur. Elin cildi parlak ve pürüzsüzdür.

ELEKTRONİKÇİ

Bunların elleri kimyager ve mühendis ellerine benzer. Bunlarda parmaklar normal veya biraz uzun, parmak uçları da ıspatula veya kare biçimindedir. Karışık parmaklı insanların da maharet isteyen konularda çok başarılı oldukları görülmüştür.

FİZYONOMİ (İlm-i Sima, Kıyafetname)

İnsanların elleri ve avuçları gibi yüzü, beden yapısı saçları ve hareketleri de onun tabiatındaki özellikleri ve karakterleri açığa vurur. Baş ve bedenin yapı özelliklerinden hareketle insan ruhunu kavramaya çalışan ilim dalına da Batıda Fizyonomi, Doğu'da Firaset, İlm-i Sima ve İIlm-i Kıyafe adları verilmiştir. Beden yapısı ve özellikleri bakımından, İslam dünyasında Fahreddin El-Razi'nin "Kitabu'l-Firase"si meşhurdur. Batı'da ise bu ilim birçok insan tarafından incelenmiş ve hayli kitap yazılmıştır.

Fizyonomi ilminin anayurdu Çin olarak bilinir. Bu ilim daha sonra buradan bütün dünyaya yayılmıştır. En azından şimdiki araştırmalar bunun böyle olduğunu söylüyor. Ancak, yapılan son kazılarla Rus arkeologlar, bir gerçeği ortaya çıkardılar; Çin kökenli bilinen akupunktur, meğerse Türklere ait bir ilim imiş. Akupunkturun fizyonomi ile göbek bağı bulunduğu unutulmamalı.

Eski Yunanlıların ve Müslümanların elinde gelişen bu ilim de birçok ilim dalı gibi 18. yüzyılda Batıda sistematik yapısını kazandı. Batıda bu ilmin tutulup benimsenmesinde büyük rol oynayan ünlü ilm-i sima uzmanı ve yorumcusu Lavatera, 1800 başlarında öldüğü zaman bu ilim de sistemleşme yoluna girmiş bulunuyordu.

Lavatera'nın kehanet derecesindeki tespitlerinin Batıda "azizlere ait rivayetler" gibi anlatıldığı, birçok kitapta yer alır. Halit Ziya Uşaklıgil'in "İlm-i Sima" adlı küçük eseri Lavatera'nın bu tespitlerini içeren çalışmaları esas alır.

Doğuda ise özellikle Araplarda bu ilim at yetiştiriciliğinde, soy kütükleri ilminde (Ensâb) bile büyük hizmetler vermiştir.

Bu ilim kâinatta faydasız, abes şey bulunmadığı ilkesine dayanır. İsterse bir çizgi olsun her şeyin bir vazifesi ve anlamı vardır.

Renkler ve biçimlerin insan karakteri ve bünyesiyle olan bağlantıları üzerinde o kadar çok durulmuş ki vasıfları anlatılan bir insanın şekli ve yapısını anlamak işten bile değildi. Hele Fahreddin El-Razi'nin Kitabu'l-Firase'si bu ilmin İslam dünyasında ne kadar ehemmiyetli bir yer teşkil ettiğini gösteriyor. Bilhassa hastalık teşhisinde ve mizaç tespitinde büyük rol oynamıştır. İbni Sina'nın El-Kanun Fi't-Tıbbi adlı eseri alanında hâlâ aşılmamış bir eserdir. Mizaçların tespitinde ve o mizaçlar üzerinden teşhise varma usulünde hakikaten muhteşemdir. İslam dünyasında bu ilimle uğraşanların çoğunluğunun aynı zamanda tıpla alakalı olmaları da hayli ilgi çekicidir.

Batıda bu ilmi en etkili kullananların biri de Kretscmer'dir. Klinik çalışmaların neticelerinden de yararlanarak yaptığı gözlemlerini "Beden Yapısı ve Karakter" adıyla kitaplaştırmıştır. Ruhi hastalıkların oluşumunda ve tespitinde yapısal formun rolüne dikkat çekmiştir.

Psikolojik psikiyatrik hastalıkların mizaçla yakın ilgisini belirleyen bu eser, sosyolog ve düşünür Mümtaz Turhan tarafından dilimize kazandırılmıştır. Kreşmer'in bu eseri pratik çalışmalardan örnekler verir. Bu çalışmaların eski bilgilerle uyum içinde olması da hayli enteresandır. Ancak biz burada, tıbbi teşhis aracı olmakla birlikte, daha çok karakter teşhisi vasıtası olarak ele alıyoruz bu ilmi. Bu gözle bakıla...

BAŞ

Fizyonomide en makbul baş, mutedil olan baştır. Mutedil başın ölçüsü de vücudun yedide biri büyüklüğünde olmasıdır.

Baş, genel olarak büyük, orta ve küçük olmak üzere üçe ayrılır. Bunun dışında başlar; ön, arka, yan ve üstlerinin çıkık veya basık olmasıyla da anlam ifade ederler. Bütün hatları belirgin ve vücutta tam bir uyum içinde bulunan bir baş, yüksek bir zekânın ölçüsüdür. Böyle bir baş tedbirli ve ölçülü olmanın, sır saklamasını bilmenin, sebat ve iyilikseverliğin, hayatını anlamlı şekilde idare edebilmenin en büyük belirtisidir.

Haddinden fazla büyük baş, ruhi hastalık ve tembelliğin;

Küçük bir baş aptallık ve sıradanlığın;

İri baş ve geniş çehre kabalığın;

Yassı kafa vurdumduymazlığın;

Üstü geniş iri baş ise düzenlilik ve ihtimamın belirtisidir.

Önü basık, arkası yumru baş, kalp yumuşaklığına, çabuk kanarlığa ve merhamete;

Tepesi yumru baş vesvese, şüphecilik, vehim, karamsarlık ve akıl hastalığına yatkınlığa;

Şakaklardan basık baş dar canlılık ve sinirliliğe, dayanıksızlık ve istikrarsızlığa, her işi yarım bırakmaya;

Önü yumru arkası basık baş işinden başka bir şey düşünmemeye, hayatı çalışmaktan ibaret bilmeye işaret sayılır.

Daima bir tarafı tutarlar, taraftarlık yaptıkları zaman da bağnaz, tutucu, fanatiktirler.

Yüksek kafatası, zekâ ve sürat-i intikalin en açık belirtisidir. Her tarafı normal fakat arkası basık baş, hırsızlığa büyük yeteneği bulunduğunu gösterir. Ünlü hırsızların çoğunda buna rastlanmıştır.

Hile yapmaya da meyyaldirler.

SAÇ

Saçlar, kalınlık incelik, yumuşaklık ve sertlik, seyreklik ve sıklık itibariyle değişik anlamlar ifade ederler. Bir de renkleri hesaba katmak gerekir.

Genel olarak siyah saç sadakat, sabır ve cesaretin;

Sarı saç gurur, öfke, hayal ve hiddetin;

Kumral saç uyum, anlayış, güven ve iffetin;

Kızıl saç ise sinsi, güvenilmez ve ikiyüzlü bir tabiatın belirtisi olarak yorumlanır.

Yumuşak saç yılışıklığa ve cesaretsizliğe işarettir. Saçları her yana rahatlıkla yatabilen kimseler, sebatsız, korkak, hercai, üşengeç ve istikrarsız ama zeki olurlar.

Sert saç başının, sert ve inatçı bir tabiata;

İnce saç hassas bir kalbe;

Kıvırcık saç aşırı itaat ve yumuşak başlılığa;

Dalgalı sert saç kibir, gurur, inat ve kendini beğenmişliğe işarettir.

Dik ve sert saçlar azamet, vakar ve gözü karalığın, korkusuz bir cesaretin ve atılganlığın;

Gür ve sert saçlar anlayış ve kavrayış eksikliğinin;

Gayet koyu siyah saçlar kıskançlığın;

Kadınlarda gür, uzun ve çok siyah saç marazi bir tabiatın; buluttan nem kapan, hassas, korkak ve şüpheci bir mizacın belirtisidir.

Seyrek saç çoğu kere sık saçtan iyidir. Dökülmemiş seyrek saç biraz da sert ise ifrat ve tefritleri bastırabilen, dengeli, nerede, ne zaman, nasıl hareket edeceğini iyi bilen bir yapıyı gösterir. Bu insanlar yemek içmekten tutun, ibadete kadar her konuda ölçülüdürler.

Saç için burada yazdıklarımızın orijinal saçlar için geçerli olduğu unutulmamalıdır.

YÜZ

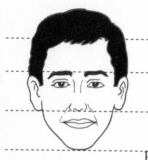

Yüz, fizyonominin temel inceleme alanıdır. Yüzdeki her unsur tek tek bir anlam ifade eder ama bütün bu unsurların bir araya gelerek oluşturdukları kombinezon, çok daha anlamlıdır. Hatta bu kombinedeki uyum veya aykırılık tek tek unsurların verdiği sonuçlardan daha kesin bir bilgi verir.

Yüzler, eski ve yeni fizyonomide beş temel şe- kil içinde ele alınır -bunlar dikdörtgen, kare, üçgen, yarı üçgen ve yuvarlak yüzlerdir-. Fakat çok az yüz tam anlamıyla bu orijinal şekilleri gösterir. Her 100 insandan 95'inin yüzü karışık şekillerdir. Yani bu beş temel şeklin en az ikisi veya üçü, bir yüzde kısmen görülebilir. O zaman da karakter ve mizaç konusunda doğru bir kanaate varmak güçleşir.

Bu durumda yüzün bölümleri arasındaki orantıları iyi tespit etmek şart olur. Çünkü her yüz, kendi içinde de üç bölüme ayrılır ve her bölümün de kendisine has bir anlamı vardır.

Birinci bölüm, saç bitimiyle kaşlar arasındaki bölümdür ki muhakeme, idrak ve "zihni hayatı" yani "aklı" temsil eder.

İkinci bölüm kaşlardan başlayıp burnun bitiminde sona eren bölümdür. Bu bölüm de duygu, his, hayal ve "kalbi hayatı" yani "ruhu" temsil eder.

Üçüncü ve son bölüm üst dudak dâhil ağız ve çene kısmıdır. Bu bölüm azim, irade, gayret, sebat ve "bedenî hayatı" yani hayvani tarafımızı temsil eder. Bu bölümlerin, yüzün genel görünümü içindeki durumları, -kısalık, uzunluk, darlık, genişlik, vs. gibi- kişinin, bölümlerin söz konusu edilen anlamlarıyla ilgili hususta eksiklik veya fazlalıklarını dile getirir.

Genel olarak alnı (birinci bölüm) gelişmiş olanlar mütefekkir, orta bölümü daha gelişmiş ve burunları uzun olanlar dindar, hassas ve diğerkâm olurlar. Çene kısımları iyi gelişmiş olanlar ise gayretli, sabırlı ve dayanıklı olurlar.

Şunu da unutmamak gerekir ki hiçbir bölüm tek başına belirtilen bu özellikleri vermez. Diğer bölümlerin de uyum içinde olmaları, birlikte ele alınmaları gerekir.

Evet, yüzler genel olarak beşe ayrılır demiştik. Şimdi bu temel şekilleri de ele alabiliriz:

Dikdörtgen Yüz

Çehreden bir dikdörtgeni andıran oval yüzdür. Alın ve çene genişlikleri birbirine çok yakındır. Orta bölümü uzundur. Bu yüz genellikle devlet başkanlarında, liderlerde ve generallerde görülür. Aristokrat yüzü de denir. Dikdörtgen yüzlü insanlar eğitildiklerinde başaramayacakları hiçbir iş yoktur. Fakat sanata fazla yetenekli değildirler.

Üçgen Yüz

Üçgen yüz, geniş ve yüksek bir alın, çıkık elmacık kemikleri ve ince, küçük bir çene ile kendisini belli eder. Üçgen yüz "beyin" gücünü temsil eden yüzdür; aydınlar, filozoflar ve düşünürlerin yüzüdür. Dâhiler de bu tipe dâhildirler. Hayalperest oldukları kadar akılcı da olurlar. Kısaca dünyanın ufkunu genişleten, düşünceleriyle insanlığı aydınlatan ve yol gösteren hemen hemen bütün insanlar bu gruba girerler.

Yarı Üçgen Yüz

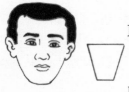

Üçgen yüzün birçok özelliklerini gösterir. Fakat bu tip yüzlere sahip insanlar daha hesaplı ve sebatlı olduklarından fazla ileri gidemezler. Kendilerine güvenleri az olur. En başarılı evlilikleri yapmış kadınlar bu tipe giren kadınlardır. İyi eş ve iyi anne olurlar. Fazla benlik iddiasına kalkışmazlar. Kocalarının hep bir adım gerisinden gelir ve ona destek olurlar.

Kare Yüzler

Kaba ve sert kemikli bir beden yapısıyla cepheden bakıldığında yüz, bir kare görünümünü andırır. Bu tipler hırçın, çabuk parlayan, saldırgan ve hararetli bir tabiata sahiptirler. Büyük lider ve büyük savaşçı olurlar. Ağır düşünürler. Sürat-i intikalleri yoktur fakat bir kere öğrendiler mi asla unutmazlar. Sabır ve inat en bariz özellikleridir. Hiçbir zaman sözlerini esirgemezler, dobra dobra konuşur ve böyle konuşanlardan hoşlanırlar. Üçgen yüzlülerle ikili teşkil ettiklerinde başaramayacakları iş yoktur.

Kare yüzlü bir kadın kanaatkârdır. Zorlukları rahatlıkla paylaşır ve yakınmaz. Ancak kadın olarak asla ihmal edilmemelidirler, bunu ağır ödetirler çünkü.

Yuvarlak Yüz

Ağır cüsseli ve ağırcanlı kişilerdir. Rahatı severler. Hele bu yuvarlak yüzde burun da küçük kalmışsa; yumuşak başlı, geçinilmesi kolay, rahatına ve ağzının tadına düşkün biri oluverir.

Fakat eğer elmacık kemikleri çıkık ve çene sert ise tamamen kare bir yüzün özelliklerini sergiler. Şayet böyle bir yüzde burun kemerliyse, o kişinin lider olup insanları emri altına alması kaçınılmaz olur.

Aslında yuvarlak yüzler, küçük bir unsurun belirginleşmesiyle hemen şekil değiştirebilen bir yüzdür. O zaman da "ağızlarının tadını bilme" özellikleri bir "tutku" olup çıkar ve istedikleri şeyi gerçekleştirmek için hayatlarını bile ortaya koyarlar. Ne gariptir ki en büyük caniler ve teröristler, hep bu rahatına düşkün, ağzının tadını bilen yuvarlak yüzlülerden çıkıyor.

Yukarıda da belirttiğimiz gibi yüzdeki küçük bir farklılaşma veya bir unsurun baskın bir görünüm kazanması, yapının tamamını etkilemektedir. Çırılçıplak ve dümdüz bir ovadaki tepe nasıl hâkim bir yer teşkil ederse, yuvarlak yüzlü insanlardaki küçük bir unsur sapması da böyle baskın bir karakter hâlinde kendisini açığa vurur.

Platonik aşklara düşen, ayrılınca intihara kalkışan âşıkların çoğu yuvarlak yüzlü tiplerdir. Tabii bu genel bir hükümdür. Her tipte insanların, zayıf anları ve yönleri vardır. Yuvarlak yüzlü bir kadın, eğer sadakatini koruyabilse, bir koca için hiç bulunmayacak bir eş ve dost olur. Sadakatsizlik onların iffetsizliğinden değil, hayatlarında sürekli macera aramalarından kaynaklanabilir.

ALIN

Alın, insan kaderinin yazılı olduğu yer olarak şöhret bulmuştur. Acaba gerçekten herkesin kaderi alnına vazılmış mıdır? Bir fizyonomist hiç tereddütsüz buna "evet" diyecektir. İyi bir ilm-i sima uzmanı rahatlıkla, insanın alnına bakarak kişinin hayat hikâyesini en azından kalın hatlarıyla anlayabilir. İster inanın ister inanmayın ama insanın kaderi ve hayat hikâyesi gerçekten de alnında yazılıdır. Yeter ki görmesini bilelim ve çizgileri doğru yorumlama becerisini kazanmış olalım.

Alın, fizyonomide çok önemli bir yer tutar. O, kaderin nihai neticeler levhasıdır. Bir insanın alnındaki çizgileri iyi tetkik edebilen -eğer az çok grafik bilgisi de varsa- bir şeyler anlar. İyi bir uzman ise kişinin hemen hemen her türlü macerasını çözebilir. Bu bakımdan alın gözden de önemlidir. Göz insanın kişiliğini, alın hayat hikâyesini sergiler.

Geniş ve düzgün bir alın

Yüksek düşünceyi, kuvvetli bir zekâ, hafıza ve güçlü bir muhakemeyi sergiler. Yüz gibi alın da kendi içinde üç bölüme ayrılır. Saça yakın kısım hafızayı, orta kısım muhakemeyi, kaşların hemen üstündeki kısım ise sürat-i intikali, kavrayış, anlayış, beceri ve yaratıcılığı temsil eder. Bu üç bölümün dolgun ve belirgin olması hâlinde, yüzün diğer unsurlarını da destekliyorsa bu insan, üstün zekâlıdır ve yüksek bir hayat sürmeye adaydır. Bilhassa gözler kıvılcımlı, kulaklar büyük, çene güçlü ve öne çıkıksa bu tahmin hemen hemen kesinlik kazanır.

Dar alın akıl noksanlığına,

Dikine geniş bir alın anlayış ve kavrayış kabiliyetine,

Enine geniş bir alın akl-ı selime, seciye temizliğine ve cömertliğe işarettir.

Yassı ve dümdüz bir alın kötü ve sık sık hastalanabilen bir tabiat belirtisidir. Böyle bir alın sahibi emir vermek için değil emir almak için yaratılmıştır denilebilir. Daima hak ettiklerinden daha aza razı olurlar.

Dar ve çıkıntılı bir alın düşüncesiz bir atılganlığa,

Ortası basık alın cimrilik ve kendini beğenmişliğe,

Yumru ve yüksek bir alın sözünün eri ve güvenilir olmaya işarettir.

Alnın saçla nihayetlenen üst kısmı bir M harfini andırıyorsa bu duygusallığın ve sanatçı bir kişiliğin belirtisidir.

Kısaca dar ve basık alın sahibi dar canlı ve günlük olaylar ve eğilimler istikametinde hayatını yönlendiren, çabuk öfkelenen, büyük hayalleri olmayan kimselerdir. Hele böyle bir alın üzerinde bir de karışık ve kırık kırık çizgiler varsa, bunlar ömürlerini anlamsız sıkıntılar içinde heder ederler. Küçük bir alevlenme ile cinayet bile işleyebilirler. Tabii ki göz ve burun yapısının da bunu desteklemesi gerekir.

Ancak alnın darlığı ile birlikte yüz unsurları arasında bir uyum mevcutsa ve alnın görünümü sert ise bu cesaret, metanet ve yiğitlik göstergesi de sayılabilir.

Dar, uyumlu ve kaşlara yakın kısmı kabarık bir alın dindarlığın, ciddiyetin, yürekten bağlılığın, samimiyetin ve tedbirli olmanın işaretidir.

Bir insanın gütmek ve güdülmek için yaratıldığını anlamak için onun alnına ve burnuna bakmak gerekir. Eğer alın yüksek ve parlak, burun da uzun, kemerli ve ucu hafif yuvarlaksa o insan, gütmeye daha elverişlidir denilebilir. Alın dar, burun küçük veya fazla uzun, gözler de fersiz olursa, bu insan da güdülmeye daha uygundur. Zaten bunlarda kendi başına isabetli karar verme melekesi de genellikle gelişmemiş durumdadır. Yalnız şartlandırma ve eğitimin buradaki rolünü de asla unutmamak gerekir.

Parlak, son derece açık, üst tarafa doğru yuvarlak bir şekil alan alınlar -ve hele alnın ortasında dikine doğru yükselen ve alnı ikiye ayırıyormuş intibaını veren bir çizgi veya bir vadi varsa-dehadan haber verir. Bu in-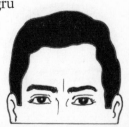

sanlar, tek başına bir rejime kafa tutabilirler. Bunlar, sosyal meselelere, insan haklarına ve hürriyet kavramına karşı son derece hassastırlar. Hürriyet ve insana saygıyı, her şeyden üstün tutarlar. Bu insanlar, insanlığın dava vekilleri gibidirler ve daima onun yücelmesine çalışırlar. Sıradan bir insan olarak kalmış bile olsalar, yine de bu özelliklerini korurlar.

Mutedil bir alın ise akl-ı selim ve hareketlerde denge göstergesidir. Alınlarında, sevindiğinde veya kızdığında bir damar beliren insanlar parapsikolojik güçlere daha çabuk sahip olabilirler ve daha çabuk bu güçlerin tesirinde kalırlar. Medyumluk, telepati, düşünce ile yönlendirme vs gibi...

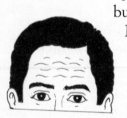

Alnındaki çizgi ve kırışıklıklara gelince...

Bir insanın alnında en az bir en fazla altı çizgi olduğu tespit edilmiştir. Bazen de hiç bulunmaz. En çok 1, 2 ve 3. sıraya rastlanır. Bunların düz ve kırıksız olması, hayatın pürüzsüz geçeceğine; kırık olması da o yıllardaki talihsizliklere işarettir.

Alnı kırış kırış olanlar, kendilerinden başka kimseye güvenmezler. Kuşkulu ve huzursuz olurlar. Eğer kırışıklıklar kalın ve seyrekse ruhi bunalımlardan haber verir.

Kırışıklıklar ince, düzensiz ve dağınıksa bu insanlar tehlikelidir. Hem kendileri hem çevreleri için, tetiği çekilmiş ve ne zaman düşeceği belli olmayan silah gibidirler. Çabuk alevlenir, geç dinerler. Çabuk kandırılırlar. Her türlü olağanüstü hadise ve kuvvete inanmaya hazırdırlar. Çünkü böyle bir güce kendi ihtiyaçları vardır.

Alnı, enine kesen tek ve kırıksız çizgi, şerefli ve entelektüel bir hayatı vaat eder. 3 yatay çizgi ebedî ve artistik yeteneklerin, 2 çizgi beceri ve başarıların simgesidir.

Alnında bir "T" bulunanlar daha genç yaşta üne kavuşurlar. Alnını kırıştırdığında belli belirsiz bir kare, bir üçgen meydana gelenler uzun yaşar, üne kavuşur; ancak o kadar da riskli bir hayatları olur.

Bir de kaşlar üzerinden başlayarak 45 derecelik bir açıyla şakaklara doğru uzanan çizgiler vardır ki bunlar genellikle 45-50 yaşlarından sonra veya biraz daha geç görülür. Bu çizgiler kişinin enerjisinin tükenmeye başladığını, tembellik ve bunamanın yaklaştığını bildirir. Bu çizgiler hayatını dolu ve anlamlı kullanan, çalışkan ve faal kimselerde görülmez. Yaşanan tekdüze hayatı bırakıp vücuda ve beyne uyarıcı jimnastikler uygulayarak bu çizgilerden kurtulmak mümkündür. Fazla uyuyan kimselerde de bu çizgiler görülebilir.

Alın çizgilerindeki kırışıklıklardan hareket ederek insanın başına gelecek felaketleri veya yakalayacağı fırsatları kestirmek mümkündür.

Eğer çizgi tekse alnın sol tarafından başlayarak ve orta kısmı 35-40 yaş kabul ederek bir sonuca varılabilir.

Çizgi iki veya daha fazla ise alnın tam ortasından geçen yatay çizgi, hayatın ikinci yarısı veya orta yaşlar olarak kabul edilebilir. Alttaki çizgi ilk 25, üstteki çizgi son 25, orta çizgi 25-50 yaşları arasını temsil eder. Yüzün bütünü içerisinde ise alın 15-28 yaşlar arasını temsil eder.

Kısacası alın tek başına bir kitap konusu olacak ehemmiyettedir. Ne var ki bizim bu kitapçık sınırı içinde ayırabileceğimiz yer bu kadar.

KAŞ

Koyu, siyah, düzgün kaş iyi ahlaka,

Ucu ince ve aşağı kıvrılan kaş istikrarsızlık, sebatsızlık ve ihanete,

Yumuşak, seyrek kaş hayalperestliğe,

İnce kaş kibir ve gurura,

Ufki kalın ve araları açık kaş zekâ ve cesarete,

Çatık kaş öfke, kıskançlık ve uğursuzluğa,

Yay gibi kaşlar kalp temizliğine,

Gözlere yakın kaşlar dindarlığa işarettir.

Kaş fazla eğri olmayıp gür ve yumuşaksa ve sona doğru tüyler uzayıp yukarı kıvrılıyorsa bu insanlar, yumuşak, merhametli, hoşgörülü ve soğukkanlıdırlar.

Sıfır yaş, kaşların başlangıcıdır, sonu ise ömrün sonu. Dikkatle takip edilirse hayat grafiğinin iniş ve çıkışları tespit edilebilir. Sol kaş, insanın ruhi yapısını, sağ kaş maddi durumunu belirler.

Kaşların ortasından sona doğru eksikliği, o yaşlardan sonra uğranılacak zaaflara işaret sayıldığı gibi kişinin merhametsiz ve diş geçirebildiği kimselere karşı zalim olduğunu da gösterir.

Uçları yukarı kalkık kaşlar, hafifmeşrepliğe, uçarı bir tabiata,

Bazı kıllar ters yöne kıvrılan kaşlar, inatçılığa işarettir.

Kaşları arasında ben bulunan kimseler ben hangi kaşta ise onun ifade ettiği manada başarı elde ederler. Eğer yüzün diğer unsurları güçlü değilse kaşlardaki ben felakete işarettir.

Kaşın kırık olması hainliği,

Yukarı doğru yükselerek bir köşe oluşturması, sağlam ve mücadeleci bir karakteri,

Kaşların başlangıcının bitiminden yüksekte olması haddinden fazla önseziyi ve medyumluk kabiliyetini ifade eder.

Kaşların başlangıcında yukarı çıkan çizgiler insanın meyillerini ve zaaflarını ve dayanma gücünü temsil eder.

Sol kaşın başlangıcındaki sağa eğimli çizgi entelektüel yapıyı,

Sağ kaşın başlangıcındaki sola eğimli çizgi para konusundaki başarıyı,

Kaşlar arasında paralel iki çizgi dengeli bir karakteri,

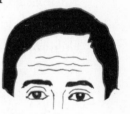

İki kaşın tam ortasında başlayan tek derin çizgi, bağımsızlığa ve hürriyete düşkün, itaat altına alınması zor, büyük bir dirence sahip idealist kişiliği verir. Aynı zamanda kişisel tehlikeleri gösteren bu çizginin olmaması, dünyada rahat yüzü görmek isteyenler için daha iyidir.

Yaşta başarıyı, bu üç çizgi düzensizse dengesiz bir tabiatı, cinayet işleyebilecek, bunalacak bir yapıyı sergiler.

GÖZ

Gözler için söylenecek çok şey var ama bunları özetlemek de mümkün.

Başarı vaat eden bir göz kıvılcımlıdır. Ela olsun, siyah olsun, yeşil veya mavi olsun aslında bu pek bir şey değiştirmez.

Bununla birlikte:

Parlak göz zekânın,

Ela göz yumuşaklık ve merhametin,
Siyah göz cesaret, atılganlık ve yürekliliğin,
Yeşil (gök) göz düzenbazlık ve nifakın,
Mavi göz cin fikirlik ve yumuşaklığın,
Küçük göz faaliyet ve şiddetin,
Büyük göz zarafetin,
Gülen göz hayırseverliğin,
Bebeği gülen göz oynaklığın,
Baygın göz kalp ve yürek hırsızlığının,
Süzgün ve buğulu bakışlı göz aşk ve çapkınlığın,
Yuvarlak göz akıl ve zekâ eksikliğinin,
Patlak göz kıskançlığın ve inadın,
Çukur göz dindarlık ve gururun,
Noktalı göz asabi güç fazlalığının işaretidir.
Kahverengi göz de ela gibidir.

Göz kapaklarına gelince; kemerli göz kapağı büyüklük taslayan bir kişiliğe; üst kapağın mesafeli ve açık olması edepsizlik, arsızlık ve oburluğa; alt kapağın şiş olması da yorgunluk, karşı cinse düşkünlük veya fazla alkol almaya işarettir. Bedenî hazlara fazla düşkün olanlarda her iki göz kapağı da etkilidir. Kısa göz kapağı da cimrilik ve ihtiras alametidir.

Güzel ve muntazam sıralanmış uzun kirpikler temiz ahlaka; sert, karışık ve kısa kirpikler ise dertli, asabi ve hiddetli bir kişiliğe işaret eder.

KULAK

Kulak, kişinin karakterleriyle değil, daha çok kaderiyle ilgilidir. Bu yüzden kulaktan karakter tahlili yapmak insanı yanıltabilir.

Herhangi bir unsurdan hareket edilerek kaderle ilgili bir hükme varılması eksik bir yorumdur. Bu hüküm "kişinin ne olacağı" değil "ne olmayacağı" ile ilgili olabilir. Bu bile eksik kalır. Çünkü idam sehpasından dönenler de vardır. Moral güç; hayat ve faaliyetin ana kaynağıdır.

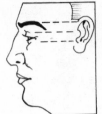

Moral gücünü kaybeden bir hasta en azından daha geç sıhhatine kavuşur. Moral gücü yüksek, işleri yolunda ve son derece itibarlı bir mevkide iken pat diye hayatını kaybeden birçok insan vardır.

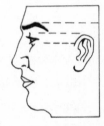

Dolayısıyla kulak daha çok yaşanacak hayatın maddi standardını verebilir, karakteri değil.

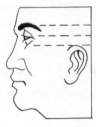

Faraza kulak memesi olmayan veya çok küçük ve solgun bulunan kimseler, genellikle fakr u zaruret içinde yaşarlar.

Kulak memesi üzerinde kerpetenle sıkılmış gibi bir çizgi bulunanlar -ki bu orta yaşlardan sonra kendini gösterir- zenginse malında, tüccarsa ticaretinde, meşhursa ününde kayba uğrar.

Kulağın, kaş ve gözlerle olan nispetleri de önemlidir. Kulağın üst tarafının (kepçe) kaş hizasından yüksek olması kişinin mantığıyla hareket edebilen iradesini gösterir. Bu aynı zamanda büyük bir şöhret ve zenginlik vaat eder.

Kulağın kaş hizasından aşağıda olması orta, göz hizasında olması mütevazı bir hayatı simgeler.

Bütün bunlar; kulağın büyük, muntazam, kıvrımları belirgin ve renginin solgun olmaması şartına bağlıdır.

Genel olarak;

Çok büyük kulak tembellik ve bilgisizliğin,

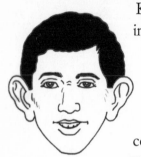

Küçük kulak hırsızlık, duygusallık ve inceliğin,

Muntazam ve kıvrımları düzgün normal kulak zekâ, sağlam muhakeme ve hitabetin,

Kabarık gibi duran kulak, düşüncesizlik ve saflığın,

Büyük, yassı, ince ve kıvrımsız kulak zekâ noksanlığı, cimrilik ve düşüncesizliğin işaretidir.

Kulak kıvrımları yoksa, bunu, anlayış ve zekâ noksanlığına,

Kulağın üst tarafı ince ve kepçe ise muhakeme eksikliğine,

Kulak memesi yoksa veya sarkık bir et gibiyse irade eksikliğine ve zor kazanılır bir hayata işaret sayılır.

İdeal bir kulak büyük, kıvrımları düzgün, memesi etli ve rengi pembe olur. Böyle bir kulak yüzün diğer unsurlarıyla desteklendiğinde rahat ve şöhretli bir hayatı vaat eder.

BURUN

Bir el için başparmak ne ise yüz için de burun odur. Yüzün bütün olarak dengelenişinde büyük rol oynar.

Burun, insanın 41-51 yaşları gibi en önemli yıllarını yansıtır.

İdeal burun, yüzün diğer unsurlarıyla uyum içindeki burundur. Bununla birlikte yüzün unsurları içinde ideal ölçülerden en çok sapma gösteren de burundur.

Burun; beyin, kemik sistemi ve akciğerlerle doğrudan ilgilidir. Beyin geç gelişir, burun da ancak 20 yaşlarından sonra asıl şeklini almaya başlar. Dolayısıyla burundaki bir arıza doğrudan doğruya beyin gücü,

kemik ve ciğerlerle ilgili bir sinyal olarak değer-
lendirilir.

Uzun burun dindar, derunî, muhafazakâr ve
üstün bir zekânın simgesidir.

Kısa burun geniş görüşlü, iyimser, cinsi ahlak
anlayışı serbest, teferruattan nefret eden, duygu-
sal tiplerde bulunur.

Kemerli burun ateşli mizacın, düşüncenin,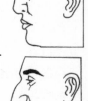
merakın,

Ucu ağıza yakın burun inat ve ısrarın,

Yassı burun şehvet ve karşı cinse düşkün-
lüğün,

Çok yassı burun şiddet ve isyankârlığın,

Gaga burun kötü huy, kötü ahlak, lafazan-
lık, cimrilik ve faaliyetin,

Kırmızı ince burun inatçılığın, budalalığın ve
kabalığın,

Basık burun zekâ eksikliğinin işaretidir.

Gayet etli ve iri burun aç gözlülük, dilenci-
lik ve oburluk belirtisidir.

Burun ucu iri ve kırmızı olursa bu; ayyaşlık,
sefahat ve eğlence düşkünlüğünü gösterir.

Mandal arasına sıkıştırılmış gibi duran burun
titiz, işini bilen, hesaplı kitaplı bir kişiliğe,

Ucu hafif yassı ve yarım dörtgen burun bü-
yük bir zekâ ve icat kabiliyetine,

Bir ucundan diğer ucuna sivri görünen burun
maharet, hilekârlık, ince ve cin fikirliğe,

Burun kemiğindeki kalkıklar dirayet,
otorite, liderlik, zekâ ve vicdana

Burunla alın arasında basıklık olmaması seciyesizlik ve cibilliyetsizliğe (soysuzluğa),

Ucu kalkık burun neşeli, hayatı seven ve her şeyi satıhta gören züppe bir tabiata işarettir.

Kadınlarda bu ihaneti ve ahlaka kayıt tanımamayı simgeler.

Ucu sarkan bir et topu gibi duran burunlar; duygusal, fedakâr, iyi yürekli, sıcakkanlılık işaretidir, ancak bakışların denetimli olması şartıyla…

Kalın burun maceracı, tehlikeleri seven başarılı kimselerde görülür.

Küçük ve kısa burun sahibi hercai ve gayrı ciddidir.

Burun delikleri geniş kimse (kadınsa) doğurgan ve duygulu, (erkekse) yaşamayı sever, fakat hayatı kahırlı geçer.

Burun delikleri dar olanlar ihtirassız ve göğüs hastalıklarına yatkın olurlar.

AĞIZ

Ağız insanın iç dünyasını temsil eder. Rahat açılıp kapanan, uyumlu bir ağız insanın yeteneklerini gösteren iyi bir ölçüdür.

Küçük yüzde büyük ağız (bilhassa kadınlarda) iş hayatında başarıyı simgeler. Genel olarak çok büyük ağız; kötü ahlak, alçak tabiat, oburluk, merhametsizlik ve şefkatsizliğe eğilimi gösterir.

Normal ağız anlayışlı, otoriter, saygılı ve merhametli bir kişiliği sergiler.

Eğri ağız, uğursuzluk ve talihsizliğe,

Çok küçük ağız şanssızlık ve kedere,

Normalde açık görünen bir ağız, zekâ nok-sanlığına ve yeteneksizliğe,

Yarık gibi duran bir ağız ağır ve kaba bir tabiata ve kendine has fikirlerden yoksunluğa işarettir.

Uçları aşağı kıvrık yay gibi ağız, kapris, ben-cillik ve kıskançlığın en belirgin işaretidir. Bu insanlar asla yükselemezler. Yükseldikleri takdirde emirlerinde çalışanların hayatını ce-henneme çevirirler. Bu bir anne ise ölünceye kadar çocuklarını kendisi yönetmek ister.

Uçları yukarı kıvrıksa fedakârlık ve otorite-yi simgeler.

Yüzde bir çizgi gibi duran ince ve kapalı ağız, ketum, karanlık ve kendisinden başkasını düşünmeyen bir tabiatı belirler.

Kalın dudaklı geniş ağız güvenilir bir karakteri,

İnce dudaklı büyük ağız şerefsiz, bayağı bir tabiatı simgeler.

İnce dudaklı küçük ağız çekingen, sorumlu-luklardan kaçan bir mizacı yansıtır.

İdeal ağızda alt dudak üst dudaktan kalın ve dudaklar kırmızı olur. Ağız yuvarlak değil, köşe-lidir ve yüzün diğer unsurlarıyla bilhassa burun ucuyla uyumludur. Bu, dürüstlüğü simgeler.

Sıkı kapanan ince dudaklı ve dudak uçları aşağı kıvrılan ağız sağlam iradenin, alt edilmez bir kişiliğin, inatçı ve dayanıklı bir yapının, mücadeleci, usan-mak bilmeyen, çabuk çabuk etkilenmeyen, yaratıcı ve başarılı bir tabiatın belirtisidir. Ancak yüzde menfi bir işaret varsa, o şahıs bütün bu özelliklerini kötülüğü başarmak için kullanabilir.

Yanak çizgilerinin dudak uçlarına ulaşması ve orada bitmesi hiç iyiye yorulmaz.

Üst dudak alt dudağa göre daha açıksa kendini beğenmiş, fakat gerçekte kararsız, kuşkulu, bir karakteri yansıtır. Bu durum kadınlarda kendini ispat

dürtüsü yarattığı için iyi değildir. Bu kişilerin doymak bilmez cinsi düşkünlükleri olduğu için, öyle bir kadın eğer güçlü bir terbiye almamışsa ya çok evlilik yapar veya kötü yola düşer. Ama ahlak, terbiye ve

bilhassa iman ve Allah korkusu, tabiatta bulunan menfilikleri bastıran, onların ortaya çıkmasına engel olan güçlerdir. Dindar ve iffetli bir insanı, çok daha zor kötü yollara düşürebilir.

Alt dudağın çıkık olması hâlinde dengeli, sorumluluklarını bilen ve mutlu evlilik yapan tipleri sergiler.

Dudakların birleşmesiyle meydana gelen çizgi aşağı kıvrılıyorsa bencillik, yukarı kıvrılıyorsa fedakârlık ve beceriklilik, kadınlarda aşırı duygusallık işaretidir. Ters hilâl denen bu ağız yapısına

sahip kadınlarla evlenenler gerçek mutluluğu tadarlar.

Dudaklar aşağıya bakan bir hilâli andırıyorsa, fırtınalı, kavgalı ve sonu belki de ayrılık olan beraberlikleri ihtar eder.

Buruşmuş ve sönmüş balon gibi duran ağızlar başarısızlık ve tatminsizlik işaretidir. Bu kişiler bir öfke anında katil olabilirler.

Ağzın bir kenarı yukarı, diğeri aşağıya kalkıksa bu da tehlike işaretidir. Öfkeli, sinirli, hararetli olurlar.

Yüze mahzun bir ifade veren ağızlar, sahibini yalnız bir hayata mahkûm eder. İyilik yaptıkları herkesten kötülük görürler. Hayatları ağlamak ve gizli acılarla geçer.

Dudakları kalınlık bakımından birbirine denk ve ağzın geniş olması korkaklığın işaretidir.

Alt dudağın aşırı derece kalın ve sarkık olması hayvansı kaba bir tabiatın ve aşka meftun bir yapının işaretidir.

Alt dudakta bir çatlağın bulunması, yumuşak, fedakâr ve merhametli bir yapıyı gösterir.

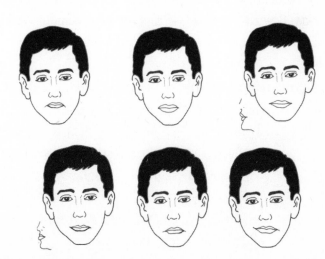

DİŞ

İdeal diş orta büyüklükte, düzgün ve seyrek dişlerdir.

Sık dişler kararsızlığı,

Düzensiz üst üste binmiş dişler merhametsiz, inat ve şüpheci bir kişiliği simgeler.

Büyük diş kabalık, oburluk ve inadın,

Küçük diş acımasızlığın,

Üst dudağı geçen dişler dedikoduculuk ve her işe burnunu sokmanın,

Alt dudağı geçen dişler cimrilik, kabalık ve hilekârlığın işaretidir.

Seyrek dişler şanslılığın,

Kökleri seyrek ve uçları bitişik dişler cinsi soğukluğun, soğuk ve girişken olmayan bir kişiliğin belirtisidir.

Ön üst iki dişinin arası açık olanlar fevkalade şanslı kimselerdir. Rahat bir hayatları olur.

ÇENE

Çene kendi başına bir şey ifade etmemekle birlikte yüzdeki ifadelerin "sağlaması"nı yapan bir özelliğe sahiptir. Yüzün çok güçlü özelliklerini büyük bir sapma ile yok edebilir.

Sivri çene hafif meşreplik,

Geniş ve kalın çene inat, azim ve iradenin göstergesi sayılır.

İleri çıkık çene israfçı, hayalperest, vurdumduymaz, gündelik planlar yapan maceracı bir kişiliği,

İçe doğru çekik çene hayatı kritik bir şekilde takip eden, kendi işlerini iç âleminde planlayan çekingen, dirayetsiz, başkalarıyla kaynaşmak ve ilişkilere girmekten çekinen bir tabiatı simgeler.

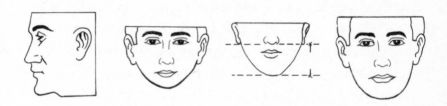

BOYUN

Uzun ve hareketli boyun doymak bilmeyen bir tabiatın; zayıf ve dik boyun iftiracı bir kişiliğin; zayıf, sert ve damarları çıkmış boyun, tenkitçi, ayrılıkçı, daima itiraz eden, her şeyi kötü tarafından gören bir mizacın alametidir.

Uzun ve zayıf boyun, kendini beğenmişlerde; yağlı ve şişman boyun, şehvet düşkünü muhterislerde; kısa ve geniş boyun hayvani dürtüleri baskın, kaba ve güçlü kimselerde bulunur.

Sağa ve sola meyyal boyun, delilik istidadını ve yalancılığı gösterir. Hem öne hem yana eğimli boyun ihanetin belirtisidir.

Zayıf ve kısa boyun sebat, ihtiyat ve sır saklamanın; uzun boyun ahmaklığın; kısa ve küt boyun hilekârlık, merhametsizlik, bozgunculuk ve fitneciliğin; mutedil boyun akl-ı selimin, hayırseverliğin ve fedakârlığın; kalın boyun oburluk ve ahmaklığın; çok uzun ve kolayca dönebilen boyun mülayimliğin ve kolay idare edilebilmenin belirtisidir.

Kırmızı, hafif kabarık yuvarlak boyun, şehvet düşkünlüğüne; dik boyun gurura; içeri kaçık boyun korkaklığa; ince gerdan çabucak vazgeçebilen, pişman bir tabiata işaret sayılır.

BENLER

Benler yüzün sağında ve solunda olmak bakımından anlamlar ifade ederler. Genel olarak sağdakiler maddi, soldakiler manevi başarı veya başarısızlıktır. Buna göre anlam verilmelidir.

Alında ben sağda ise kuvvetli bir zekâ ve kavrayışa işarettir. Diplomatlarda bu tip benlere sıkça rastlanır. Bu ben, saçlara yakınsa aşk oyunlarıyla vakit geçirmeye; genel olarak alnın sağındaki ben, uzun ve sıhhatli bir ömre işarettir. Ben alnın solunda ise ve dengeli bir kişiliği sergiler.

İki kaş arasında ve sağda olan ben, aşkı seven, ticaretten anlayan, hoş sohbet, geleceği parlak, iyi bir evliliğe aday, çok seyahat edecek bir kişiliğin müjdecisidir. Ben sağ kaşın tam ortasında ise şanstan ve şen bir tabiattan haber verir. Ben solda ise, derin sezgileri olan, duygulu fakat mantığıyla hareket eden bir tabiatı verir. Sol kaş üzerindeki ben, derin sezgi gücünü ve mutlu aile hayatını gösterir.

Ebeveyne düşkünlük işaretidir.

Şakaklardaki ben kararsızlığın, dudaklardaki ben şehvetin, burun üzerindeki ben (bilhassa uca yakınsa) parlak aşkların, şehvet düşkünlüğünün işareti sayılır.

Göz kapaklarındaki ben hassas ve cana yakınlığını; çene üzerindeki ben, aşkta ve şehvette sınır tanımamanın; çene ile gırtlak arasındaki ben nev-i şahsına münhasır bir kişiliğin, havai, hercai ve maymun iştahlılığın belirtisidir.

Gözaltında ben, cömertlik, dostluk ve cana yakınlığın; kulak üzerinde ben, başına buyruk bir mizacın belirtisidir. Sağ kulağın üst köşesindeki ben, alaycı, iğneleyici, her teşebbüs ettiği işte başarıyı ve herkesin kalkışmadığı işlere kalkışmayı seven bir karakteri yansıtır.

Dudak kenarında ben, iyi yemek, iyi ve lüks yaşamak, rahata ve konfora düşkün olmak gibi özellikleri sergiler. Ben dudağın sağında ise sosyal ve ekonomik bakımdan başarı, ben dudağın solunda ise aşk, macera, berduş bir hayat sevgisini, başarısız ve hayal kırıklıklarıyla geçecek bir ömrü gösterir.

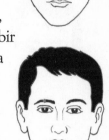

Sağ yanakta ben zeki, âdil, her an yeni şeyler düşünebilen kıvrak bir zekâ, geniş ve yaratıcı bir muhayyileye sahip bir yapının işaretidir. Bu tipler düşündüklerini yapar, istediklerini koparırlar. Muhteris, ticarette başarılı, fakat elleri sıkı olur.

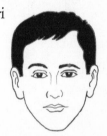

Ben sol yanakta ise ateşli, ihtiraslı, idealler için savaşacak hissî, eli açık bir tabiatı gösterir. Bunlar, göründüklerinden daha hassastırlar. Bütün insanların yükünü omuzlamaya hazırdırlar. Ancak evlilikte zor mutlu olurlar. Himmetleri başkaları olduğu için kendilerine vakit ayıramazlar. Acıları büyük de olsa onu kendi içlerine gömerler.

Göğüs üzerindeki ben, ilimde, sanatta, aşkta ve edebiyatta başarının hemen hemen en açık belirtisidir. Değişik bir şöhreti ve şehveti ifade eder. Bunlar, genel kurallara uymazlar.

Yalnızlık ve macera bunlarda bir tutkudur. Çok kazandıkları hâlde daima parasızdırlar. Bunlar için başarmak çok kolaydır. Bu yüzden de başarılarıyla fazla ilgilenmezler.

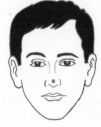

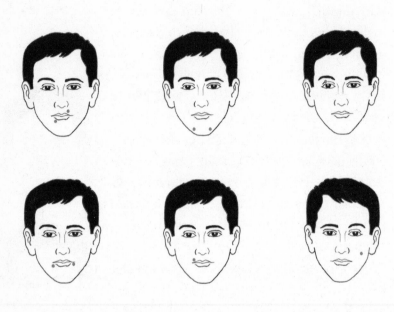

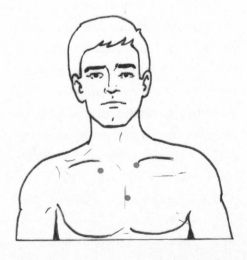

MİZAÇLAR (TİPLER)

İnsanlar mizaç itibariyle de hayli farklılıklar gösterirler. Her ne kadar belli başlı bazı tipler veya mizaçları tarif edebiliyorsak da aslında her insan, nev-i şahsına münhasır tek nüshadır. Batıda bilhassa psikiyatrik çalışmalar neticesinde ortaya çıkarılmış belli başlı tipleri dört grupta toplayabiliriz. Bunlar astenik, atletik, piknik ve displastik tiplerdir.

Displastik tipler karma tiplerdir. Yani atletik, astenik ve piknik tiplerin karmasından meydana gelir. Bu üç ana tipin karşılıklı etkileşmesi sonucu öyle tipler meydana gelir ki bazen, bir tip dünyada tek kalır. İşte, ister büyük gruplar hâlinde olsun, ister tek bir örnekten ibaret kalsın, bütün karma tiplere displastik tipler denilmiştir. İnsanların dörtte üçü displaktik tiptir.

Bu çalışmaların ilk üstadı, aynı zamanda fizyonominin de temellerini atan İsviçreli Lavatera (Öl. 1800)'dır. Lavatera'nın çalışmalarından da yararlanarak psikiyatrik malzeme olarak ilk defa beden yapılarını inceleyip konstitüsyonları (tipleri) tespit eden şahıs ise, Alman beden yapısı bilimcisi ve aynı zamanda psikiyatrist olan Julius Bauer'dir. Bauer'in çalışmaları her ne kadar çocuk psikolojisi ve gelişmesi etrafında teşekkül etmişse de bu çalışmalar, daha sonra beden yapısı ve karakter konulu çalışmaların temelini oluşturmuştur.

Özellikle Alman psikolog ve beden yapısı ve karakter tahlilcisi Dr. Ernst Kretcshmer'in, tipleri klinik seviyede inceleyip belirli formüllere bağlamasından sonra, beden yapısı ve karakter, müsbet ilimler içinde yer almaya başlamıştır. Kretschmer binlerce hastası üzerine yaptığı araştırmalarda, oldukça yaygın olan tipleri, belli başlı birkaç isim altında toplamayı başarmıştır.

Kretschmer, Fransızların Cerebral (dimağı), Respiratoir (teneffüsi), Musculaire (adali), Digestif (hazmî), Exudativ (lenfevî-ifrazî) diye adlandırdığı tipleri yukarıda sayılan dört ana grupta toplamış, her tipin beden ve kafatası biçim ve yapısını klinik metotlarla belirlemiştir. Hatta her tipin boy, pos ve beden ölçülerinin ortalamalarını bile tespit etmiştir.

Daha sonra yapılan çalışmalarda V. Rohden, 1926 yılına kadar 23 müellif tarafından muayene edilmiş olan 3262 şizofren ile 981 mani depresifin beden yapısı ölçülerini alarak tiplerin, ne dereceye kadar şizofreni ve mani depresife yatkın olduklarını incelemiştir. Buna göre mani defresiflerin yüzde 66,7'si, şizofrenlerin de yüzde 12,8'i, piknik ve piknik ağırlıklı karışık tipten; mani depresiflerin yüzde 23,6'sı, şizofrenlerin yüzde 66'sı atletik tipten; mani depresiflerin yüzde 0,4'ü, şizofrenlerin de yüzde 11,3'ü displastik tiptendi. Şizofren özelliklerin en çok görüldüğü tip ise astenik tip, yüzde 81 oranındadır.

Klinik seviyede yapılan bu çalışmalardan sonra Kretschmer'in ulaştığı sonuç şudur: "Hastanın beden yapısında psikiyatri uzmanını ilgilendirmeyecek artık hiçbir şey kalmamıştır."

Evet, bu çalışmalar uzar gider. Burada psikiyatrik tahlillere girişmeyeceğiz. Üstelik bu konudaki teknik bilgilerimiz de yok gibidir. Biz daha çok beden yapısındaki özelliklerin, genel olarak karaktere yansıması üzerinde duracağız. Yeni mizaçları ele alacak, hangi mizaçlarda (tiplerde) hangi davranışların görülebileceği hususunu dile getireceğiz.

Doğu literatüründe, Batıdaki üç ana tipe karşılık dört mizaç (tip) vardır. Bunlar demevî mizaç (çok atletik, az astenik tip), safravî mizaç (atletik ve piknik tipin karışığı piknik ağırlıklı), lenfevî mizaç (piknik tip), sevdavî mizaç (astenik ve piknik tip). Bunlardan başka üç tane de karışık mizaç vardır ki Batıda bunlara diplastik tipler denilmiştir. Bu üç karışık mizaca demevî-safravî, asabî-demevî, asabî-lenfevî mizaçlar denir.

Biz mizaçları Doğu anlayışına göre ele alacağız.

DEMEVÎ MİZAÇ

Demevî mizaçlılar bedenen güçlü tiplerdir. Vücutları dosdoğru, sert ve sağlamdır. Akılları normal gelişir. Omuzları geniştir. Başları küçük, simaları yuvarlak, ciltleri parlak, beyaz ve tazedir. Saçları kumral veya kestane rengindedir.

Demevî mizaçlı bir adam, genellikle şen, hazlara düşkün ve sosyaldir. Toplumla iç içe yaşamayı severler. Çabucak dost olurlar. Çok çabuk terlerler. Güçlü bir sindirim sistemleri vardır. Rahat bir şekilde terleyebildikleri için kan dolaşımları düzgündür ve hep dinç görülürler.

Maceralı bir hayata eğilimlidirler. Bol rüya görürler. Hercai olmakla birlikte, samimi ve temiz yüreklidirler. Sır saklayamazlar. Bazen kendilerini beğenir ve gururlanırlar. Seyahat ve eğlencenin her türlüsünü severler. Bilhassa kadınlarla sohbet etmeye düşkündürler. Ancak aşkları geçicidir. Kelebek gibidirler. Sevgide nankördürler. Ciddi bir kıskançlıkları da görülmez. Kuvvet ve şiddet kullanmaya meyillidirler.

Demevî mizaçlılara herhangi bir şeyi unutturmak için iki üç gün kâfidir. Her zaman etraflarında dost görmek isterler. Ama kendileri her zaman dostlarını arayıp sormazlar. Yalnız güvenilebilir dostturlar.

Demevî mizaçlı bir kadın şekli bakımından alımlı, cildi parlak, etli, mizaç itibariyle hafif, sevimli ve evlilik hayatına elverişlidir. İri vücutları içerisinde hassas bir kalp taşırlar. Genellikle tombul, şen, şakraktırlar. Güzel şarkı söylerler ve musikiye yatkındırlar. Bu mizaçta olan kadınlarda iç iltihaplar, sıtma vb, kan kaybı, nüzul, felç ve kalp büyümesi gibi hastalıklar görülebilir. Bunlar sık sık terlemek zorundadırlar. Ancak işleri hafif olmalı ve heyecan verici hâllerden sakınmalıdırlar.

Demevî mizaçlıların sinir sistemleri çok hassastır. Gözleri, elleri, ayakları, ağızları mütemadiyen oynar. Yarım saat bir yerde sükût ve sükûnetle duramazlar. Yürüdükleri zaman âdeta zıplar, sıçrar ve koşarak yürürler. Sık sık ve içten gelen bir kahkaha ile gülerler. Öyle ki vücutlarının bütün uzuvları bu kahkahalarına katılır. Ne var ki bunlar güldükleri kadar da sık ve içten ağlarlar. Ancak ağlarken bile akıllarına komik bir şey geldi mi gülmeye başlarlar.

Demevî mizaçlılar oldukça iyi gözlemcidirler. Kulakları iyi işitir. Ne var ki dışarıdan aldıkları intibaları yüzeyseldir. Genellikle eşyanın, olayların ve insanların komik tarafına bakarlar. Muhayyileleri daima canlıdır. Konuşurken süratle mevzu değiştirirler. Oldukça garip çağrışımları vardır. Bir mesele üzerinde konuşurken birdenbire başka bir mevzuya geçerler. Açık kalplidirler, ağızlarına geleni söylerler. Dillerini tutamazlar.

Demevîler bilgi toplamaya, öğrenmeye çok heveslidirler. Kendilerine lazım olmayanı da öğrenirler. Ancak istikrarsız ve sebatsız oldukları için bir konuyu derinlemesine araştıramazlar. Her işe heyecanla başlar, sonunda gevşerler. Problem çözmek, yazı yazmak hoşlarına gitmez. Sanatla da sadece izleyici olarak ilgilenirler. İyi ve güzel takdir etmesini bilirler. Ama bunu tutku hâline getirmezler.

Demevî mizaçlılar nazik ve zariftirler. Her konuda kendilerini eğlendirecek bir şey bulurlar. Herkese karşı itimat ve güvenleri vardır. Sevgileri olmasa bile arkadaşlıkları iyidir. Bencil değildirler. Yardım etmesini severler.

SAFRAVÎ MİZAÇLAR

Safravî mizaçlıların ciltleri sarımtırak, saçları siyah ve sert, gözleri ela veya siyah olur. Vücutlarının etleri ve kemikleri kuvvetlidir. Kadınlarının ciltleri esmer, gözleri siyah veya koyu ve bakışları canlıdır. Sağlam ve iri yapılıdırlar. Adaleleri kuvvetli, kemikleri iri, göğüsleri ve alınları geniş, saçları koyu ve gür, burunları iri ve geniştir. Bunlar dayanıklı, sebatlı ve dirençlidirler. İşi severler. İhtiraslıdırlar. Sevdikleri için her fedakârlığı göze alırlar. Kıskanç ve intikamcıdırlar. Çabuk hiddetlenirler. Gururlarına düşkün, cesur ve inatçıdırlar. Büyük bir üstünlük duygusuna sahiptirler. Bu mizaçta olanları küçük şeyler alakadar etmez ama önemli iş veya kararlarla karşı karşıya kaldıkları zaman da heyecanlanırlar. Sert mizaçlı ve ateşlidirler.

Safravî mizaçlı bir erkek bir gün evvel bey, safravî kız da bir gün evvel hanım olmak ister. Kendilerine siz diye hitap edilmesinden büyük gurur duyarlar. Yürüdükleri veya konuştukları zaman "en büyük benim" havası içine girerler.

Safravî mizaçlı bir çocuk, ilk fırsatta büyükleri taklit yoluna girer. Safravî kız çocuğu ise daha 10-11 yaşında tam bir genç kız gibi davranır. Oyun esnasında safravî çocuk derhal kendisini gösterir. Her işte baş olmak ister. Oyunun kaidelerini kendisi koymak ister. Eğer kendisi istediği rolde değilse oyunu rahatlıkla bozar.

Safravî mizaçlı insanlarla dost olmak onlara itaat etmekle mümkündür. Engellerden yılmazlar. İş zorlaştıkça cesaretleri artar.

Safravî mizaçlı bir kızın en çok heves ettiği şey erkek gibi davranmaktır. Ateşli feminist olurlar. Avcılık, binicilik, askerlik gibi mesleklerde rahatlıkla sivrilirler. Aşırı ihtiraslı olmalarından dolayı cesaretleri çoğu kere başlarını derde sokar.

Safravî mizaçlılar, arkadaşlarına karşı saygılı olmazlar. Hayvanlara karşı zalimdirler. Sıklıkla kaba kuvvet kullanırlar. Kabadayı tabiatlıdırlar. Amirlerine karşı gelirler. Kendileri iş başında değilse ortalığı karıştırmaktan geri durmazlar. Öyle ki bazen çevrelerinde baş belası kesilirler. Anne babasına bile arzularını zorla kabul ettirirler. İstekleri kabul edilmediği takdirde kendilerini yerden yere vurup intihara bile kalkışırlar. Kusurlarını rahatlıkla itiraf ederler, fakat asla özür dilemeye kalkışmazlar. Bağımsız yaşamak en büyük arzularıdır. Kendileri ile denk insanlarla bir arada bulunmayı sevmezler.

Bunlar uygun çevrelerde iyi eğitim aldıkları zaman sosyal ve toplumsal birçok olaya öncülük yaparlar. İnsanlık, iyi eğitim görmüş safravîlerden çok yarar görmüştür. Ancak terbiyeleri ihmal edildiği ve kötü bir çevrede yetiştikleri zaman ihtilalci, baş belası insanlar olup çıkarlar. Safravî bir kadın, kötü yola düştüğü zaman en hayâsız, en küstah ve şirret olur.

Beş duyuları yetersizdir, iyi gözlemci değildirler. Fakat gördüğü ve işittiği şeyler onlarda derin izler bırakır. Öğrendikleri ve gördükleri şeyleri çabuk unutmazlar. Hayal güçleri canlı ve akıcı değildir. İyi eğitim gördükleri zaman daha genç yaşta büyük bir olgunluk kazanırlar. Çabuk ve kolay karar verirler. Sağlık bakımından karaciğerler ve sindirim sistemi ile ilgili hastalıklar ve basur görülebilir. Yeme içmelerine dikkat etmeleri gerekir. Bilhassa içki ve sigaraya son derece dayanıksız bir bünyeleri vardır. Keyif verici maddeler bunlarda çok tahrip yapar. Kabız olmamaya çok dikkat etmelidirler.

LENFEVÎ MİZAÇLAR

Lenfevî mizaçlıların saçları ince, kumral, sarı veya kızıldır. Gözleri mavi veya açık renklidir. Ciltleri beyaz ve ince, etleri yumuşaktır. Burunları, kulakları ve dudakları büyüktür. Yanakları kırmızı ve dişleri genellikle bozuktur. El ve ayakları iridir. Bakışları kıvılcımsıdır. Öyle ki ruhsuzlarmış gibi bakarlar. Ağır yürürler. Hareketleri yavaştır. Konuşmaları ve yemekleri yiyişleri de ağır ve yavaştır.

Lenfevî mizaçlı kimseler serinkanlı olurlar. Ruhi durumları çabuk çabuk değişmez. Etrafında olup bitenlere karşı da lakayttırlar. Çabucak hiddetlenip öfkelenmezler. Teşebbüs kabiliyetleri de azdır.

Lenfevîlerin ana düşüncesi sükûnettir. Oyun ve eğlenceye düşkün değillerdir. İstirahatlarını temin ettikten sonra fazla bir şeyle meşgul olmayı sevmezler. Hiç aceleleri yoktur. Her iş ve her şey için kâfi zamanları vardır. Fevkalade dağınıktırlar.

Bunlar giyimlerine de fazla özen göstermezler. Örtünmek için giyinirler sadece.

İtirazcı değil teslimiyetçidirler. En ağır suçlamalarda bile serinkanlı davranır, kendilerini savunma ihtiyacı duymazlar. Şikâyete konu olacak hususlardan şiddetle kaçınırlar. Sulh ve barış içinde insanca yaşamayı her şeye tercih ederler. Lenfevî mizaçlı bir çocuk genellikle arkadaşlarından sürekli dayak yer ama bunu ne ebeveynlerine aktarır ne de buna karşılık vermek ister. Hatta eline fırsat geçse bile onları bağışlar.

Lenfevî mizaçlı bir çocuğu arkadaşları sevmez. O da arkadaşlarını aramaz. Fakat onlardan da kaçmaz. Lenfevî bir insanı arkadaşları candan sevmezler, ondan nefret de etmezler.

Oyun ve eğlenceye de düşkün değillerdir. Bununla birlikte hiç oynamazlar da demek mümkün değildir. Özellikle yorucu ve riskli oyunlara katılmaktansa bir gölgeliğe çekilip oyunu seyretmek daha caziptir onlar için.

Bunların arzuları sınırlıdır. Hayattan fazla bir şey beklemezler. Yaz ve kış iyi yiyecek, kâfi derecede uyku, yazın serin, kışın sıcak bir ortam onlar için her şeydir. Lenfevîler boğazına düşkündürler. İyi ve çok yemeyi severler. Yemeği yavaş yavaş ve sindirerek yerler. Cimridirler

Lenfevî mizaçlı bir insan etrafına karşı lakayttır. Bazen baktığı hâlde görmez. Dışarıdan gelen uyarıcılara karşı tepkisi azdır. Gözlemci değildir. Muhafazakâr bir yapıya sahiptirler. Yenilikten az etkilenirler.

Lenfevî kadınlar tatlı ve iyi birer eş olurlar. Gerçekten annedirler. Şefkatli, yumuşak ve itaatkârdırlar. Kocalarının işlerine burunlarını sokmazlar. Cinsi hayatları fazla canlı değildir.

Fıtraten yorgundurlar. Maddi, manevi ciddi ve sorumluluk isteyen işlerden kaçınırlar. Şiddetli arzu ve ihtiraslardan uzak dururlar.

Lenfevîlerde en çok görülen hastalıklar, cilt hastalıklarıdır. Bunun dışında göz hastalıkları, nezle, iç ve orta kulak rahatsızlıkları, ishal, boğaz ağrıları, müzmin bronşit gibi hastalıklar da sıklıkla görülebilir. Bulaşıcı hastalıklara (özellikle verem) karşı dayanıksızdırlar. En küçük bir hastalık bunları yataklara düşürebilir. Lenfevîlerde sık görülen en tehlikeli hastalık ise sıraca denilen türde çıban vs gibi iltihaplı deri hastalıklarıdır.

SEVDAVÎ MİZAÇLILAR (Astenik Tip)

Sevdavî mizaçlılar ince, zayıf ve kurudurlar. Dışarıdan bakıldığında derileri buruşmuş gibi görülür. Kolları uzun, vücutları dar, parmakları ince ve uzundur. Kısa boylu olsalar bile uzun görünürler. Yüzleri sempatik ve üçgendir. Alınları yüksek ve geniş, çeneleri dardır. Hassas ve nazik oldukları daha ilk bakışta kendini belli eder. Bakışları ürkektir. Saçları kumral veya açık olabilir. Başları genellikle küçüktür. Burunları da uzun ve ince...

Batıda yapılan araştırmalarda bu mizaçtakilerin yüzde 80'inde şizofren ve mani depresif belirtilerine rastlanmıştır. Hep şüphe içindedirler. En yakın arkadaşlarına bile güvenmezler. Korkak ve çekingendirler. Daima üzgün ve kederlidirler.

Sevdavî mizaçlılar, kimsenin kendilerini samimiyetle sevebileceğine inanmazlar. Yalnızlık ve hüzün verecek düşüncelerden zevk alırlar. Dünyayı bir matem yeri gibi görürler. Sürekli metafizik kaygı içindedirler. Kendilerini hep mağdur hissederler. En azından kendilerini böyle hissedecek bir meşgale bulurlar.

Sevdavî mizaçlı alıngan ve kıskançtır. Paylaşmayı sevmezler. Şakaya tahammülleri yoktur. Çabuk kızarlar, içinde fırtınalar kopsa bile dışa vurmazlar. Nadiren öfkelenir, ama bunu yatıştırmak artık mümkün olmaz. Şayet bu öfke ebeveyne karşı ise muhakkak ki evi terk ederler. Ancak onların bu gidişten gerçekten üzüldüklerine kanaat getirirse dönebilirler.

Nefret ve sevgileri derindir. Öyle ki sevdiklerini taparcasına sever, nefret ettiğinde de öldürecek kadar nefret eder.

İştahsızdırlar. Yemek yememek için bahane ararlar. Hele incinip küserlerse günlerce yemek yemeyebilirler.

Düşünceleri derin ve rahattır. Bir şeyi kafaya taktılar mı onu en ince teferruatına kadar incelemek isterler. Aynı mesele ile günlerce meşgul olabilirler. Muhayyileye zevk veren şeyler yerine derin ve soyut düşünce üzerine düşünmeyi tercih ederler. Bunlarda şayet beyinde mantıklı düşünmeye mani bir durum yoksa musiki, edebiyat, matematik ve felsefede büyük başarılar elde ederler. Dâhiler de daha çok bu tipten çıkar.

Sevdavîlerin his ve idrakleri, algılamaları, kavramaları, nüfuz etmeleri yavaş yavaş oluşur. Bir kere bir meseleyi kavradılar mı ruhlarında derin iz bırakır ve çabuk çabuk unutmazlar. Eşyayı iyi kavrarlar. Gözleri az şey görür ama iyi görür. Bir meseleyi enine boyuna inceler ve kendilerine ait kanaatlere ulaşırlar. Müthiş bir analiz kabiliyetine sahiptirler.

KARIŞIK MİZAÇLAR (Displastik Tipler)

Asabi mizaç: Asabi mizaç sevdavî mizacın ifratından meydana gelir. Şizofreni konusunu oluşturan gerçek astenik tipler bunlardır. Yani sinir hastasıdırlar. Bunların siması oldukça kurudur. Zayıf, mahzun ve solgun görünürler. Belleri ince kolları uzun, hafif öne doğru eğilmiş gibi dururlar. Baktıkları zaman, başını çevirip bakmazlar gözle takip ederler. Alınları dardır. Gözleri parıltılıdır.

Malihülya (Melankolik) mizaç: Bunlar da asabi mizacın bir çeşididir. Vücut yapılan evvelkine benzer. Karanlık bakışları, endişeli tavırları ve mahzun bakışlarıyla son derece çekici ve esrarengiz görünürler. Bunlar da ruh hastasıdır. Son derece normal görünseler de her an büyük tehlikelere sebep olacak bir iç yapıları vardır. Kadınlara karşı özel bir ihtirasları ve hınçları vardır. Bunların genellikle çehreleri solgun, alınları açık, gözleri parıltılı ve üst dudakları alt dudağa taşar. Kadınları etkilemesini çok iyi bilirler. Sapıkların yüzde 80'i bu tipten çıkar.

Genellikle uzun boyludurlar. Yüzleri ince ve kurudur. Başları yüksektir. Ağır ağır nefes alırlar. Hareketleri ve konuşmaları sakindir. Kolay kolay heyecanlanmazlar. Gelecek açısından büyük endişe içindedirler. Hiçbir kadının kendilerini beğendiğine inanmazlar. Kurnaz ve zekidirler.

Şayet iyi bir eğitim alır ve iyi bir çevrede yetişirlerse çok yararlı birer insan olur, büyük yararlılıklar gösterirler. Bunların eğitimi asla ihmal edilmemelidir.

Uyarı

İnsanların çoğunluğu karışık mizaçlıdırlar. Bu bizim ele aldıklarımız orijinal tiplerdir. Bunlara, bu orijinallikle binde bir rastlanır. Ancak bütün mizaçların esasını bu mizaçlar teşkil ettiği için onları teferruatlı inceledik.

Hâlbuki insanların çoğunluğu en az iki mizacın özelliklerini birlikte sergiler. Her mizacın anlatıldığı bölümün başında vücut yapılarıyla ilgili ölçüler de vermeye çalıştık. Bunlara bakarak insan hangi mizaca girdiğini kestirebilir ve buna göre bir değerlendirme yapabilir.

YERLEŞTİRME SİSTEMİ

Çin fizyonomi sistemi, yüzün yerleştirilişiyle ilgili özelliklerin belli yaşları ve belli karakter özellikleriyle kişinin alın yazısını belirleyen orantılarında oluşur. Bir fizyonomist, yüzün yerleştirilişine bakarak kişinin belli bir yaşında ya da hayatının belli bir döneminde karşılaşacağı belli bir olayı kolaylıkla belirleyebilir. Diyelim, karşınızdaki kişi otuz yedi yaşındadır, fizyonomistin buna yönelik olarak yüzün 37 numaralı noktası olan sol göz bebeğini öncelikle incelemesi gerekir.(*) (Bu bölüm Bill Harris'in Yüzün Anlamı eserinden yararlanılarak yazılmıştır.)

Fizyonomi sisteminin uygulanması için yukarıda verilen çizimden yararlanılabilir. Yüzün bazı yerleştiriliş özelliklerini tanımlayabilmek elbette uzun bir süreniz olacaktır. Ancak, birkaç asıl özelliğin tespiti de bazen yeterli olabilir. Mesela, kişinin yirmiyle yetmiş yaşları arasındaki yaşını tespit etmek için alnın en üst kısmından başlayarak yüzü dikine iki eşit parçaya bölen bir çizgi farz edip bu çizgi üzerindeki noktaları tespit etmek çoğu kere yeterli gelir.

Yüzün asıl önemli olan orta bölümü, şekilde noktalarla belirlenmiştir. Yüzün iki yanından çeneye doğru uzanan bu bölümün dışında kalan bölümler sağ ve sol profili oluşturur.

Fizyonomi, bir bilimden çok bir sanat sayılır. Sözgelişi bir fizyonomist, kişinin 48 numaralı yüz özelliğinin 47 numaradan geliştirildiğini ve 49 numaralı noktanın durumuna göre bir sonuca varabileceğini kestirebilmelidir. Bu incelemelerin doğruluğu fizyonomistin ustalığı kadar, yüz üzerinde bu tür bağlantıların kurulabilmesine de bağlıdır.

Şimdi fizyonomi sistemini ilk kez öğrenmeye başlayan birinin adım adım öğrenmesi gereken noktalara temas edelim. Her şeyden önce şekildeki asıl noktaları iyi tanımak ve tespit etmek gerekir. Bu önemli noktalar yüzün orta bölümüne doğru yayılan on üç noktada toplanabilir. (16. 19. 22. 25. 28. 41. 44. 45. 48. 51. 60. 70. 71.) Çin fizyonomi sisteminde bu on üç asıl nokta, yüzü iki eşit parçaya bölen özel noktalardır. Eğer bu hayali çizgi üzerindeki yüz özellikleri dengeli ve orantılıysa kişinin iyi bir hayat süreceğine işarettir. Bu çizgi içinde belli bir orantı ve denge kurulmamışsa veya yer yer sapmalar gözüküyorsa yukarıdaki yorumun büsbütün tersi düşünülebilir. Bu durumda, yüzün "özel" noktalarını kapsayan bu hayali çizginin ilk bakışta bize karşımızdaki şahıs hakkında aşağı yukarı bir fikir vereceği ve sağlam bir başlangıç sağlayacağı muhakkaktır.

Ancak yüzün kaş, göz, burun, ağız ve kulaklardan oluşan asıl özelliklerinin bu hayali çizgiye oranla, özellikle karakter tanımlamasında daha önemli rolü olduğunu unutmamak gerekir. Şimdi bu çizgiyi oluşturan belli noktaların açıklamasına geçelim:

No. 16: Daha çok kişinin aile ilişkilerini, özellikle babaya ait yönlerini yansıtır. Bu noktanın lekeli ya da herhangi bir biçimde kusurlu olması problemli bir çocukluk dönemi veya şefkatten mahrum aile ilişkilerini dile getirir. Bu noktadaki derin bir çizgi, özellikle 28 numaralı noktaya kadar uzanan bir çizgi, yakın bir felaketi gösterir. Bu noktada cildin renk değişikliği de şanssızlık ve başarısızlık olarak yorumlanabilir.

No. 19: Kişinin anne tarafından kazandığı özelliklerini yansıtır. Bu noktada cildin pürüzsüz ve parlak oluşu, kişinin yüksek mevkilere birilerinin yardımını görerek yükseleceğine işarettir. Bu yüzden yüzdeki bu parlak nokta fizyonomistler tarafından iyi bir işaret olarak kabul edilir. Bu noktanın maviye çalan bir tonda olması hâlinde kişinin pek hoş sayılmayan sürprizlerle karşılaşması beklenebilir. Sarımsı kızıl renkse, yine şanssızlığın işaretidir.

No. 22: Kişinin özel probleme ilgili olan bu nokta 19 ve 25 numaralı noktalarla birlikte "Şeref Koltuğu" adıyla tanımlanır. Özellikle hükümet yetkilisi olarak bir mevki yansıtan bu noktanın kızılımsı renkte oluşu, kişinin ya çok iyi bir işe gireceği ya da bulunduğu işte yükseleceği anlamına gelir. Koyu, lekeli bir nokta, kişinin meslek açısından tehlikeli bir durumda olduğunun işaretidir.

No. 25: Kişinin içinde bulunduğu dönemi ve aynı zamanda geleceğini yansıtır. Bu noktanın kusursuzluğu oranında kişi şanslıdır. Siyah noktalar sabırsızlığın ve bunun sonucu olarak da arka arkaya gelen başarısızlıkların işaretidir. Cilt bozuklukları ve çizikler ise hükümetle ilişkilerde birtakım terslikler in işaretidir. Bu noktanın çukur ve koyu renkli oluşu, kişinin yeterince zeki olmadığını belirler. Yüksek ve parlak olması ise genç yaşta başarı ve göz kamaştırıcı bir hayata kavuşacağı yolunda işaretler verir.

No. 28: Kişinin alın yazısını mühürleyen bu nokta, öteki on üç noktaya göre en önemlisidir. Kişinin yüksek bir mevki sahibi olma konusunda yeteneğini belirleyen noktadır ve fizyonomist tarafından dikkatle incelenmelidir. Kaşların arasındaki uzaklık, cildin pürüzsüzlüğü, kemik yapısı ve bu noktanın yüksek ya da çukur oluşu ayrı ayrı anlam taşır.

Kaşların birbirine uzaklığı iyi bir işarettir. Etli ve dört dikey çizgiyle belirlenmiştir. Eski Çin kitaplarında bu, canlılık, yaşadığını hisseden, duyarlı kişileri tanımlar. Dört köşe ya da yuvarlak iki kaşın arasındaki dikey çizgiler olgunluğun bir işaretidir. Daha çok erkeklerde rastlanan bu özelliğin seyrek de olsa bir kadında bulunması, onun hırslı, bağımsız ve meslek sahibi bir kişi olduğunu gösterir.

Bu noktada lekeler, pürüzler göze çarpıyorsa bu durum, kişinin başladığı hiçbir işin sonunu getiremeyeceği anlamına gelir. Eğer bu özellikler bir kadın için düşünülecek olursa, sessiz, cansız, sünepe ve hep birilerinin güvencesine bağlı kalacak bir kişiliği sergiler.

Cildin bu noktada parlak oluşu her iki cins için de "kadınsı" bir özelliği yansıtır. Kadında iyi bir ev hanımlığının işareti, erkekteyse sanatçı yeteneklerin işaretidir.

Özellikle ince yüzlerde bu noktanın belirgin bir biçimde yüksek oluşu, kişinin olağanüstü zeki olduğunu belirler. Bu yükseltiler bazı kişilerde şakaklarda oluşur. Genellikle parlak ışık altında göze çarpmayan bu noktaları dikkatle incelemek gerekir.

Bu yükseltiler, fizyonomistler tarafından kişinin iç dünyasının canlılığı ve sürekli değişimlere uğrayacağı biçiminde yorumlanır. Aynı zamanda kişinin olgunluğu, düşünme yeteneği ve gücü, mantığı yönünden olumlu biçimde yorumlanan bu yükseltiler, kişinin başarılarında olsun, yenilgilerinde olsun dayanıklılığının da bir işaretidir. Genellikle bu yükseltilerin otuz yaşlarında belirlendiği görülür.

Bu noktalardaki cilt rengi de aşağıdaki hastalıkların birer belirtisidir. Siyaha bakan bir renk, eski Çin kitaplarına göre mide rahatsızlıklarının, mavimsi bir renkse kalp krizlerinin birer birer belirtisidir. Bu noktada herhangi bir leke ya da ben, müzmin hastalıkları yansıtır.

28 numaralı noktayla 15 numaralı nokta arası "Şans Koridoru" adıyla bilinir. Bu yörenin çukur ya da düzensiz bir biçimde girintili çıkıntılı oluşu kişinin beli amaçlarına ulaşamayacağının bir belirtisidir.

No. 41: "Dağ Etekleri" adıyla tanımlanan bu nokta kişinin evlilik ve aile hayatını yansıtır. Çukur bir görünümde olup yatay çizgilerin oluştuğu nokta, aile içinde problemlerin belirtisidir. Kaşların, göz ifadesini kaybettirecek kadar kalın ve burun köprüsünün de yana doğru çarpık oluşu ciddi bir hastalık ya da orta yaşta ölüm veyahut hapis gibi büyük felaketleri gösterir. Ancak, yüzün öteki bölümleri düzgün bir orantı içindeyse ve cilt rengi parlak, ses de kalın ve etkiliyse, bu felaketleri büyük ölçüde hafifleten özellikler var demektir.

No. 44: Orta yaşları yansıtan bu noktada bir kırışık kötü şansın belirtisidir. Soluk fakat esmer bir ciltse, aileden gelen ciddi bir hastalığı gösterir. Bu noktada bir ben, karşı cinsle seks yönünden bazı güçlüklerin işaretidir.

No. 45: Kemik yapısı kusursuz, cilt rengi parlak bir kırmızıysa, kişinin şanslı olduğunu söyleyebiliriz. Bu özelliklerin tersi de kişinin şanssızlığını yansıtır.

No: 48: Kişinin en canlı ve hareketli yıllarını yansıtan bu nokta etli, yuvarlak ve parlak kırmızı renkte olmalıdır. Sağlıklı görünümü oranında olumlu yorumlara gidilebilir. Bu noktanın hat olarak düzgün olması karşılığında cildinin kötü oluşu başarısızlığın ya da bunalımların bir işareti sayılır. Kara noktacıklar ya da sivilceler maddi sıkıntıları yansıtır.

No. 51: Bu oyuk kişinin soyunu üretme açısından önemlidir. Eğer üst dudağa göre merkezi bir noktada değilse ve düz bir oyuk oluşturamıyorsa kişinin çocuk sahibi olamayacağına işaret eder.

No. 60: Dudakların kapalı hâlinde alt ve üst dudağın dengeli görünümü hırslı bir karakteri yansıtır. Dudakların iki ucu yukarı doğru kıvrıksa kişinin iş hayatı ve para konularında başarı sağlayacağının işaretidir. Ağzın açılış kapanış hareketleri çirkin bir görünüm oluşturamıyorsa, kişinin geniş ve hür fikirli bir kafa yapısına sahip olduğu şeklinde yorumlanabilir. Kırmızı ve parlak dudaklar iyi bir gelecek vaat eder.

No. 70: Daha çok cilt rengine göre yorumlanan bu noktanın koyu olması hâlinde o kişinin pek yolculuğa çıkmamasında yarar vardır. Kırmızı, mavi ya da donuk bir beyaz renkse, kişinin herhangi bir entrikaya veya suikasta kurban gideceği şeklinde yorumlanır.

No. 71: Kişinin karşılaşacağı güçlükler ve zahmetlerin yorumlandığı çene bölümünün sivrilerek bitişi, bitmek tükenmek bilmez güçlükleri ve yoksulluğu belirler. Yine sivri olup bir yana doğru çarpılan çene biçimi, kişinin çektiği zahmetlerin karşılığını iyilik ve şefkatle ödeyeceği anlamına gelir. Parlak kırmızımsı bir renk mutlu bir olayın işaretidir, bulanık bir kırmızıysa, daha çok yangınla birlikte gelen bir felaketin işaretidir.

Fizyonomi sanatında yüzün bütün özelliklerinin birbiriyle bağlantılarına göre yorumlar yapılabileceğini yeniden hatırlatalım. Yüzün belirgin bir özelliğiyle kişinin karakteri ve alın yazısı üstüne kesin ve doğru bir sonuca ulaşmak mümkün değildir. Tek başına el çizgileri de aynı şekilde kesin bir sonuca götürmez. Bu, tıpkı bir kitabın yalnızca bir bölümünü okuyarak bütünü üstüne fikir yürütmeye benzer.

BİR EL NASIL YORUMLANIR?

Her şeyden önce elin biçimi ve parmaklar dikkatlice incelenir. Yüz ile el arasındaki ilişkiler gözden geçirilir. Çünkü bazen yüzdeki arızalar, eldeki işaretleri değiştirir. Sonra elin içindeki tepelere dikkatle bakılır. Parmakların altındaki bombelerin yükseklikleri gözden geçirilir. İşaret parmağının altındaki tepe diğerlerinden daha şişkin ise bu şahsın iyi bir idareci olduğu göz önünde tutulur, diğer çizgiler ve işaretler buna göre yorumlanır. Başparmak özellikle önemlidir. Çünkü bu parmak kişinin öz kaynaklarının kapasitesini verir.

Öncelikle dikkat edilmesi gereken bir başka husus ise başparmak ile işaret parmağının bağlantı noktasıdır. Bu bağlantı perdeli ve dar açılı ise karşımızdaki insan etkin değil edilgen bir tiptir. Yönetilmek için yaratılmıştır. Orta parmağın kalın ve altındaki tepenin şişkin olması mala mülke düşkün bir tipi ele verir. Yüzük parmağı altındaki tepenin şişkinliği diğerlerine göre daha bariz duruyorsa mutlak manada bir sanatçı, hem de velut ve doğurgan bir sanatçı ile karşı karşıyayız demektir. O zaman elin diğer unsurları da buna göre yorumlanır. Serçe parmağı da çok önemlidir. Çünkü serçe parmağının altındaki tepe daha belirgin ise bu insan ticarette ve insanları ikna etme sanatlarında güçlüdür demektir... Başparmağın dip kısmı olan Venüs tepesi çok etli ve güçlü bir yapıda ise bu insan maddi hazlara her şeyden çok önem veriyor demektir. Uçları etli ve küt parmaklar, pratik sanatlarda, uçları ince ve sivri parmaklar ilhama dayalı işlerde başarılı olurlar... Parmaklar avuç kısmından daha uzunsa tefekkür ve ilham, avuç parmaklardan daha uzunsa pratik ve üretmeye yönelik işlerde mahareti sergiler. Bütün bunlar dikkatlice incelendikten sonra avuç içindeki çizgiler incelenir.

Avuç içindeki en önemli çizgi, hayat, akıl ve kalp çizgisidir. Bu üçü, yüzde doksan sekiz insanda mevcuttur. Bu üç çizgiyle birlikte dördüncü olarak kader veya şans çizgisi de varsa bu insan, yüzde 35'e girer. İnsanların ancak yüzde 35'inde ilk üç çizgiyle beraber, kader çizgisi de bulunur. Hayat, akıl, kalp ve kader çizgisi taşıyan elin sahibi, hayat standardı olarak ilk yüzde 25'e girer. Tabii bu çizgiler üzerinde görülecek kırılmalar, kesilmeler ayrı bir konu... Bu dört çizgi ile birlikte güneş çizgisi denilen (yüzük parmağının altına görülen çizgi) varsa bu insan standart olarak yüzde ilk yüzde 15-20'ye girer.

Çoğu insanlarda güneş çizgisi yoktur veya kalp çizgisinden sonra görülmeye başlar. Bu da o insanların kırk yaşından sonra, kendilerine takdir edilen başarıya ulaşacaklarını gösterir... Bu beşinci çizgi ile birlikte ilham veya sağlık çizgisi denilen çizgiyi de elinde barındıran bir insan ilk yüzde 10'a girer. Tabii bu çizgilerin kusursuz ve kesiksiz olması şart. Çünkü bazen bu çizgiler bulunduğu hâlde, bu çizgiler üzerinde görülecek kırılma, kesilme, yön değiştirme gibi olumsuz işaretler yukarıda söylediklerimizi iptal eder. İyi bir hayat çizgisi, kırıksız, kesiksiz, düz ve pembe bir renktedir. Avucun beşte ikilik kısmını içinde bırakacak şekilde geniş bir yay çizer ve baş parmağın altındaki Venüs tepesinin kaidesini belirler. Hayat çizgisinin çevrelediği alan ne kadar dar ise, kişinin hayattan nasibi de o kadar az olur. Geniş, pürüzsüz ve net bir hayat çizgisi, giderek artan bir hayat standardını gösterir. Bu çizgi üzerinde görülecek işaretler, hayatın kendisinden çok, sağlık ve hayat standardı ile ilgili ipuçları verir. Hayat çizgisinin uzun olması, hayatın da uzunluğunu göstermez. Aksine hayatın standardını gösterir. Hayat çizgisi tam olarak, işaret parmağının kaidesiyle başparmak kaidesinin ortasından başlar. İki parmağın avuçla birleşme mesafeleri ne kadar genişse kişinin hayattan alacağı nasip de o kadar geniş ve değişiktir. Araları çok yakın bitişmeler iyi değildir.

Hayat çizgisi burada akıl çizgisiyle birlikte başlar ve 18 yaşına tekabül eden yere kadar birlikte devam ederler. Akıl çizgisinin hayat çizgisinden ayrıldığı yer, kişinin rüşde ulaştığı yaştır. Bu herkeste aynı yaşta gerçekleşmez. Bazen de hayat çizgisi ile akıl çizgisi birbirinden bağımsız başlar ve aralarında bir mesafe vardır. Bu insanlar ömürlerinin sonuna kadar hep sonucunu düşünmeden harekete geçerler. Fazla tedbirli davranmazlar, her işe gözü kara dalarlar. O yüzden de bu duruma, yani hayat ve akıl çizgilerinin birbirinden bağımsız başlamalarına teşebbüs kabiliyeti gibi bakılmıştır.

Evet bu, bir tür teşebbüs kabiliyetidir ama daha çok maceracı bir yapıdan kaynaklanır. Aklın katıldığı, planlı teşebbüs gücünü temsil etmez... Hayat çizgisi üzerinde görülen ve yukarı çıkan dallar, kişinin o tarihlerde ne tür başarılara imza atacağını gösterir. Hayat çizgisinden ayrılıp yukarı çıkan bu çizgilerin hangi tepeye yöneldiği dikkatle incelenirse, kişinin o tarihte ne gibi bir iş yapacağı da kestirilebilir. Eğer çizgiler, aşağı doğru iniyorsa bu sefer de yenilgiler söz konusudur demektir. Yine çizgilerin yönü dikkatle incelenmelidir. Hayat çizgisinden ayrılıp fazla uzağa gitmeyen, paralelmiş gibi aşağı inen çizgiler, kişinin kendi imkânlarını kullanmamasından veya sağlık sebebiyle kayba uğrayacağını anlatır... Her çizgide olduğu gibi hayat çizgisi üzerinde görülebilecek en tehlikeli işaret ada, kırılma ve çukurdur. Çünkü bu işaretler, hayattaki ani ve karşı konulmaz kırılmaları temsil ederler. Çukur, kırılma ve adanın ne anlama geldiği kitapta detaylı bir şekilde izah edilmiştir... Hayat çizgisi için çok önemli olan bir başka işaret de başparmağın altından çıkıp hayat çizgisine ulaşan çizgilerdir. Biz bunlara tekvin irade çizgisi diyoruz. Bu çizgiler, aklın ve iradenin dışında, hayat olayı içinde bulunmaklığın getirdiği riskler veya şanslardır. (Hani Borsa oyununda bazen zarınız size kâğıt çekmenizi öngörür. Siz bir kâğıt çekersiniz. Kâğıtta, "Hapis cezasına çarptırıldınız." veya "Bankada biriken faiziniz şu kadardır onu alın." gibi yazılar çıkar ya. İşte ona benzer riskler ve şansları kast ediyorum) Başparmaktan ayrılıp hayat çizgisine ulaşan bu çizgiler bazen hayat çizgisini kesip avucun değişik alanlarına yönelirler. Böylece o yaşta önünüze çıkacak şeyin ne olduğunu karar verebilirsiniz. Yani hayatın sürprizleri. Yahut, evrensel program gereği, hayatınıza yapılan ilahî müdahalelerdir. Bu çizgilerin hayat çizgisine ulaştığı noktadan sonra hayat çizgisi güçleniyorsa lehte, zayıflıyorsa aleyhtedir. Bu çizgiler de genelde kırk yaşına kadar görülür. Ondan sonra zaten karakter ve biçim oturmuş olur, müdahaleye de fazla ihtiyaç kalmaz...

Akıl çizgisi, insanın verimliliğini ve hayattan alacağı payı ifade eder. Bizim kendi tecrübelerimizle edindiğimiz şudur; insanın yaşamının uzunluğu ve kısalığı akıl çizgisiyle anlaşılır. Kısa bir akıl çizgisi, hem hayatın kısalığını hem de hayattan nasibin azlığını gösterir. İyi bir akıl çizgisi, 18 yaşına kadar hayat çizgisiyle devam eder ve sonra kalp çizgisiyle nisbeten paralel sayılacak yönelme ile avucun dışına doğru uzanır. Kalp çizgisinin ucu ay tepesine doğru ne kadar eğimli ise, duygusallık da o kadar artar. Ay tepesine yönelen bir akıl çizgisi, kişinin daha çok duyguları ve iç esinlemeleriyle hareket ettiğini gösterir. Pürüzsüz bir akıl çizgisi başarılı bir hayatı anlatır.

Kalp çizgisi serçe parmağının bir santim kadar altından başlar ve işaret parmağının altına doğru yönelir. Burada ucu hafifçe yukarıya doğru kıvrılır. En iyi kalp çizgisi budur. Hele ucu burada çatalla bitiyorsa bu kişi her işinde dengeli alicenap bir yapıdadır demektir. Kalp çizgisinin ucu işaret parmağının altında eğilip aşağı doğru kıvrılıyorsa bu insan müstesna bir iç dünyaya sahiptir. Kadına ve deruni hazlara düşkündür... Kalp çizgisi üzerinde görülecek adalar, çukurlar, sonu gelmeyecek aşklara işaret eder. Bazen kalp çizgisi çift olur. Bu herkesin taşıyamayacağı kadar derin duygusallıkları temsil eder...

Kader çizgisi, ayanın bilek kısmandan başlar ve genelde orta parmağın altındaki tepeye doğru yönelir. Bu çizgi işaret veya diğer parmaklara yöneliyorsa başarının hangi alanlarda olabileceğini göstermiş olur. Kader çizgisi pürüzsüz olmak zorundadır. Kader çizgisinin hiç olmaması bazen kırık bir kader çizgisi bulunmasından daha iyidir.

Arızaya tahammülü olmayan tek çizgi kader çizgisidir. Bu çizgi üzerinde görülebilecek en küçük kırılma, yön değiştirme, hayatın bütün gidişatını değiştirecek olayları haber verir. Pürüzsüz bir kader çizgisi olan insanın hayatta muvaffak olma şansı yüzde 85'tir.

Güneş çizgisi, en büyük tanrısal bağıştır. Elinde güneş çizgisi taşıyan bir insan her seferinde jokerle oyuna giren gibidir. Bu insanlar, neye yönelirlerse yönelsinler, başarırlar. Çünkü sanki görünmez bir el onların başarısını sağlar. Ancak pürüzsüz bir güneş çizgisinin bulunma ihtimali yüzde, belki binde 5 veya 10'dur. Bilek kısmından başlayıp doğruca yüzük parmağına doğru giden bir güneş çizgisi çok çok ender görülür. Avuçta görülebilen güneş çizgilerinin yüzde 80'i kalp çizgisinden sonra başlar. Bu çizgi de müdahaleyi ve pürüzü hiç sevmez. En küçük bir pürüz, bu şansı iptal eder veya eksikli kılar...

Kader, kalp ve hayat çizgisinin kesişmeleriyle avucun içinde bir üçgen oluşur. Elinde sağlıklı bir üçgen taşıyan insan, normal standartların yani bulunduğu ülkenin ortalamasından biraz daha yüksek bir hayat sürer... Eğer, avuçta, bu üçgenle birlikte akıl, kader ve sağlık çizgilerinin kesişmelerinden oluşan bir başka üçgen daha varsa, bu demektir ki, yukarıdaki standardın da üstüne çıkılacak. Elinde iki üçgeni de barındıran insanların Türkiye'de maddi standartlar açısından ilk yüzde 15'e girdiklerini söyleyebiliriz. Ne var ki bu üçgenler, başarının değil, ele geçecek nimetleri yansıtır. Çünkü iyi kazanan dilencinin elinde de bu üçgenler görülmüştür...

Bir insanın başarılı olup olmayacağını anlamak için parmaklar ve parmakların altındaki tepeleri incelemek gerekir. Tepelerin bir ikisi mutlaka dikkat çekecek kadar bombeli olmalıdır. Elinde hiçbir tepesi belirgin olmayan insanların bir şey başarmaları veya kendi başlarına bir şey yapmaları mümkün değildir. Çizgiler sadece başarının şeklini ve alanını belirleyebilir. Elinde çok iyi çizgileri bulunduğu hâlde hiçbir şey yapamadan hayatını kapatmış sayısız insan gördüm. Bunların ortak noktaları, parmaklarının altında yer alan tepelerin tamamen silik ve dümdüz olmasıydı...

İnsanın yaratma kudretinin kaynağı Venüs tepesidir. Bu tepe ne kadar belirgin ve pürüzsüz ise, motor gücü o kadar yüksektir. Kişinin bu motor gücünü kontrol edip etmediğini anlamak için de başparmağa bakılır. Eğer başparmak bu gücü kontrol edebilecek güçte yahut uzunluk ve kalınlıkta ise o zaman denilebilir ki bu insan öz kaynaklarını kullanıp başarılı olur... Ama güçlü bir Venüs tepesinin üstünde kısa ve küt bir başparmak varsa, bu insan, kudretini nefsani ve şehevi arzularını tatmin etme peşinde tüketir...

Başarının bir değer kaynağı da Ay tepesidir. Ay tepesi ilham ve esin kaynağıdır. Çünkü başarı için sadece akıl ve kudret yeterli değil. Esin kaynağının da onu desteklemesi gerekir. Kritik zamanlarda doğru karar verebilme yetisi Ay tepesinden gelir. Dolgun, kırışık ve buruşuk olmayan ay tepesi, kişinin akümülatörü gibidir. Yahut kristal küre... Kişiye en kritik zamanda nasıl hareket edeceğinin ipuçları bu kaynaktan gelir. Çok belirgin bir ay tepesi, kişiyi aşırı hayalci kılacağı için zararlıdır. Buruşuk, kırık kırık çizgilerle kesilmiş bir ay tepesi, sayısız gelgitler ve ardışık fikirler arasında bir türlü karar verememeyi getireceği için, başarıyı durdurur. Demek ki kişinin başarılı olup olmayacağını anlamak için önce parmak altındaki tepelere, sonra da Venüs ve Ay tepelerinin birbirini ne kadar dengeleyip dengelemediğine bakmak lazım...

Kişinin parasal gücünü orta parmak ve serçe parmağı tayin eder. Bu iki parmağın altındaki tepeler belirgin biçimde şişkin, orta parmak kalın ve parmakların ilk boğumları uzunsa ve bu boğum üzerinde uzunlamasına çizgiler mevcutsa bu kişi normalin üzerinde bir servet edinir. Hele, Venüs tepesi de yeterli bir bombeliğe sahipse. Tabii ellerin biçimi de çok önemlidir. İnce uzun parmaklı ve boğumları belli bir ele sahip hiçbir insanın zengin olduğu görülmemiştir. Eğer miras yoluyla servete kavuşmuşlarsa onu da çarçabuk tüketirler.

İyi bir kader çizgisi, işlerin problemsiz devam edeceğini gösterir, Güneş çizgisi, hayatınız boyunca yükselmenizi sağlayacak yardımcılar bulacağınızı gösterir. Ama hiçbirisi zengin olacağınızı göstermez. Başarılı olursunuz ama zengin olmayabilirsiniz.

Kişinin karşı cinsle olan ilişkilerini, sanıldığı gibi kalp çizgisi vermez. Kalp çizgisi sevgilerinizi temsil eder. Bir kadına âşık olma ihtimaliniz varsa bunu kalp çizgisinden anlayamazsınız. Olsa olsa bu aşkın veya sevginin sizi ne kadar derinden etkileyeceğini veya sizde olumlu mu olumsuz mu etki yapacağını anlarsınız. Gerçi kalp çizgisinden ayrılan dallar ve budaklar kişinin ilgilerini ve yönelmelerini verir ama karşı cinsle ilişkileri belirleyen de Venüs tepesidir. Venüs tepesi üzerinde görülen minik minik kareler bu ilişkileri ele verir. Kalp üzerinde görülecek çukurlar adalar ve kırılmalar da bu ilişkilerin sizin iç dünyanızı nasıl etkileyeceğini açığa çıkarır.

Sayısız kadınla ilişki kurmuş ama bir tanesine âşık olup kavuşamamış bir insanın elini incelemiştim. Ona bir kere âşık olduğunu ve şu kadar sayıda değişik kadınla ilişki kurmuş olabileceğimi söylediğimde şaşırmıştı. Hâlbuki Cenab-ı Hakk, Yasin Suresi'nde, "Mahşer günü kişiye ne yaptığını sormam. Kişinin elleri bize bütün yaptıklarını söyler." buyurur. Kalp çizgisi, en fazla, kişinin duygusallığının yüzeysel mi derin mi olduğunu ele verir. Kalp çizgisi yüzük parmağı altında bir çukur veya ada taşıyorsa bu insan hiçbir ilişkisinde aradığını bulamaz. Ömrünün büyük kısmını derin ve sebepsiz hasretler içinde geçirir... Kalp çizgisinin bitiş ucu, eğilip başparmağa doğru gidiyorsa bu insanı, dünyanın hiçbir nimeti mutlu etmez. Ne var ki bu tiplerde zaaf derecesinde güzele ve güzelliğe tutku vardır.

Ömrün uzunluğu ve kısalığına gelince... Bunun elin herhangi bir işareti veya çizgisiyle izah etmek daima risklidir. Ama her şeye rağmen insanın ömrünün uzunluğunu en iyi verecek çizgi yine de akıl çizgisidir. Akıl çizgisi uzun ve pürüzsüz olan bir insan uzun yaşar. Gözün normal açıklığı sırasında gözün akı alttan görülebiliyorsa bu insanın uzun yaşama şansı yüzde bir veya ikidir. Alttan gözünün akı görülen hiçbir insanın 55 yaşından fazla yaşadığına şahit olmadım. Hayat çizgisi kırık ve akıl çizgisi kısa ise bu insanlar da fazla yaşamazlar. Fakat bazen bu işaret, hareket kabiliyetini yitirmeye neden olacak büyük kazalara da işarettir. Dolayısıyla bir insanın ne kadar yaşayacağını tam olarak kestirme imkânı yoktur. Hayat çizgisi ani bitiyorsa ani ölümleri, delta hâlinde dağılıp bitiyorsa hastalıkla, yıldız ve benzeri işaretler ve çizgi kesmesiyle bitiyorsa kazalara işaret sayılabilir. Sonuç olarak, iyi bir yorumcunun başarısı, elin içindeki bütün çizgi, işaret ve tepelere dikkatle bakıp, parmakların biçimini iyi inceleyip ondan çıkaracağı bir grafiği doğru değerlendirme kabiliyetine bağlıdır. Çünkü el, grafikleri okuyabilme sanatıdır. Zaman, mekân, boyut ve sayısız parametrelerin iç içe girdiği bir grafiği inceleyip ondan hüküm çıkarmak elbette kolay değil ama imkânsız da değildir. Bunun üzerine biraz da feraset ve bilinç eklendi mi kişiyle ilgili bütün verileri elde etmek hiç de imkânsız olmaz. Neticede bizi var eden güç, bu makinenin kabiliyetini, fonksiyonlarını, kapasitesini, işleyiş şartlarını ve macerasını elimizin içinde yazmıştır. İşaret dilini, yani insanlığın ortak dilini kullanmıştır. Nitekim bizim yazılarımız da çizgilerden ibarettir. Kesen, kesilen, kıvrılan çizgiler... S harfini, I harfinden ayıran tek şey bükümüdür. Latin alfabesine göre A harfi ilk harftir ve üç çizgiden ibarettir. İlk çizgi Yaratıcı'yı, ikinci çizgi insanı, üçüncü çizgi evreni temsil eder. Bu üçünün oluşumuyla varlık anlaşılır ve ortaya çıkar. Dünyanın en eski yazısı da birbirini kesen çizgilerden ibarettir. Sümer yazısı, yani çivi yazısı birbirini kesen sayısız çizgilerin kombinasyonudur. Elin içindeki çizgiler de öyle. Nasıl çoğumuz çivi yazısına baktığımızda bir yığın kargacık burgacık çizgiler görüyoruz. Fakat onun uzmanı ondan sayısız anlamlar çıkarır. El çizgileri de öyle. Yeter ki okumasını bilelim ve doğru okuyalım...

MEHMET ALİ BULUT

CAN
BOĞAZDAN ÇIKAR

KAN GRUPLARINA GÖRE BESLENME

MEHMET ALİ BULUT

SOFRA BAŞI
SAĞLIK
SOHBETLERİ

"AÇLIK" ŞİFANIN KAYNAĞIDIR

MEHMET ALİ BULUT

FARDİPLİ SİNHA

MİSTİK ROMAN

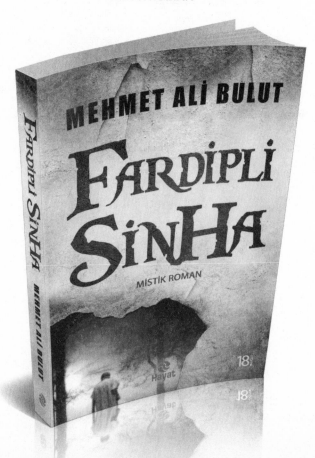

MEHMET ALI BULUT

DERVİŞ VE SİNHA

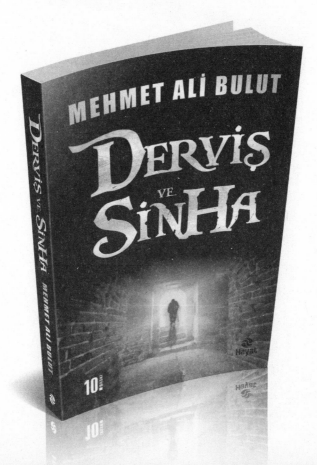

MEHMET ALİ BULUT

RUHUN DEŞİFRESİ